ARMIN UND RENATE SCHMID

Die Römer an Rhein und Main

Das Leben in der Obergermanischen Provinz

SOCIETÄTS-VERLAG

Mit 33 Abbildungen auf 16 Bildtafeln
und 42 Wiedergaben im Text

Zweite erweiterte Auflage

Alle Rechte vorbehalten
Societäts-Verlag
© 1972 Frankfurter Societäts-Druckerei GmbH
Umschlagzeichnung von Heinrich Müller
nach einem Relief der Trajans-Säule in Rom
Satz und Druck von Poeschel & Schulz-Schomburgk, Eschwege
Einbandarbeit Klemme & Bleimund, Bielefeld
Printed in Germany 1973
ISBN 3 7973 0216 9

Siehe, der Tag kommt einst, wo in jenen Fluren der
Landmann,
Wenn mit gebognem Pflug' er den Acker furchet, von
scharfem
Rost durchfressene Lanzen entdeckt, mit der Schwere des
Karstes
Auf hohl klingende Helme klopft, und die großen
Gebeine
Voller Verwunderung schaut in den aufgerodeten
Gräbern.

VERGILS GEORGICA, ERSTER GESANG

Inhalt

7

Vorwort

Wir haben, nach intensiven Studien und anhand neuester Forschungsergebnisse, versucht, ein Bild der Römerzeit in der obergermanischen Provinz zu zeichnen. Wir hätten das Buch nicht schreiben können, wenn uns nicht einige Wissenschaftler mit Rat und Tat geholfen hätten. Sie haben uns ihre Bibliotheken geöffnet, vor allem aber in vielen Gesprächen dazu beigetragen, schwierige Fragen zu klären. Ihnen allen gilt unser Dank. Besonders verbunden sind wir den Herren Dr. Baatz, Museumsdirektor der Saalburg, Dr. Esser, Direktor des Mittelrheinischen Landesmuseums und seinen beiden Mitarbeitern Dr. Decker und Dr. Selzer, sowie Herrn Professor Instinsky, Universität Mainz. Wir danken auch den Herren Professor Schoppa, Landesarchäologe von Hessen, Dr. Mandera vom Staatlichen Amt für Vor- und Frühgeschichte in Wiesbaden und Herrn Dr. Fischer, dem Leiter des Museums für Vor- und Frühgeschichte in Frankfurt am Main, für ihre freundliche Unterstützung.

Armin und Renate Schmid

Reise durch das Römische Reich

NEHMEN WIR AN, eines Tages packt Sie das Fernweh. Sie wollen einmal etwas von der Welt sehen. Ihre Reise beginnen Sie ziemlich weit oben im Norden, in England, sagen wir, in der Gegend von Newcastle, und Sie nehmen Ihren Weg durch Mittelengland bis herunter nach London. Hier gehen Sie an Bord eines Schiffes, das Sie zum Kontinent bringt. Gleich, wo Sie nun aussteigen, in Belgien, Holland oder Frankreich: es gibt nirgendwo eine Grenze, an der man Ihren Paß kontrolliert. Sie entschließen sich, den Rhein hinaufzufahren, am Loreley-Felsen, am Binger Loch, an Mainz vorbei und immer weiter bis zur Schweiz. Schiffsreisen machen Ihnen Spaß. Sie nehmen ein Boot auf der Donau und dann gehts den Fluß entlang durch Österreich, Ungarn, Jugoslawien, Rumänien, Bulgarien. Danach setzen Sie über den Bosporus, trampen kreuz und quer durch die Türkei – machen einen Abstecher nach Cypern, Kreta, Griechenland. Und weiter führt die Tour durch Syrien und Israel nach Ägypten. Und weil Sie schon einmal hier sind, reisen Sie die ganze afrikanische Mittelmeerküste entlang, abwechselnd zu Land und zu Wasser, je nach Lust und Laune, bis nach Gibraltar. Jetzt wollen Sie wieder europäischen Boden unter den Füßen spüren! Also Überfahrt nach Sizilien, Italien, dann lockt Spanien und über Frankreich geht es zurück nach Newcastle.

Während der ganzen Reise hat kein Mensch Ihren Paß verlangt. Sie brauchten kein Geld zu wechseln und konnten in *einer* Währung bezahlen. Sprachliche Schwierigkeiten gab es nirgends, denn überall bediente man sich der auch Ihnen geläufigen Amts- und Verkehrssprache.

Vision einer künftigen Welt? Utopie eines politischen Fantasten? Nein, das war Wirklichkeit – die Wirklichkeit vor zweitausend Jahren. Die Wirklichkeit des Römischen Imperiums der Kaiserzeit.

Schön und gut. Aber wer nahm denn schon die Strapazen und Gefahren auf sich, mit denen damals Reisen verbunden waren? Nun, die Expansionspolitik des Römischen Reiches führte zu einem regen Verkehr bis in die entferntesten Teile des Landes. Die meist schnurgeraden römischen Straßen waren Lebensadern dieses riesigen staatlichen Organismus und gleichzeitig Ausdruck des römischen Machtwillens. Mit Stubenhockern läßt sich kein Reich dieser Größe erobern und halten!

Beamte, Militärs, Händler, Kuriere, Kaufleute, Delegationen, Sportler, Schausteller und Künstler, Missionare und »Scholaren« bevölkern die Straßen zu Fuß, Pferd, Esel und Wagen. Und nicht zuletzt – Zeichen hoher Zivilisation: die Vergnügungs- und Erholungsreisenden, die Patienten, die aufgrund ärztlicher Verordnung in Bäder, ans Meer oder in die bewaldeten Berge fahren, um dort ihre Sommer- oder Winterfrische, ihre Kur zu verbringen. Der Gebildete pilgert zu den Stätten der Kultur. Für Bildungsreisen sind Griechenland und Ägypten »in«. Fremdenführer, Kritzeleien der Touristen an ägyptischen Altertümern, das gab es bei den alten Römern.

Zieht der Kaiser durch die Lande, besteht sein Troß aus Hunderten von Wagen. Die anderen begnügen sich – je nach Stand und Geld – mit dem *essedum,* einem stabilen, zweirädrigen Wagen, der dem keltischen Kriegswagen nachgebaut ist. Oder er nimmt das *cisium,* eine schnelle, leichte Kalesche für kurze Strecken ohne Gepäck. Daneben rollen vierrädrige Wagen. Darunter das Luxusmodell der Antike: die schnelle, bequeme und prunkvoll verzierte *carruca,* in der man auch schlafen konnte. Die Ausstattung war oft recht komfortabel. Wir wissen von Klappstühlen, Klapptischen, Brettspielen, Entfernungsmessern zum Abmessen der zurückgelegten Meilen oder einer Reisesonnenuhr (wie in Mainz eine gefunden wurde) und Glasfenstern. Das Militär benutzte den *carrus,* der ebenfalls keltischen Ursprungs ist. Es gibt auch Taxi-Unternehmen, bei denen man die Wagen mietet, und deren Innung überall im Römischen Reich vor den Toren der Städte Stationen, auch zum Pferdewechsel, eingerichtet hat.

Allerdings, reisende Autoren wie Plinius der Jüngere und Horaz wissen Schauerliches über die römischen Gaststätten zu berichten. Danach waren es übelriechende, verräucherte Kaschemmen mit verwahrlosten, kleinen Zimmern, in denen es von Ungeziefer wimmelte. Fuhrknechte, Dirnen, Taschendiebe und anderes Gesindel trieben dort ihr Wesen. Die rüden Ferkeleien, mit denen sie die Wände dieser *cauponae* beschmierten, sind interessant. Diese ungebildeten Leute schrieben wie sie redeten und überlieferten uns so das zu ihrer Zeit gesprochene Latein. Die Wirte, mürrisch, gerissen, forderten unverschämte Preise. Wen wundert es, daß die römische Justiz nicht gerade zimperlich mit solchen Gastwirten umging. Doch die Gastronomie entwickelt sich und wird ein gutes Geschäft. Strabon lobt die Hotels in Bädern und Städten in Kleinasien, und Plutarch überlegt sorgfältig, in welchem Gasthof er übernachtet. Der syrische Kaufmann, den sein Weg durch Kempten im Allgäu führt, weiß, daß dort eine gute Herberge steht. In neuerschlossenen und unwirtlichen Gegenden läßt die Regierung zunächst an den Straßen *mansiones* errichten. So findet der Reisende auch in den Alpen, auf dem Balkan, in Arabien und an den Grenzen Galliens Unterkunft.

Schneller und bequemer geht es per Schiff. Damals wird der Schiffsraum nicht nach Tonnen, sondern nach der Zahl der aufzunehmenden Amphoren berechnet. Stolz zeigt der Kaufherr seinen 4000-Amphoren-Frachter. Funde und Bilder beweisen eine Vielzahl von Schiffstypen. Transporter waren 25 bis 30 Meter lang und 8 bis 10 Meter breit. Ihr Rauminhalt dürfte bis zu 300 Tonnen betragen haben. Im zweiten Jahrhundert n. Chr. beschreibt Lucian einen 1600 Tonnen großen »Ozeanriesen«. Und im gleichen Jahrhundert können Passagierschiffe bis zu eintausend Fahrgäste an Bord nehmen. Seereisen erfreuen sich großer Beliebtheit, denn nach Juvenal ist im Sommer die halbe Menschheit irgendwo an Bord.

Seit dem ersten Jahrhundert fährt man auch nachts. Leuchtfeuer flammen an den Küsten des Mittelmeers, weisen den Seefahrern den Weg die spanische und gallische Küste entlang bis nach Dover. Der nicht ganz fertiggestellte achteckige Leuchtturm von Dover (ein Modell steht im Museo della Civiltà in Rom) sollte fast 28 Meter in die Höhe ragen.

Man schippert nicht mehr nur die Küste entlang, sondern wagt die Fahrt direkt übers Meer. Häfen in Gallien, Britannien, am Roten und Schwarzen Meer werden angelaufen. Man ankert sogar im Indischen Ozean und am Bengalischen Golf, um Handel zu treiben. Strabon, Pomponius Mela, Ptolemäus und andere beschreiben die Geographie der Küsten der angesteuerten Länder. Regelmäßige Routen werden eingerichtet. Selbst von Boulogne nach Dover verkehrt täglich planmäßig ein Schiff mit einer Fahrzeit von acht Stunden. Durchschnittlich legt ein Schiff 70 bis 90 Meilen pro Tag zurück. Drei Tage dauert die Fahrt von Rhodos nach Alexandrien; von Sizilien nach Karthago braucht man 24 Stunden, von Afrika nach Ostia bei guten Bedingungen zwei Tage.

Auch über die Reisezeit zu Lande haben wir Auskünfte. Unter günstigen Umständen war Mainz von Rom aus in zehn Tagen zu erreichen, und die Strecke von Mainz nach Köln schaffte man an einem Tag. Ein Reisender konnte 180 bis 200 Kilometer täglich und die Briefpost sogar 250 Kilometer zurücklegen. Dies waren allerdings antike Rekorde.

So kann Ulrich Kahrstedt in seiner »Kulturgeschichte der römischen Kaiserzeit« sagen: »Dann sprechen im 2. Jahrhundert Historiker, Philosophen, Rhetoren, Feuilletonisten zu uns. Und sie vereinigen sich zu einem Chor der Begeisterung: das Reich blüht von einem Ende zum anderen. Rom hat, wie gerade die geschichtlich Gebildeten unter ihnen immer wieder versichern, ein neues Lebensprinzip heraufgeführt, den ungestörten Frieden der Kulturwelt. Die Erde trägt statt der eisernen Rüstung ein Festgewand, sagt Aelius Aristides, die Berge sind erschlossen, die Ströme überbrückt, die Wüste besiedelt, Stadt liegt neben Stadt, ein freier Verkehr verbindet die entlegensten Landschaften, gefährliche Länder sind zur Legende geworden, das Meer ist voll von Schiffen, die Straßen von Wagen und Wanderern, jede Errungenschaft, jeder Komfort dringt sofort in alle Winkel des Reichs. Bei allen Autoren klingt derselbe Akkord an: es gibt keinen Krieg, keine Piraterie, keine verschlossenen Wege und Landstriche . . . Krieg, marschierende Kolonnen, Verheerungen durch Schlachten in der Kulturwelt sind unvorstellbar, der Krieg ist ein Mythos, ist etwas, das in alten Büchern steht und das der Sohn einer glücklicheren Zeit mit Schaudern liest, aber nie mehr zu erleben vorbereitet ist. Sogar der Christ Tertullian, der keinen Grund und sicher nicht die Absicht hat, das ihm innerlich fremde Reich zu preisen, sieht sich in seiner Umwelt um und sagt: – fast genau wie Aelius Aristides – alle Länder sind zugänglich, alle voll Verkehr, Kornfelder haben die Wüste, Haustiere die wilden Bestien verdrängt. Es gibt jetzt so viele Städte in der Welt wie früher Häuser.«

Nur am Rande dieser Welt, irgendwo in der Wüste der Sahara und Arabiens, flackern gelegentlich Unruhen auf. Vor allem aber ist das Imperium lange Zeit an einer Stelle bedroht, an der Grenze im Norden – an Rhein und Main. Hier herrscht noch blutiger Kampf, marschieren Truppen und schlagen Schlachten, bis auch dieses Land in den römischen Frieden einbezogen ist. Auf diesem geschichtsträchtigen Boden prallen drei große Völker aufeinander, die das Gesicht Europas für die nächsten Jahrtausende bestimmen: Kelten, Römer und Germanen.

Marcus Julius marschiert nach Mainz

WIR SCHREIBEN DAS JAHR 71 nach Christus. Die Legio I Adiutrix hat Marschbefehl nach Mogontiacum [Mainz]. Sie ist 68 hauptsächlich aus Mannschaften der Flotte im Stützpunkt Misenum am Golf von Neapel zusammengestellt worden und soll die XIV. Legion in Mainz verstärken. Auf einer Heerstraße zieht sie nach Norden. Reiter der Hilfstruppen und Bogenschützen bilden die Vorhut und sichern Spitze und Flanke. Da im Augenblick keine Gefahr droht, marschieren die sechstausend Mann in einfacher Kolonne. Der Legionsadler und andere Feldzeichen markieren Kohorten und Manipel. In der Mitte bewegt sich der Troß mit mehr als fünfhundert Troßknechten und ihren Tragtieren. Wagen, Pferde und Esel sind vollgepackt mit Zelten, Waffenvorräten, Brückenbaumaterial, Handwerkszeug, Hand-Getreidemühlen, Lebensmittel- und Futterbedarf. Jedes Lasttier trägt etwa zwei Zentner. Auch einige schwere Kriegsmaschinen, die Artillerie der Antike, rumpeln die Straße entlang. Stumpf und wortlos trotten die Soldaten dahin. Kein Wunder – sie marschieren seit mehr als vier Stunden und haben fast an die zwanzig Kilometer zurückgelegt. Zwar brennt hier nicht die Sonne wie in Arabien oder Ägypten, aber Wind und Regen setzen den Südländern sehr zu.

Dabei schleppt jeder Legionär mindestens dreißig Kilo Gepäck: Korb, Topf, Getreidevorrat für zwei Wochen, Säge, Beil, Spaten, zwei oder drei Schanzpfähle. Dazu kommt die Bewaffnung, das zweischneidige, etwa sechzig Zentimeter lange Schwert, zwei anderthalb Meter lange Wurfspeere, von denen einer schon ein Kilo wiegt. Zur Erleichterung hat Feldherr C. Marius eine primitive Vorrichtung, *sarcina* genannt, eingeführt: zwei Stangen werden hinten verbunden und durch ein Querbrett gestützt über der Schulter getragen. Darauf schnürt und befestigt der Legionär seine Ausrüstung.

Der Helm baumelt am Kinnriemen vor der Brust, der Schild hängt in einem Überzug auf dem Rücken. Der Legionär, der sich so dahinschleppt, entspricht nicht dem »Theaterrömer« unserer Vorstellung. In dieser Uniform steckt ein typischer Bauer aus Latium oder Samnium. Gedrungen und vierschrötig, mit breiten Schultern und kräftigen Muskeln, dunkelhäutig, sonnverbrannt und schwarzhaarig, nicht größer als einsfünfzig. Da ist zum Beispiel Marcus Julius. Zehn Dienstjahre hat er schon auf dem Buckel. Trotz Uniform, Auszeichnungen und Narben – man sieht ihm an, daß er sein Leben lang geschuftet hat. In der Legion wurde ihm nichts geschenkt. Wenn er nicht marschierte oder kämpfte, mußte er Lager schanzen, eine Straße befestigen, Brücken oder Belagerungsmaschinen bauen. Erschöpft stapft er vor sich hin. Es sind noch fünf Kilometer zurückzulegen. Doch ihn erwartet kein Quartier, wo er sich ausstrecken kann.

Zuerst muß das Lager errichtet werden – und sei es auch nur für eine Nacht. Es ist stets die gleiche Routine: ein vorausreitender Tribun und einige Centurionen suchen einen geeigneten Lagerplatz, der leicht zu verteidigen ist. Die Feldmesser stecken das für das Lager bestimmte Rechteck mit 750 x 1000 römischen Fuß [= 222 mal 296 Meter] ab und legen die beiden Hauptstraßen fest. Mit Stangen und Wimpeln kennzeichnen sie den Ort für das Zelt des Kommandeurs mit 60 mal 60 Metern in der Mitte des Lagers, die Zeltplätze für die höheren Offiziere und die Truppen. Auch der Quaestor mit der Kriegskasse, das Lazarett sowie die Pferde, der Wagentroß und die Schmiede werden an den für sie festgelegten Plätzen untergebracht. Dieses bis ins kleinste ausgetüftelte System garantiert Sicherheit und Ordnung.

Die Legionäre heben rundum einen etwa drei Meter breiten Graben aus und schütten mit ihren Körben die ausgehobene Erde zu einem Wall auf, der auf der Feindseite meist durch eine Holzverstrebung abgestützt wird. Auf dem Wall zieht sich eine Brustwehr entlang. In erstaunlich kurzer Zeit steht diese Militärstadt mit ihren Zelten, Wällen und Gräben, den Holztürmen und schußbereiten Steinwerfern, Flachschleudern und Schnellwurfmaschinen. Innerhalb des Walles verläuft die Via Sagularis, eine breit angelegte Straße. Hier treten die Soldaten zum Appell an oder formieren sich blitzschnell im Falle eines Angriffs. Der Legionär hat einen harten Arbeitstag.

Ist die Schanzarbeit beendet, flaniert unser Marcus Julius noch ein bißchen, unterhält sich mit Kameraden, kocht sich den Abendbrei und kriecht dann müde in sein Zelt von 3,60 Quadratmetern, das er mit acht bis zehn Soldaten teilt. Er ist froh, daß er jetzt seine Ruhe hat und nicht, wie einige Reiterschwadronen, außerhalb der Verschanzung die Nacht über die Gegend um das Lager sichern muß. Ausschlafen kann er sich zwar kaum, denn er hat noch drei Stunden Wache zu schieben. Die Nacht des Legionärs dauert von sechs Uhr abends bis sechs Uhr morgens und ist in vier Wachabschnitte eingeteilt, die durch Trompetensignale angekündigt werden. Marcus Julius hat heute die letzte Wache von drei bis sechs Uhr morgens. Er wird sich hüten, zu verschlafen oder gar auf Wache zu dösen, denn alle Offiziere bis hinauf zum Kommandeur kontrollieren immer wieder die Posten.

Ein Zehntel der Legion ist ständig zum Wachdienst abkommandiert. Diese 600 Männer stehen bei den Toren, vor dem Praetorium und dem Quaestorium und patrouillieren auf den Schanzen. Die Strafen für Wachvergehen sind drakonisch. Auch Marcus Julius hat keine Lust, sein Leben zu riskieren. Schlief ein Soldat auf Wache ein oder verließ seinen Posten, kam er sofort vor ein aus Tribunen bestehendes Standgericht. Das war das Todesurteil! Kameraden mußten es vollstrecken. Der Delinquent wurde zu Tode gesteinigt oder geprügelt. Überhaupt sprang man mit den Legionären nicht zimperlich um. Ein Soldat durfte froh sein, wenn er bei leichteren Vergehen nur gezüchtigt oder ein Teil des Soldes oder der Kriegsbeute gestrichen wurde, wenn er den Wachdienst barfuß oder ohne Uniform ausführen, bei Übungen das schwere Marschgepäck tragen oder – unter dem Gelächter der Kameraden – statt Weizen- Gerstenbrot essen mußte.

Die Wache des Marcus Julius ist vorüber. »Keine besonderen Vorkommnisse!« Nun ertönt ein Trompetensignal und reißt die Soldaten aus dem Schlummer. Sie haben in ihren Unterkleidern geschlafen und der Lederpanzer wird eilig übergestreift. Man hält sich nicht lange mit Waschen auf und schlingt im Stehen ein paar Bissen herunter. Schnell sind die Zelte abgebrochen und verpackt. Ein zweites Trompetensignal! Die Legionäre beladen Maulesel und Wagen und formieren sich, während ein Kommando das Lager in Brand steckt, damit es kein Feind mehr benutzen kann. Nach dem dritten Signal setzt sich die Legion in Marsch.

Doch dieser müde, abgestumpfte, heimwehkranke Feldsoldat, der gnadenlos jeden Feind niedermetzelt, ja sogar seinem Kameraden das Schwert in den Leib stößt, wenn man es ihm befiehlt, der jede Roheit des Krieges kennt, keine Achtung vor dem Menschenleben hat und den kein Mitleid rührt, weil Leid auch sein ständiger Begleiter ist – er zerstört nicht nur, er baut auch auf. Vor allen Dingen baut er auf! Er fühlt, daß er den *ordo*, die Ordnung seiner Zivilisation, das Gesetz seines Imperiums, verkörpert. Und er ist der Träger einer großartigen Zivilisation – einer Zivilisation, wie sie die Welt bis dahin noch nicht hervorgebracht hat.

Marcus Julius identifiziert sich voll und ganz mit dem maschinenmäßigen Exerzierdrill des Heeres, weil er weiß, daß hierin die Überlegenheit gegenüber den zwar wild kämpfenden, aber undisziplinierten Germanenhaufen begründet ist. Die Barbaren schlagen tapfer und blindwütig drauflos, dann aber rennen diese Riesenkerle wieder auseinander wie die Hasen. Das kann seinem Heer nicht passieren. Alles läuft mit der Präzision eines Uhrwerks ab. Der geringste Vorstoß, die kleinste Schwenkung, die Pilum-Salve, das Schleudern der Wurfspeere auf Kommando, all das wird ihm in jeder Lage und jedem Augenblick befohlen. Die waffentechnische Überlegenheit erfüllt ihn mit Stolz. Es gibt keine Stadt, die einem römischen Angriff mit Belagerungsmaschinen widerstehen kann.

Er begreift: ein solches Massenheer, das obendrein immer mehr Hilfstruppen der unterschiedlichsten Völker integriert, ist nur mit der bürokratischen Pedanterie seiner Vorgesetzten zu meistern, Leuten also, für die jeder Rostfleck an einer Waffe, jedes ungestriegelte Pferd, jeder schlecht gepackte Maulesel »der Weltuntergang« sind. Der gewaltige militärische Apparat, der in diesem Riesenreich an allen Grenzen operiert, kann nicht nur mit der Genialität des Feldherrn, sondern muß vor allem mit den listenführenden, Appelle haltenden, inspizierenden und Nachschub organisierenden Unteroffizieren und Feldwebeln geführt werden. Und in einem Uhrwerk muß jedes kleinste Rädchen funktionieren.

Marcus Julius braucht aber nicht das kleine Rädchen zu bleiben – er hat viele Aufstiegschancen. Ein römischer Legionär wird dauernd befördert. Zwischen dem einfachen Soldaten und dem Kohortenführer liegen achtzig Dienstgrade. Und jede Beförderung bedeutet Gehaltsaufbesserung. Der Jahressold – ungefähr 250 Denar – wird in drei Raten ausbezahlt. Als *centurio* (Hauptmann) bekommt er den dreißigfachen Sold wie zu Beginn seiner militärischen Laufbahn. War er einmal Gefreiter *(immunis)*, kann er über den Unteroffizier *(principal)*, Feldwebel *(optio)* zum Fähnrich *(signifer)* aufsteigen.

Man geizt auch nicht mit Tapferkeitsauszeichnungen, wie wir sie auf der Brust des Marcus Caelius aus Xanten sehen. Er, der Sohn des Titus von der Tribus Lemonia aus Bologna, fiel mit dreiundfünfzig Jahren in der Varusschlacht als Centurio erster Ordnung der XVIII. Legion. Auf seinem Grabstein ist er mit seinen beiden Freigelassenen mit dem Zeichen seiner Centurionenwürde (Rebstock, *vitis)* und allen seinen Auszeichnungen dargestellt: den Scheiben *(phalerae)*, Halsring *(torques)*, Armreifen *(armillae)* und dem nur einem Teil der Centurionen zustehenden Kranz *(corona)*. Soldaten und Unteroffizieren werden Hals- und Armreifen verliehen, ebenso Scheiben, die wie die Halsringe auf der Brust zu tragen waren. Die Lanze *(hasta)*, vor allem die aus Edelmetall, vergibt man an Stabsoffiziere, und das Fähnchen *(vexillum)* erhält nur der ranghöchste Centurio, der *primipil*. Der *primipil* ist der beste Soldat der Legion, der diesen Ehrentitel und Rang nicht durch Geburt, sondern allein durch seine Leistung erreicht. Jeder andere Centurio hat sich ihm unterzuordnen. Für weniger kriegerische Naturen gibt es die Möglichkeit, sich in der Schreibstube oder im Büro eines Statthalters zu etablieren. Will ein Legionär die Offizierslaufbahn einschlagen, muß er sich allerdings um eine gründliche Bildung und Ausbildung bemühen und Kenntnisse in der Verwaltung aneignen. Solche Männer schickt der Kaiser in die entlegensten Winkel seines Imperiums. Auf diese Weise lernen sie Sprachen und sammeln Erfahrungen im Umgang mit anderen Völkern und gewinnen Verständnis für die fremde Mentalität.

Ein Beispiel dafür ist das bewegte Leben des Berufssoldaten Antonius Silo, das uns die Inschrift auf einem Altar an der römischen Schwarzwaldstraße schildert. Er hat ihn als Centurio der Schwarzwaldgöttin Abnoba geweiht. Silo begann seine Laufbahn in den Jahren 75 bis 80 n. Chr. in der Legio I Adiutrix in Obergermanien, diente dann in der Legio II Adiutrix, die seit 85 n. Chr. an der unteren Donau lag, kam zur Legio III nach Nordafrika, schließlich mit der Legio IV wieder zurück an die untere Donau und wurde nach Windisch (Vindonissa zwischen Basel und Konstanz) in die Legio XI versetzt. Zu guter Letzt landete er bei der XXII. Legion in Mainz. Vielleicht hat er, als er ein Sonderkommando in den Schwarzwald führte, sich des besonderen Schutzes der Schwarzwaldgöttin versichert.

Dieses Heer züchtet sich keine »Fachidioten« des Kriegshandwerks heran, sondern formt »Bürger in Uniform«, Gebildete im besten Sinne des Wortes, denn nur sie vermögen dem Frieden zu dienen und ihn zu bewahren. Über zweihundert Jahre Frieden und gewachsene Kultur in einer barbarischen Umwelt sind eine historische Leistung.

Das Vorbild des römischen Offiziers beschleunigt den zivilisatorischen Assimilierungsprozeß der einheimischen Bevölkerung. Allein die Tatsache, daß auch der einfachste römische Soldat lesen und schreiben kann, hat sicher die keltischen und germanischen Analphabeten tief beeindruckt. Der hohe Lebensstandard des römischen Offiziers und der Luxus der römischen Oberschicht werden zum angestrebten Statussymbol der aufsteigenden einheimischen Schichten.

Mit zwanzig Jahren wurde Marcus Julius Legionär. Zwanzig Jahre muß er dienen und sich noch fünf weitere Jahre zum Reservedienst bereithalten. Er wird verpflegt, eingekleidet und ausgezeichnet ärztlich betreut. Und er blickt ruhig in die Zukunft, denn seine Altersversorgung ist gesichert. Am Ende seiner Dienstzeit wird ihm entweder Land zum Siedeln zugeteilt, oder er bekommt eine Barabfindung, mit der er sich eine bürgerliche Existenz gründen kann. Vielleicht, wer weiß, bleibt Marcus Julius in Mogontiacum hängen.

Jedenfalls ist er jetzt heilfroh, daß er übermorgen im Lager ist. Dann hat die Plackerei des Marsches ein Ende, und er liegt in einer anständigen Garnison, in der sich zünftig leben läßt, wie er von Kameraden weiß. Er hat auch von Kämpfen gehört. Vor einem Jahr – oder sind es schon zwei? – hätten die Chatten Mogontiacum belagert. Die römischen Legionen haben sie zurückgeworfen, und jetzt herrscht Ruhe dort. Aber wenn es wieder losgehen sollte an dieser Grenze, wird auch er gegen die Germanen marschieren müssen; dazu ist er Soldat. Marcus Julius verdrängt die Gedanken an Krieg. Er weiß, hier in Germanien hat es furchtbare Niederlagen gegeben. Das war lange vor seiner Zeit, als der göttliche Kaiser Augustus regierte. Die Geschichte vom tragischen Tod des Drusus kennt jeder römische Legionär; und von den Schrecken der Schlacht, in der Varus drei Legionen verlor, erzählen sich die Soldaten noch heute. Aber schließlich hat Rom immer gesiegt.

Die Römer im Rheingebiet

CAESAR BESIEGT 58 V. CHR. den germanischen Fürsten Ariovist im Elsaß und bringt damit das Oberrheingebiet fest in römische Hand. Mittel- und Niederrhein bleiben freies Germanien. Im Jahre 55 v. Chr. überschreitet er zum ersten Mal den Rhein. Er will, nach eigenen Worten, seinen Sieg über Ariovist und die »auch bei den entferntesten Germanen erweckte Achtung und Furcht« ausnützen und sie so einschüchtern, daß ihnen die Lust vergeht, sich weiterhin mit Rom anzulegen. Für diese Strafexpedition läßt er im Neuwieder Becken, zwischen Andernach und Koblenz, eine Brücke schlagen, etwa 15 Kilometer unterhalb der Moselmündung. Dort ist der Rheinstrom nicht weniger als 400 Meter breit. Diese Brücke stellt eine der großartigsten Leistungen der Kriegstechnik der Antike dar. Caesar selbst gibt uns eine genaue Beschreibung. Danach bestand das Gerüst aus Böcken, das heißt Pfahlpaaren, die von zusammengekoppelten Schiffen aus ins Flußbett gelassen und mit Rammen schräg eingetrieben wurden. Diese Pfahlpaare verbanden die Pioniere mit den gegenüberliegenden Pfahlpaaren durch Querbalken. Darüber legten sie die 4 Meter breite Fahrbahn. Zum Schutz der hölzernen Brückenpfeiler ließ Caesar flußaufwärts keilförmige mit Netzwerk versehene Palisaden als Prellböcke einrammen, damit vom Feinde zur Zerstörung der Brücke ins Wasser geworfene, antreibende Baumstämme aufgefangen und an den Pfeilern vorbeigelenkt wurden. Die Brücke stand in zehn Tagen.

Nun wälzt sich der übermächtige römische Heerwurm achtzehn Tage lang durch das Land der germanischen Sugambrer. Was sich in den Weg stellt, wird niedergemacht. Dörfer werden eingeäschert, die Soldaten vernichten die Ernte und verwüsten die Felder. In panischem Entsetzen fliehen die Sugambrer in die Wälder. Andere Stämme schicken nach diesem Schock sofort Gesandte, stellen Geiseln und bitten »um Frieden und Freundschaft«.

Durch diesen Prestigeerfolg hat Caesar erreicht, was er will. Er ist frei, die Invasion Britanniens für das nächste Jahr vorzubereiten. 53 v. Chr.

erfolgt etwas oberhalb der ersten Stelle der zweite Rheinübergang Caesars. Der Rhein wird die Grenze des Römischen Imperiums.

38 v. Chr. siedelt Agrippa die keltisierten Ubier auf die linke Rheinseite um, damit sie vor den ständigen Überfällen der Quaden geschützt sind. Ihr Stammesmittelpunkt wird der Kern des späteren Köln. Das von ihnen verlassene Gebiet zwischen Rheingau, Lahn und westlicher Wetterau läßt Agrippa den Chatten, die mit den Quaden verfeindet sind.

Im Jahre 16 v. Chr. fallen die zwischen Ruhr und Sieg siedelnden Sugambrer in linksrheinisches Gebiet ein, überfallen ein Legionslager bei Aachen, besiegen Statthalter Lollius, vernichten eine römische Reiterabteilung und erbeuten den Adler der V. Legion. Um die ständige Bedrohung auszuschalten, entschließt sich Augustus, das Römische Imperium bis an die Elbe auszuweiten und die germanischen Stämme zu unterwerfen. Die Offensive ist ihm so wichtig, daß er selber in dreijährigem Aufenthalt am Rhein von 16 bis 13 v. Chr. diesen Angriffskrieg vorbereitet, den seine Stiefsöhne Drusus und Tiberius ausführen.

Zunächst bringen sie das Alpenvorland bis zur Donau in römische Hand und sichern es. Galliens Grenze wird durch eine Kastellinie längs der linksrheinischen Römerstraße geschützt, die sich von Basel bis Holland zieht. Die für die Militärpolitik wichtigen strategischen Punkte, die Mündungen von Lippe und Main, dienen als Ausfallstore in die Norddeutsche Tiefebene und die fruchtbare Wetterau und werden mit Legionslagern für je zwei Legionen auf dem Fürstenberg bei Birten, also Vetera nahe Xanten, und auf dem Kästrich in Mogontiacum, das ist heute Mainz, gesichert.

Römischer Politik gelingt es, die chattischen Mattiaker und damit ihr Gebiet als Vorland von Mainz zu gewinnen.

12 v. Chr. beginnt die große Offensive zur Unterwerfung Germaniens unter Drusus. Die römische Rheinarmee überschreitet den Rhein, die Sugambrer verteidigen sich zusammen mit mittelgermanischen Stämmen.

11 v. Chr. dringt Drusus bis zur Weser vor, läßt aber auf dem rechtsrheinischen Gebiet römische Truppen stehen, so auch am Fuße des Taunus. Dazu schreibt der römische Historiker Cassius Dio: ». . . gerade zu diesem Zeitpunkt war Drusus heimlich durch ihr Gebiet gezogen. Er hätte auch noch die Weser überschritten, wenn er nicht Mangel an Lebensmitteln gehabt hätte und der Winter hereingebrochen wäre; auch ein unheimlicher Bienenschwarm erschien in seinem Lager. Deswegen rückte er nicht weiter vor. Auf dem Rückmarsch in befreundetes Gebiet geriet er in furchtbare Gefahr . . .«

Im Jahre 9 v. Chr. unternimmt Drusus einen Kriegszug gegen die Chatten. Er stößt wahrscheinlich vom Legionslager in Mainz aus nach Nordosten vor. Cassius Dio berichtet:

»Doch es wurden ihm keine guten Vorzeichen zuteil. Aber er kümmerte sich nicht darum, sondern fiel in das Gebiet der Chatten ein und rückte bis zum Gebiete der Sueben vor, indem er das Land in seinem Bereich nicht ohne Mühe unterwarf und die Feinde, die sich ihm stellten, nicht ohne Blutopfer besiegte. Von da zog er zum Lande der Cherusker, überschritt die Weser und zog bis zur Elbe, indem er das ganze Land verwüstete. Diesen Fluß nämlich – er kommt von den vandalischen Bergen und mündet in den nördlichen Ozean als mächtiger Strom – machte er Anstalt zu überschreiten, aber er vermochte es nicht, sondern kehrte um, nachdem er Siegeszeichen errichtet hatte. Denn ein Weib von übermenschlicher Größe trat ihm entgegen und rief ihm zu: ›Wohin in aller Welt willst du, unersättlicher Drusus? Es ist dir nicht beschieden, alles hier zu schauen. Kehr um! denn das Ende deiner Taten und deines Lebens ist da!‹

Es ist freilich seltsam, daß eine solche Stimme von seiten der Gottheit jemandem offenbar wird, doch ich kann nicht daran zweifeln. Denn sofort erfüllte es sich, wie er schleunigst umkehrte und unterwegs an einer Krankheit verschied, noch ehe er den Rhein erreicht hatte. Ich sehe auch eine Bestätigung für das Erzählte darin, daß Wölfe um die Zeit seines Todes sein Lager heulend umkreisten; auch sah man zwei Jünglinge mitten durch das Lager reiten, weibliches Klagegeschrei wurde vernommen und Sternschnuppen gingen am Himmel nieder.« [55, I, I – 2, 3]

Und Livius schreibt: »Drusus starb infolge eines Knochenbruches, da sein Pferd auf seinen Schenkel stürzte, am dreißigsten Tag nach dem Unfall.«

Cassius Dio fährt fort: »Als aber Augustus erfuhr, daß Drusus krank sei – denn der Kaiser weilte nicht fern –, sandte er Tiberius eiligst zu ihm. Dieser traf ihn auch noch lebend an und brachte ihn nach seinem Tode nach Rom. Anfangs – bis zum Winterlager des Heeres [gemeint ist Mainz] – ließ er seine Leiche durch die Centurionen und Kriegstribunen, dann durch die vornehmsten Männer der einzelnen Städte [die er passierte] tragen. Und als er auf dem Forum aufgebahrt war, wurde eine doppelte Leichenrede gehalten . . . Er selbst samt seinem Sohn erhielt den Beinamen Germanicus, außerdem Ehrungen durch Standbilder, einen Rundbogen und ein *kenotaphium* unmittelbar am Rhein.«

»In dem großen Gang der Dinge änderte, wie billig, der Tod des tüchtigen Feldherrn nichts. Sein Bruder Tiberius kam früh genug, nicht bloß um ihm die Augen zuzudrücken, sondern auch um mit sicherer Hand das Heer zurück und die Eroberung Germaniens weiter zu führen. Er kommandierte dort während der beiden folgenden Jahre 8 und 7.« (Theodor Mommsen)

Seit 4 nach Christi Geburt erkennen die Cherusker die römische Oberhoheit an, die Chatten leisten nach wie vor Widerstand. Tiberius dringt wie Drusus bis zur Elbe vor. Velleius, ein Offizier, der an diesen Feldzügen teilnahm, führte Tagebuch und preist die Taten des Tiberius in überschwenglichen Worten. Er hinterläßt uns einen Bericht über eine Episode, die uns Aufschluß gibt über die Haßliebe zwischen Römern und Germanen, über die Faszination, welche von den Repräsentanten der römischen Macht auf die Germanen ausging.

»Ich kann es mir nicht versagen, der Darstellung so gewaltiger Taten folgende Geschichte, welchen Wert sie auch haben mag, einzufügen. Als wir das diesseitige Ufer des genannten Stromes mit unserem Lager besetzt hatten und das jenseitige von den Waffen der jungen Mannschaft der Feinde blitzte, die auf jede Bewegung und jeden Versuch unserer Schiffe sofort zurückgingen, da bestieg einer der Barbaren, ein schon älterer Mann von hochragender Gestalt – wie seine Kleidung zeigte, war es ein Mann von hohem Rang – einen Kahn, der, wie es bei jenen Völkern Sitte ist, aus einem Baumstamme ausgehöhlt war. Indem er selbst ganz allein diese Art Nachen lenkte, ruderte er bis zur Mitte des Stromes und bat, ihm zu erlauben, ohne Gefahr an dem von uns mit bewaffneter Macht besetzten Ufer zu landen und den Caesar [also Tiberius] zu sehen. Seine Bitte ward ihm gewährt. Als er darauf mit seinem Kahn gelandet war und lange schweigend den Caesar betrachtet hatte, rief er aus: ›Wahrlich, unsere Jugend ist von Sinnen! Während sie eure Gottheit, wenn ihr fern seid, verehrt, fürchtet sie vielmehr eure Waffen, wenn ihr gegenwärtig seid, als daß sie sich unter euren Schutz begäbe. Aber ich habe, dank deiner gütigen Erlaubnis, o Caesar, heute die Götter gesehen, von denen ich vorher nur hörte, und ich habe keinen glücklicheren Tag meines Lebens gewünscht oder erlebt.‹ Nachdem er erreicht hatte, daß er die Hand des Caesars berühren durfte, kehrte er zu seinem Kahn zurück und fuhr, unverwandt nach dem Caesar zurückschauend, wieder zum Ufer seiner Landsleute.« (Velleius Paterculus 2, 104, 2)

Als Reaktion auf die Angriffe Roms kommt es zur ersten germanischen Reichsgründung durch König Marbod in Böhmen. Eine Reihe germanischer Stämme schließt sich unter ihm zusammen. Marbod mobilisiert ein Heer aus 70 000 Mann Fußvolk und 4000 Reitern. Tiberius rüstet sich zu einem Zangenangriff gegen Marbod, muß jedoch seinen Angriff wegen des Aufstands der Pannonier (im heutigen Ungarn) abbrechen und seine Truppen dorthin werfen.

Im Jahre 9 n. Chr. bereitet Arminius den Römern die vernichtende Niederlage im Teutoburger Wald.

Es gibt Schlachten, die ungeheure Opfer fordern, aber für den weiteren Verlauf der Geschichte belanglos sind, die im Grunde nichts ändern. Und es gibt Schlachten, die Weltgeschichte machen in vollem Wortsinn. Die Zeitgenossen spüren, daß mit diesem Ereignis, was immer es auch bedeuten mag, sich etwas ganz Entscheidendes für die nahe und ferne Zukunft vollzieht. Der Sieg Carl Martells über die Araber, der Untergang der Armada, Waterloo, Stalingrad, waren solche Schlachten. So auch der Sieg des Cheruskerfürsten!

Man braucht sich nur einmal die historischen Konsequenzen auszumalen, wenn Arminius geschlagen worden wäre und die Römer ganz Germanien erobert hätten! Bis an die Elbe hin wäre das gesamte Mitteleuropa romanisiert worden, und wir sprächen eine dem Französischen ähnliche romanische Sprache als Muttersprache. Eine einheitliche klassische Kultur, ein gemeinsames staatliches Ordnungsprinzip hätte Mittel- und Nordeuropa umspannt, ein römisch gedrilltes Germanenheer vielleicht weit im Osten Hunnen und Avaren abgeschlagen. Eines ist sicher – die gesamte Geschichte wäre anders verlaufen!

Hier interessiert nicht der exakte Ablauf des Geschehens. Dokumente sollen die tiefe Erschütterung enthüllen, das Entsetzen der Römer, ihre Ahnung, daß mehr verloren war als nur drei Legionen – und uns verstehen lassen, *wie* der antike Mensch dachte und empfand, wie er – von seiner Epoche geprägt – als historisches Wesen Geschichte erlebte und erlitt.

Die älteste Nachricht von der Varusschlacht steht im astrologischen Lehrgedicht des Manilius, wurde also unter Augustus geschrieben:

»Auch Kriege verkünden die himmlischen Feuer [die Kometen] und plötzlichen Aufruhr und in heimlicher Tücke gärende Waffenerhebung, bald bei fremden Völkern: so glühten damals, als nach Bruch des Bündnisses das wilde Germanien den Feldherrn Varus dahinraffte und mit dem Blute von drei Legionen die Gefilde rötete, überall in der ganzen Welt die drohenden Feuer. Die Natur selbst trug den Krieg durch das Reich der Gestirne und stellte ihre eigenen Kräfte gegeneinander und drohte das Ende der Dinge an . . . doch auch Bürgerkrieg verkünden sie und Zwist zwischen Verwandten.« (Manilius I 896–903)

Zonaras schreibt: ». . . Außerdem erfaßte er [Augustus] infolge der Wunderzeichen, die sich vor und nach der Niederlage ereigneten, einen schweren Argwohn gegen die Gottheit. Es wurde nämlich der Tempel des Mars auf dem ihm geweihten Felde vom Blitz getroffen, Heuschreckenschwärme, die in die Hauptstadt flogen, wurden von Schwalben vertilgt, die Gipfel der Alpen schienen aufeinander zu stürzen und drei feurige Säulen emporsteigen zu lassen. Dabei sah es aus, als ob der Himmel brennte. Auch zahlreiche Kometen zeigten sich, und von Norden geschleuderte Speere schienen in die Lager der Römer zu treffen, Bienenschwärme bildeten an den Altären der römischen Truppen in Germanien ihre Waben, und ein Standbild der Siegesgöttin, das sich in Germanien befand, und nach dem Feindesland zu schaute, hatte sich nach Italien umgewendet. Einmal entstand sogar um die Adler in den Lagern, als ob schon die Barbaren auf sie los kämen, grundloses Kampfgetümmel der Soldaten . . .« (X, 37)

Hier einige Auszüge aus römischen Frontberichten. Man darf sie so nennen, denn auch die später geschriebenen stützen sich auf überlieferte Berichte von Augenzeugen.

». . . Denn das Gebirge war reich an Schluchten und ungleichmäßig gestaltet, die Bäume dicht und übergroß, so daß die Römer, schon ehe die Feinde über sie herfielen, durch Fällen der Bäume, Bahnen von Wegen und Anlage von Brücken, wo es das Gelände erforderte, in arge Bedrängnis gerieten. Sie führten auch viele Wagen und Saumtiere mit sich, wie mitten im Frieden. Auch zahlreiche Burschen und Weiber und der übrige Troß folgte ihnen. Auch dieser Umstand veranlaßte sie, den Marsch in aufgelöster Ordnung zu machen. Dabei brach ein heftiger Regen und Sturm los und zersprengte die Kolonne noch mehr; der Erdboden wurde an den Wurzeln und den unteren Stammenden der Bäume schlüpfrig, so daß sie fast bei jedem Schritte ausglitten; Baumkronen stürzten, vom Sturm zerschmettert, hernieder und brachten sie in Verwirrung. Während die Römer in dieser verzweifelten Lage waren, umzingelten sie die Barbaren plötzlich von allen Seiten, indem sie gerade aus dem dichtesten Gebüsch – kannten sie doch Weg und Steg – hervorbrachen . . . So brach der vierte Tag ihres Marsches an, da überfiel sie aufs neue ein Sturzregen und ein furchtbarer Sturm, so daß sie weder vorwärts marschieren noch festen Fuß fassen konnten, ja, das Wetter machte ihnen sogar den Gebrauch ihrer Waffen unmöglich, denn sie konnten weder ihre Pfeile noch ihre Wurfspieße oder auch nur ihre Schilde, die völlig durchnäßt waren, ordentlich gebrauchen. Den Feinden dagegen, die größtenteils leicht bewaffnet waren und ohne Gefahr die Möglichkeit zum Angriff und zum Zurückweichen hatten, war dies weniger hinderlich . . . Daher umzingelten sie mit geringer Mühe die Römer und hieben sie nieder. Da entschlossen sich Varus und die übrigen hohen Offiziere aus Angst, gefangen oder gar von ihren erbitterten Feinden getötet zu werden, zumal sie bereits verwundet waren, zu einer schrecklichen, aber unvermeidlichen Tat: sie stürzten sich in ihr eigenes Schwert. Als dies bekannt wurde, da gab auch jeder andere, selbst wenn er noch im Vollbesitz seiner Kräfte war, die Gegenwehr auf: die einen ahmten das Beispiel ihres Feldherrn nach, die anderen warfen sogar die Waffen fort und ließen sich von dem ersten besten niedermachen, denn an Fliehen war nicht zu denken, selbst wenn sie es noch so gern gewollt hätten. So wurde denn von den Barbaren ohne Scheu alles niedergemetzelt, Mann und Roß.« (Dio 56, 18–23)

».. . Als die Germanen gegen die Gefangenen wüteten, vollbrachte Caldus Caelius eine rühmliche Tat, ein Jüngling, der seiner alten Familie in hohem Maße würdig war: er umfaßte die Ketten, mit denen er gefesselt war, und schlug sie mit solcher Gewalt gegen seinen Kopf, daß er, als Blut und Gehirn hervorquollen, den Geist aufgab ...« Der Feldherr [Varus] hatte mehr Mut zum Sterben als zum Kämpfen, denn nach dem Vorbilde seines Vaters und Großvaters stürzte er sich selbst in das Schwert. Während aber von den beiden Lagerkommandanten L. Eggilus ein leuchtendes Beispiel gab, gab Ceionius ein eben so schmähliches: als der größte Teil des Heeres gefallen war, zog er es vor, zu kapitulieren und, statt in der Schlacht zu fallen, sich hinrichten zu lassen. Ebenso gab Vala Numonius, der Legat des Varus, ein sonst ruhiger und rechtschaffener Mann, ein abscheuliches Beispiel: er ließ das Fußvolk im Stich, so daß es ohne den Beistand der Reiterei war, und trat mit den Geschwadern die Flucht zum Rhein an. Doch die Rache des Schicksals traf ihn für diese Tat, denn er sollte die von ihm im Stich Gelassenen nicht überleben: Den Verräter ereilte unterwegs der Tod. Die Leiche des Varus, die halb verbrannt war, hatte die Roheit des Feindes zerfleischt. Sein Kopf wurde abgehauen und dem Marbod überbracht, von diesem jedoch an den Kaiser gesandt. Er wurde trotzdem durch Beisetzung in dem Grabhügel seines Geschlechtes geehrt.« (Velleius Paterculus II, 117)

Römische Rechtsprechung – Ausdruck hoher Zivilisation und der Macht, aber auch Ausdruck der Arroganz der Macht – war den germanischen freien Bauern zutiefst verhaßt und trieb sie zu besinnungsloser Wut, war eine der wesentlichen Ursachen des Aufstands. » . . . begannen sie die Willkür und den Hochmut des Quintilius Varus ebensosehr zu hassen wie sein grausames Regiment. Er wagte es gar, einen Gerichtstag zu veranstalten, und er hatte ihn mit wenig Bedacht angesetzt, als ob er die Wildheit der Barbaren durch die Rutenbündel seiner Lictoren und die Stimme des Heroldes im Zaum halten könnte. Die Germanen aber, die schon längst darüber knirschten, daß ihre Schwerter rostig geworden und ihre Pferde steif würden, sie greifen, als sie die römischen Togen und das Walten ihrer Justiz sehen, die noch schlimmer war als ihre Waffen, unter Führung des Arminius zur Wehr.« (Florus II 30, 29)

Aus dem Tagebuch des Velleius Paterculus: » . . . Nichts blutiger als jenes Gemetzel in Sümpfen und Wäldern, nichts unerträglicher als der Hohn der Barbaren, besonders gegen die Advokaten! Dem einen stachen sie die Augen aus, dem andern hieben sie die Hände ab. Einem wurde der Mund zugenäht, nachdem man ihm vorher die Zunge abgeschnitten hatte. Mit ihr in der Hand rief ihm der Barbar zu: ›Endlich hast du aufgehört zu zischen, du Schlange!‹ Auch die Leiche des Konsuls selbst, die die Pietät der Soldaten in der Erde verborgen hatte, wurde ausgegraben. Bis heute haben die Barbaren die erbeuteten Feldzeichen und zwei Adler im Besitz. Den dritten riß der Bannerträger, ehe er in die Hand der Feinde fiel, aus der Erde, barg ihn unter seinem Wehrgehenk, tauchte mit ihm in den blutigen Sumpf unter und versank. Diese Niederlage hatte zur Folge, daß das Reich, das am Gestade des Ozeans nicht haltgemacht hatte, am Ufer des Rheinstromes zum Stehen kam.«

Drei Legionen, drei Alen, sechs Kohorten und ein riesiger Troß waren ausgelöscht. Der Traum eines römischen Germaniens war ausgeträumt, die Verzweiflung des Augustus grenzenlos.

»Man erzählt, daß der Kaiser derartig bestürzt gewesen sei, daß er monatelang Bart und Haar habe wachsen lassen und zuweilen sein Haupt gegen die Türpfosten gestoßen habe, indem er ausrief: ›Quintilius Varus, gib mir die Legionen wieder!‹ Auch berichtet man, wieviel Jahre lang er den Tag der Niederlage als Tag der Trauer und des Unheils begangen habe.« (Sueton, Augustus 23)

13 n. Chr. beginnt Germanicus seinen großen Rachefeldzug gegen die Germanen.

Frontbericht des Tacitus, 14 n. Chr. Als Senator in Rom hatte Tacitus Zugang zu den Archiven des Senats und konnte seinen Aufzeichnungen die Berichte der Feldherrn zugrunde legen, die man dort als Urkunden aufbewahrte. Außerdem studierte er bestimmt die zwanzig Bücher des älteren Plinius über die Germanenkriege und verwendete die Schilderungen alter Veteranen, die er als junger Mann gehört hatte.

» . . . Der Caesar teilte die blutdürstigen Legionen, um dem Gemetzel einen möglichst großen Umfang zu geben, in vier Kolonnen. Er ließ eine Strecke von fünfzig Meilen mit Feuer und Schwert verwüsten. Weder das Geschlecht noch das Alter fand Erbarmen. Stätten der Menschen und der Götter wurden ohne Unterschied dem Erdboden gleichgemacht, auch das Heiligtum der Göttin Tamfana...« (Annalen I 49/51)

15 n. Chr. erreicht Germanicus auf seinem Sommerfeldzug das Varus-Schlachtfeld, davon gibt uns Tacitus einen erschütternden Bericht:

»... Das erste Lager des Varus ließ durch seinen mächtigen Umfang und die Ausmaße der Hauptplätze die Schanzarbeit von drei Legionen erkennen. Dann konnte man an dem halbzerstörten Wall und dem flachen Graben sehen, daß sich hier die stark geschwächten Reste des Heeres gelagert hatten. Auf der Mitte der Walstatt sah man die bleichenden Gebeine der Kameraden, je nachdem, wie sie geflohen waren oder Widerstand geleistet hatten, zerstreut oder aufgehäuft. Daneben lagen Trümmer von Waffen und Pferdegeripppe; an den Stämmen der Bäume waren Menschenschädel angenagelt. In den benachbarten Waldlichtungen fanden sich Altäre der Barbaren, an denen sie die Tribunen und Centurionen ersten Grades geschlachtet hatten. Dabei erzählten Kameraden, die jenes Blutbad überlebt hatten, da sie der Schlacht oder Gefangenschaft entronnen waren; hier seien die Legaten gefallen, dort die Adler geraubt; sie zeigten den Ort, wo Varus die erste Wunde empfangen, wo er sich mit der unseligen Rechten in sein eigenes Schwert gestürzt habe, und die Bodenerhöhung, von der Arminius zu seinen Kriegern gesprochen hatte; sie erzählten, wieviele Folterbalken für die Gefangenen und welche Martergruben da gewesen seien, und wie er die Feldzeichen und Adler im Übermut verhöhnt habe.

So setzte dann das römische Heer, soweit es zugegen war, sechs Jahre nach der Katastrophe die Gebeine von drei Legionen bei, ohne daß jemand unterscheiden konnte, ob er die Reste von Fremden oder Freunden mit Erde bedeckte.« (Annalen I, 55)

Ein Jahr später fallen die Truppen des Germanicus ins Land der Chatten ein und brennen ihren Hauptort Mattium, das heutige Metze bei Kassel, nieder. Bei Tacitus heißt es darüber: »... Dann führte er, nachdem er auf der Höhe des Taunus [in monte tauno] auf den Trümmern des von seinem Vater [Drusus] angelegten Bollwerkes ein Kastell errichtet hatte, das Heer in Gefechtsbereitschaft in Eilmärschen in das Gebiet der Chatten, nachdem er den L. Apronius zum Anlegen fester Wege und Schlagen von Brücken zurückgelassen hatte ... Die Chatten aber überfiel er so unerwartet, daß alle, die wegen ihres Alters oder Geschlechts nicht die Kraft zur Flucht hatten, sofort gefangen oder niedergehauen wurden.

Dagegen hatte ihre junge Mannschaft den Ederfluß durchschwommen und suchte die Römer am Schlagen einer Brücke zu hindern. Doch wurden sie durch Wurfgeschütze und Pfeilhagel vertrieben. Nach vergeblichen Friedensverhandlungen verließen die übrigen, nachdem einige zu Germanicus übergelaufen waren, ihre Gaue und Dörfer und zerstreuten sich in die Wälder. Nachdem der Caesar Mattium [Metze] hatte in Brand stecken lassen – dies ist der Hauptort des Stammes –, verwüstete er das offen daliegende Land und wandte sich dann zum Rhein, ohne daß die Feinde wagten, den Rückzug der Abziehenden zu behelligen ...« (Annalen I, 56)

Einige Funde in Friedberg könnten darauf hindeuten, daß das von Tacitus ausdrücklich erwähnte Kastell »*in monte tauno*« dort angelegt wurde, als Germanicus 15 nach Christus mit mindestens 30 000 Mann von Mainz aus vorstieß.

Im Jahre 16 n. Chr. betrachtet Tiberius die römische Eroberungspolitik gegenüber den Germanen als gescheitert und läßt deshalb die seit dreißig Jahren gegen das freie Germanien geführte militärische Offensive abbrechen. Er ruft Germanicus zurück.

Der Rhein ist wieder Grenze des Imperiums.

Rechtsrheinisch halten die Römer den Mainzer Brückenkopf und das Kastell von Wiesbaden und vielleicht noch Höchst. Sie stehen »Gewehr bei Fuß«, ergreifen Abwehr- und Vergeltungsmaßnahmen – so die Kastellgründungen Hofheim, Rheingönheim – gegen chattische Angriffe, mischen sich im Jahre 56 n. Chr. in die Kämpfe zwischen Chatten und Hermunduren ein.

Während des Aufstandes der Bataver, 69/70 n. Chr., belagern die Chatten, Usipeter und Mattiaker Mainz, doch sie werden von obergermanischen Legionen zurückgeworfen.

Im Jahre 83 n. Chr. unternimmt Kaiser Domitian von Mainz aus einen mit stärksten Kräften geführten Angriff gegen den gefährlichsten Feind der Römer, die Chatten. Dieses Germanenvolk ist von einem unbändigen Freiheitsdrang erfüllt. Von der römischen Heerführung haben seine Krieger schon manches gelernt und übernommen. Sie unterwerfen sich einer strengen Disziplin und marschieren und kämpfen in fester Ordnung. Außer ihren Waffen tragen sie Schanzzeug bei sich, führen für mehrere Tage Lebensmittel mit und vermögen sogar befestigte Lager anzulegen.

Als Domitian mit seinem Heer bei Mainz den Rhein überschreitet, stellen sie sich nicht offen zum Kampf, sondern führen einen regelrechten Partisanenkrieg mit plötzlichen Überfällen auf römische Nachschubwege und rückwärtige Kampfstellungen. Domitian kann sich nicht anders helfen und läßt breite Schneisen in einer Gesamtlänge von 180 Kilometern in die Wälder schlagen. Dadurch gelingt es ihm, die Chatten in die Enge zu treiben und zu besiegen. Die äußerste Schneise verläuft in den Wäldern auf dem Kamm des Taunus. Die Kastelle und Wachtürme, mit denen er diese Linie sichert, bilden das erste Limesstück.

Der Sieg über die Chatten schenkt dem Gebiet bis zur Limesgrenze über eineinhalb Jahrhunderte Frieden. Es wird römische Provinz mit der Hauptstadt Mogontiacum. In dem Wort steckt ein Kern, der weder römischen noch germanischen Ursprungs ist, der Name des keltischen Gottes Mogon. Hier ist uraltes Keltenland. Die Siedlungen, Wehranlagen und Fürstengräber dieses Volkes sind überall nachgewiesen. Der Salzhandel der Bad Nauheimer Salinen war ein blühender Wirtschaftszweig. Die mächtigsten Zeugen der Kelten aber sind die Ringwälle.

Uraltes Keltenland

ENDE DES FÜNFTEN JAHRHUNDERTS V. Chr. waren die Keltenstämme in Bewegung geraten. Die Spannungen entluden sich auch in unserem Raum, einer Randzone ihres Kulturkreises. Diese Wanderungen sind Ausdruck der Unruhe und Kämpfe jener Zeit, die bald nach der Entstehung der keltischen Kultur ausbrachen. Innerkeltische Streitigkeiten gab es genug, wie uns antike Schriften aus dem Mittelmeerraum wissen lassen.

Eine der bedeutendsten Wehranlagen der Kelten im Rhein-Main-Gebiet liegt auf dem Altkönig, keltisch »Altkuni«, im Taunus. Auch das Wort Taunus stammt aus dem Keltischen. Es wurde jedoch erst wieder durch die Humanisten im 19. Jahrhundert gebräuchlich. Bis dahin hieß der Gebirgszug die Höhe.

Die Überreste dieser keltischen Befestigung ziehen sich als doppelter Ringwall um die Berghöhe. Wenn wir die Karte betrachten, fällt auf, daß am äußeren Ringwall ein sogenannter Annexwall angeschlossen ist, ein Vorwerk also, das sich auf der Südwestseite des Altkönig weit den Berg hinunterzieht. Es stellt sich die Frage, was die Kelten veranlaßt hat, ein solch riesiges Vorwerk zu bauen. Denn auf den ersten Blick ist keine taktische Notwendigkeit erkennbar.

Die Antwort ist einfach. Dieses Vorwerk schloß eine Quelle an der äußersten unteren Ecke ein. Allerdings ist sie inzwischen versiegt und wurde bis heute auch nicht wieder ausgegraben. Sicherlich hatte sie, wie Quellgrabungen an anderer Stelle beweisen, eine stabile Holzeinfassung, so daß man bequem Wasser schöpfen und auch Tiere tränken konnte. Dieses Holzbassin ist natürlich im Verlauf der Jahrtausende verrottet und durch nachdrückendes Erdreich verschüttet worden. Übrig blieb eine kleine Mulde, in der gelegentlich in einem feuchten Frühjahr das Quellwasser wieder zu fließen beginnt. Die Mauer des Vorwerks auf der einen Seite in der Nähe des Tores schließt nicht direkt an den äußeren Ringwall an, sondern läßt eine große Lücke frei. Diese Stelle wurde mit ziemlicher Wahrscheinlichkeit nicht etwa später abgetragen; der Wall ist hier tatsächlich zu

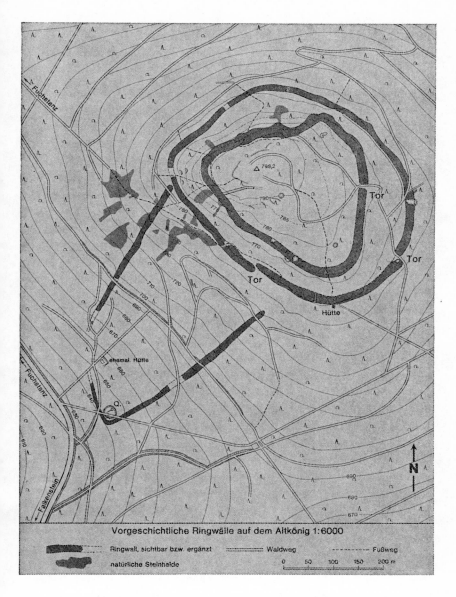

Vorgeschichtliche Ringwälle auf dem Altkönig 1:6000

Ringwall, sichtbar bzw. ergänzt ===== Waldweg --------- Fußweg

natürliche Steinhalde

0   50   100   150   200 m

Vorgeschichtliche Ringwälle auf dem Altkönig

Ende. Über den Zweck dieser Lücke lassen sich nur Vermutungen anstellen. Vielleicht diente sie als Fluchttor bei überraschenden Angriffen, um die fliehende Bevölkerung schnell aufzunehmen. Vielleicht konnte man aber auch von hier aus Ausfälle unternehmen.

Wie brachten es nun die Menschen vor mehr als zweitausend Jahren fertig, mit ihren geringen technischen Möglichkeiten ein solch gigantisches Werk zu errichten?

Als die Ausgrabungstechnik und die Ausgrabungswissenschaft noch in ihren Anfängen steckten, hat August von Cohausen, zunächst Offizier, dann aus Liebe zur Altertumsforschung Konservator in Wiesbaden, in den Jahren 1883 bis 1884 die erste zuverlässige Ringwallgrabung unternommen. Dies ist übrigens die bisher einzige Grabung, die am Altkönig stattfand und auf der unser Wissen beruht. August von Cohausen ließ den Steinwall von oben her sorgfältig abräumen und entdeckte darunter eine sauber gesetzte Steinfront, und zwar auf der Vorder- und Rückseite des Walles. Was heute als Steinwall vor uns liegt, waren einst Ringmauern, als Trockenmauern aufgesetzt, das heißt, nicht mit Mörtel verbunden. Sie wurden durch senkrechte Pfähle an den Innen- und Außenfronten im Abstand von etwa einem Meter gestützt. Weil senkrechte Pfosten allein dem Druck der vielen Steine der vier bis fünf Meter breiten Mauer nicht hätten standhalten können, mußten sie durch verbindende waagrechte Querbalken zusammengehalten werden. Bei der Ausgrabung waren die senkrechten Schlitze, in denen die Pfähle steckten, in den Mauerfronten deutlich zu erkennen. Eine hölzerne Brustwehr krönte die Mauer, die den Berg umzog. Das Tor ist keine einfache Unterbrechung, denn die Kelten haben die Mauern versetzt gebaut und das Tor zwischen die übergreifenden Wälle gelegt. Homer erklärt uns den Sinn dieser Konstruktion; er berichtet in der Ilias, daß die alten Griechen ihre Stadttore in dieser raffinierten Weise errichtet haben. Der Feind, der das Tor berennen wollte, war dadurch gezwungen, seine rechte, ungeschützte Seite dem Verteidiger auszusetzen, denn links trug er den Schild, während die rechte Hand die Waffe führte.

Auf dem Altkönig werden wir also zurückversetzt in eine historische Welt, wie sie bereits um 800 v. Chr. von Homer geschildert wird. Gäbe es schriftliche Überlieferungen keltischer Dichter aus dieser Zeit, sie würden Verhältnisse, Lebensformen und Anschauungen darstellen, die in manchen Einzelheiten wohl der Welt Homers entsprächen.

Vergegenwärtigen wir uns einmal die große Leistung dieses Volkes. Die Ringmauern waren vier bis fünf Meter breit und auf der Feindseite bis zur Höhe des Wehrgangs etwa fünf Meter hoch. Tausende Tonnen von Steinen mußten herangeschafft, Tausende von Holzstämmen geschlagen und behauen werden. Jeder Stammesangehörige, der Hand anlegen konnte, schleppte mühselig den schweren, überaus harten Taunusquarzit von den natürlichen Steinhalden, wie wir sie noch – allerdings durch den keltischen Abbau verkleinert – auf dem Berg finden. Die kleineren Steine wurden wahrscheinlich in Körben, die größeren auf schlittenartigen Holzkufen oder auf Rundhölzern transportiert wie gelegentlich noch heute in primitiven Steinbrüchen.

Konstruktionsschema der keltischen Ringmauer auf dem Altkönig

Wieviel Zeit brauchten die Kelten wohl für die Errichtung einer solchen Wehranlage? Die Antwort der Archäologen ist ebenso interessant wie verblüffend. Sie nehmen an, daß bei guter Arbeitsorganisation die Festung innerhalb von zwei bis drei Jahren stehen konnte. Wenn wir bedenken, daß für die Arbeit die Wintermonate ausfielen, faktisch also nur die Zeit zwischen Aussaat und Ernte blieb, denn die Masse der keltischen Bevölkerung betrieb Landwirtschaft und mußte die Felder bestellen, staunen wir noch mehr. Außerdem gab es nur wenige spezialisierte Handwerker, die in der Lage waren, komplizierte bautechnische Arbeiten auszuführen. Deshalb war die Holzkonstruktion verhältnismäßig einfach. Sicherlich wußte im allgemeinen der Bauer, der auf Selbsthilfe viel stärker angewiesen war als heute, mit seinem Handwerkszeug umzugehen. Die im Moordorf Buchau am Federsee entdeckten Häuser der Hallstattzeit geben ein beredtes Zeugnis vom handwerklichen Geschick dieser prähistorischen Landwirte.

Ehe die Altkönig-Ringmauer etwa um 400 v. Chr. erbaut wurde, gab es im Taunus bereits andere Befestigungen, wie die auf dem Bleibiskopf, die auf den Alten Höfen und die Gickelsburg. Sie entstanden zu verschiedenen Zeiten, etwa zwischen 1 000 bis 500 v. Chr., und sind alle erheblich kleiner als die Anlage auf dem Altkönig. Die Erbauer dieser Ringwälle müssen ihrer gesellschaftlichen und wirtschaftlichen Struktur nach auf einer höheren Kulturstufe gestanden haben als diejenigen, die die kleineren, älteren Wehranlagen errichteten. Sie haben zweifellos eine relativ große Einheit gebildet, denn ein solches Werk ist nur als Ergebnis gemeinschaftlicher Anstrengungen denkbar. Vermutlich war dieser Stamm unmittelbar in seiner Existenz bedroht und deshalb zu dieser großen organisatorischen Leistung befähigt.

Die Altkönigfestung ist in gewissem Sinne auch ein Symbol für den Sisyphus-Charakter, für die Vergeblichkeit allen menschlichen Tuns. Wir wissen heute, daß sie nur über einen relativ kurzen Zeitraum hinweg politisch-militärische Bedeutung hatte. Ein Wall dieser Art konnte schon wegen seiner Holzkonstruktion höchstens fünfzig Jahre überdauern. Auch das rauhe Klima dieses Höhenzugs mit seinen winterlichen Eis- und Schneestürmen beschleunigte sicherlich seine Kurzlebigkeit. Der Archäologe Dietwulf Baatz nimmt an, daß der innere Ringwall später erbaut wurde als der äußere. Solche Burgen wuchsen nicht immer von innen nach außen, wie man glauben möchte. Der innere Ring ist nämlich höher und viel besser erhalten, während der äußere stärkere Zerstörungen zeigt. Es ist deshalb nicht ausgeschlossen, daß vom äußeren Wall Steine zum Bau des inneren abgetragen wurden. Somit hätte die ganze Anlage nur etwa hundert Jahre bestanden. Das bedeutet, daß sowohl die Römer als auch die Germanen die Altkönig-Anlage ungefähr so vorgefunden haben, wie sie sich heute unseren Augen bietet. Allerdings mit dem einen Unterschied, daß damals die Kuppe des Berges nicht bewaldet war. So heißt es auch in dem Buch von Brentano »Frau Aja erzählt«, die Mutter Goethes habe an klaren Tagen von ihrem Alterssitz im Haus zum »Goldenen Brunnen« am Roßmarkt zu Frankfurt die Ringwälle schimmern sehen. Erst am Ende des 19. Jahrhunderts hat ein eifriger Forstmeister den Altkönig wieder aufgeforstet.

Eines ist gewiß: bis jetzt wurde dort nicht ein einziges Stück germanischer oder römischer Herkunft entdeckt. Sämtliche Fundstücke stammen aus der frühen Latènezeit. Damit ist erwiesen, daß die Ringwälle um 400 v. Chr. aufgeschichtet wurden. Auch die Bauweise der Wehrmauer – es handelt sich hier um den heute von der Wissenschaft so genannten Altkönig-Preist-Typ – gehört eindeutig in die frühe Epoche des Latène.

Das Ende der Ringwälle liegt im Dunkel der Geschichte. Wir wissen nicht, ob sie bei dem Ansturm eines anderen Keltenstammes gewaltsam zerstört oder einfach verlassen wurden und verfielen, weil sich die machtpolitischen Konstellationen verändert hatten. Jedenfalls aber haben sich hier nicht die Römer und Chatten in einer Schlacht am Altkönig gegenübergestanden, wie man früher glaubte.

Nach dem Einsturz der Mauern hat das Gestein seinen natürlichen Fallwinkel erreicht, und die Altkönigwälle werden in zehntausend Jahren wohl noch genauso aussehen wie heute, vorausgesetzt, daß man sie nicht mutwillig zerstört. Daß sie heute noch erhalten sind, ist August von Cohausen zu danken, der durch sein Einschreiten verhindern konnte, daß eine Eisenbahngesellschaft die Steine zum Schwellenbau abräumte.

Als nach den Wanderungen der Kelten die Lage sich wieder beruhigte, hatten sich die völkischen Einheiten vergrößert. Eine solche größere völkische Gruppe errichtete zweihundert Jahre später ein weit mächtigeres Festungswerk. Es ist das Oppidum über dem Heidetränktal bei Oberursel, ein Oppidum, wie es Caesar in seinem »Gallischen Krieg« beschreibt. Danach ist ein Oppidum Zentrum eines größeren Stammes, ein befestigter Ort also, der nicht nur in Zeiten der Not von den Einwohnern der Umgebung als Zuflucht aufgesucht wurde, sondern ständig bewohnt war. Doch im Falle einer Gefahr fanden hier auch die in der Nähe wohnenden Siedler Schutz und Unterkunft.

Mit dem Aufkommen der Oppida erreichten zum ersten Mal Formen städtischer Zivilisation das weithin bäuerlich bestimmte Mitteleuropa. Sie erleichterten sicher den Römern die Durchsetzung städtischer Lebensart und waren eine der Ursachen dafür, daß die Romanisierung der Kelten schneller und leichter vonstatten ging als die der kulturell weniger entwickelten Germanen. Die spätkeltische Kultur von der Küste des Atlantik bis zum Fuß der Ostalpen zeigte eine erstaunliche Gleichförmigkeit, so daß wir überall ähnliche Verhältnisse annehmen dürfen. Die Bewohner eines Oppidums waren zum Großteil noch Bauern, daneben aber existierten Handwerker und Händler, die in eigenen »Stadtvierteln« in der Nachbarschaft von Adels- und Kultbezirken lebten. Außerdem gab es Gebäude für »Behörden« und andere öffentliche Zwecke. Die keltischen Stadtburgen lagen am Knotenpunkt alter Fernstraßen. Bei Caesar finden sich auch Hinweise über die Einwohnerzahlen gallischer Oppida. Danach haben in Avaricum [Bourges] 40 000 Menschen gelebt. 80 000 gallische Soldaten sollen Alesia [Alise Ste.-Reine] verteidigt haben, und bei der Eroberung des Atuatuker-Oppidiums spricht er von 53 000 Gefangenen. Mögen diese Zahlen auch hochgegriffen und »caesarisch« übertrieben sein, so vermitteln sie doch ein Bild von der Größe der Siedlungen in Gallien. Ihnen gegenüber nahm sich das Oppidum über dem Heidetränktal sicher kleiner und bescheidener aus. Es lag am Rand der waldigen Bergkette bei Oberursel im Taunus in der Nähe der Hohemark und erstreckte sich über eine Fläche von 1,3 Quadratkilometern. Da die Entfernung zur fruchtbaren Ebene nur drei Kilometer beträgt, diente es vor allem dazu, den dort siedelnden Bauern im Katastrophenfall Schutz zu gewähren. Die Anlage dieser Festung ist recht eigenartig. Sie schloß die Bergkuppen Goldgrube und Altenhöfe ein und überspannte das Tal. Daß Täler in eine prähistorische Wehranlage mit einbezogen wurden, ist ungewöhnlich. Ganz im Gegensatz zu unseren Vorstellungen hatten enge Täler für die Menschen jener Zeit zunächst keinen Wert für den Verkehr. Sie bildeten eher ein Hindernis, vor allem wegen der vielen Bäche und Wasserläufe, die von den Hängen hier seitlich einmündeten, im Frühjahr und bei Unwetter reißend anschwollen und den Talgrund oft unpassierbar machten. Deshalb führten damals die »Fernstraßen« über Berghöhen und durch größere Ebenen. Die Befestigung über dem Heidetränktal bildete also keine Talsperre zur Abriegelung von Gebieten. Die einzige Erklärung für die Einbeziehung des Tales ist auch hier wieder das Problem der Wasserversorgung. Da der Bach im Talgrund das Wasser lieferte, mußte er in die Siedlung mit einbezogen werden. Dafür nahmen die Bewohner in Kauf, daß die Höhenunterschiede innerhalb des Oppidums bis zu 230 Meter betrugen. Bemerkenswert ist die große Ringmauer des Oppidums, denn sie zog zweimal durchs Tal. Ihre Tore lagen zwischen einwärts gezogenen Torwangen: Diese Zangentore sind ein typisches Merkmal für spätkeltische Wehranlagen. An der Goldgrube ist die Lage dreier Tore noch zu erkennen.

Wiederum stellt sich uns eine Reihe von Fragen:

Wann wurde die Anlage erbaut? Welcher Stamm bewohnte das Oppidum? Wie waren die wirtschaftlichen und gesellschaftlichen Verhältnisse? Und welche historischen Ereignisse führten das Ende herbei?

Die Funde, die vor allem aus der Spät-Latène-Zeit stammen, lassen darauf schließen, daß diese Festung nicht vor der zweiten Hälfte des zweiten Jahrhunderts v. Chr. errichtet wurde. Sie dürfte auch nicht sehr lange bestanden haben. Vielleicht eroberten Germanen das Oppidum, denn sie tauchten zu Anfang des ersten Jahrhunderts v. Chr. zum ersten Mal in unserer Gegend auf. Vielleicht bestand das Oppidum auch bis in die Zeit der ersten römischen Feldzüge, die unter Kaiser Augustus von Mainz ausgingen. Beweise dafür gibt es nicht. Die äußerst spärlichen römischen Funde, darunter eine Münze des Commodus (180 bis 192 n. Chr.) sind wohl erst viel später durch römische Jagd- und Holzwirtschaft in den Boden gekommen, als das Oppidum schon seit Jahrhunderten nicht mehr bestand. Durch Windbrüche und Wegverbreiterungen ist man in jüngster Zeit auf neue Funde gestoßen, so auf blaue Glasarmbänder, wie man sie an der Nordhälfte der Oberrheinebene, aber auch in Bad Nauheim, Gießen, Amöneburg, bei Marburg, in Thüringen und in einem Oppidum in der Tschechoslowakei gefunden hat. Ferner entdeckte man Scherben von Drehscheibenkeramik, zum Teil mit Kammstrichverzierungen, Böden großer Tonfässer, deren Rand gelegentlich mit einem schwarzen Lackanstrich versehen ist, durchbohrte Malsteine aus blasigem Basalt, sowie mehrere Brocken von Eisenschlacke. Vielleicht wurde auf der Goldgrube auch Eisen verhüttet, denn es gibt dort Eisenerzvorkommen, deren Abbau heute allerdings unrentabel wäre. Funden eines bestimmten keltischen Münztyps nach könnte dort auch eine Münzstätte gewesen sein, ein sicheres Zeichen dafür, daß das Oppidum für ein größeres Gebiet den Verwaltungsmittelpunkt bildete.

Wer waren nun diese Kelten, die für die Entstehung Europas so wichtig sind und in deren historischen Leistungen ein Teil unserer gegenwärtigen Kultur wurzelt? Vergessen wir nicht, die keltische Literatur – in unserer Gegenwart noch in Irland und Wales lebendig – ist neben der griechischen und lateinischen die älteste in Europa.

Kein Geringerer als Herodot, »der Vater der Geschichte«, berichtet als einer der ersten von diesem Volk im fernen Westen und an der Donauquelle. Und Herodot hatte recht: die Gegend am Oberlauf der Donau gehört zum Ursprungsgebiet der Kelten. Zwischen oberer Donau, Rhône und Marne entstand im fünften Jahrhundert v. Chr. ein neuer Kunststil, der die vorausgegangene Epoche – die Hallstattzeit – ablöste, der alle Stammesunterschiede überbrückte und den wir heute Latène-Stil nennen. Ihn vermögen wir in den Funden allein eindeutig zu erkennen. Er ist unter starken Impulsen aus dem Mittelmeerraum unter griechischem und etruskischem Einfluß entstanden. Wie auf die Kunstformen hat der Süden auch auf die geistige Entwicklung und Gesellschaftsstruktur dieser ersten Kelten eingewirkt. Diese neue, sehr vitale Kultur verbreitete sich rasch über Frankreich, Spanien nach Oberitalien und über Süddeutschland zum Balkan. Eindrucksvoll wird Herodot bestätigt: im Kerngebiet an der oberen Donau entdeckten Archäologen die Heuneburg, eines der wichtigsten Denkmäler jener Zeit. Ihr Wehrbau gibt uns in mehr als einer Hinsicht Auskunft über die Entwicklung dieses Volkes. Die sensationellste Entdeckung ist die 500 Meter lange, mit Bastionen versehene Mauer aus luftgetrockneten Ziegeln, die bis ins Detail antiken Stadtmauern nachgebildet ist. Auch Scherben schwarzfiguriger Gefäße, also attische Importware, wurden dort ausgegraben. Die Fürsten, die in der Heuneburg residierten, hatten Kenntnis der mittelmeerischen Zivilisation und übernahmen Vorstellungen über den Aufbau einer Gesellschaft, über Handel und Politik in Formen, wie sie vorher in Mitteleuropa nie existiert hatten. Zwar dürfen wir uns die Stein- und Bronzezeit nicht allzu primitiv denken. Aber das, was man Geschichte nennt, nämlich das bewußte Gestalten der Umwelt des Menschen, setzte für Mittel- und Nordeuropa in der Latènezeit ein. Gewiß waren es nur wenige Männer, die das Gesicht ihrer Zeit prägten. In einer Epoche des beginnenden Feudalismus ist dies nicht anders möglich – die verhältnismäßig rasche Verbreitung dieser neuen Lebensform ist jedoch Beweis, daß die Menschen von dem Neuen fasziniert waren und es begierig aufnahmen.

Sogar Handwerker aus dem Süden müssen bei keltischen Fürsten als »Gastarbeiter« tätig gewesen sein. Sie verschmolzen ihre mittelmeerischen Formen mit denen der einheimischen Waffen und Kunstwerke. An den Metallgefäßen und den zweirädrigen Streitwagen ist der etruskische Einfluß deutlich. Doch trotz der zahlreichen Anregungen bleibt die keltische Kultur eigenständig. Wir können die Latènekunst hier nicht in allen Einzelheiten schildern. Bemerkenswert ist der kunstvoll bearbeitete Halsschmuck, die torques, von denen einer der schönsten bei Starkenburg in einem Grab in der Nähe des Schönauer Hofs gefunden wurde, und den W. Jorns so beschreibt: »Dreiviertel des Ringes sind dünn und glatt, nur die Enden leicht verdickt. Die Oberseite ist von den Enden her mit den für den keltischen Stil charakteristischen S-Spiralen geschmückt. Die Mitte des Ringes zeigt zwischen Voluten eine Maske mit hervorquellenden Augen, scharf geschnittener, breiter Nase und schmalem Mund. Das andere Viertel des Ringes wird durch Stifte eingefügt. Es zeigt in der Mitte die hier nur noch als Verzierung ausgebildeten »Pufferenden« und zu beiden Seiten einer schmalen, kugelförmigen Profilierung mit S-Spiralzier große Scheiben mit Fassung für Koralle oder Email.«

Die Kelten liebten stilisierte Ornamente, blattartige Schwellbänder, Palmetten, stilisierte Tier- und Menschenmasken. Manche dieser Tierdarstellungen gehen auf skythische Vorbilder zurück, selbst Einflüsse aus dem Iran sind spürbar. Metallarbeiten wurden aus Gold, Bronze und auch aus Silber hergestellt. Seit dem Ende des dritten Jahrhunderts v. Chr. erschienen die ersten keltischen Münzen. Neben Gold-, Silber- und Bronzemünzen dienten auch Eisenbarren als Handelsgut. Solche Eisenbarren, meist in Doppelpyramidenform, fand man zum Beispiel bei Almenfeld, Kreis Groß-Gerau, bei Pfungstadt und Griesheim.

Die Gesellschaftsstruktur der Kelten war feudalistisch, indessen nicht im Sinne des mittelalterlichen Feudalismus. Die großartigen Grabbeigaben lassen auf eine besondere Krieger- und Fürstenkaste schließen. Aus den vielen Funden hat man eine Vorstellung davon gewonnen, wie die Beerdigung eines keltischen Burgherren vor sich gegangen sein mag: Der tote Fürst wird aufgebahrt und seine Angehörigen, Bediensteten und Sklaven nehmen von ihm Abschied. Männer des Stammes sind schon dabei, die mächtige Grabgrube auszuschachten und die hölzerne Grabkammer darin zu zimmern. Im nahen Wald werden Bäume gefällt und in gleichmäßige Bohlen gespalten. Die Feiern und Leichenspiele zu Ehren des Toten erstrecken sich über Tage. Der Fürst wird aus dem Hause getragen und auf dem prunkvollen Wagen aufgebahrt. Ein feierlicher Zug aus Priestern, Klagefrauen, bewaffneten Leibwächtern, den nächsten Angehörigen setzt sich zum Grabplatz in Bewegung. Dort werden die Pferde ausgespannt und der Tote mit seinem Wagen in die mit Teppichen behangene Grabkammer gebracht. Der Tote wird auf dem Boden der Grabkammer auf weiche Felle gebettet und seine persönlichsten Dinge niedergelegt: Waffen, Schmuck, die Zaumzeuge seines Pferdes, besonders kostbare Gastgeschenke – vor allem aber darf ein komplettes Weinservice aus bronzenen Mischkesseln auf Dreifüßen, Bronzekannen und Trinkschalen (zuweilen griechischer Herkunft) nicht fehlen. Für die Reise ins Jenseits legt man Wein und Lebensmittel bereit. Während dieser Zeit zelebrieren Priester die Totenrituale, entfachen wohlriechende Feuer und bringen Trankopfer dar. Nun wird die Kammer mit einem schweren Holzdeckel verschlossen, und das Volk trägt von allen Seiten Erde herbei und schichtet einen gewaltigen Hügel auf. Die Kuppe schmückt man mit einem Bildwerk aus Sandstein oder einer einfachen hölzernen Stele, worauf – nach Homer – die Seele des Toten Platz nehmen konnte.

Die antiken Schriftsteller waren von den Kelten seit ihren großen Wanderungen ungeheuer beeindruckt. Militärisch stellten sie einen gefährlichen Machtfaktor dar und versetzten für mehr als zwei Jahrhunderte die Völker des Mittelmeers in Angst und Schrecken. Keltische Heere fielen um 390 v. Chr. in Oberitalien ein, schlugen am 18. Juli 390 in der Schlacht an der Allia, einem Nebenfluß des Tiber, die Römer vernichtend und belagerten sieben Monate lang Rom. Das warnende Geschnatter der Gänse auf dem Kapitol rettete noch einmal die Stadt. Der Gallierkönig Gaius Brennus forderte von den Bürgern Roms einen hohen Tribut. Als sie um Gnade flehten, warf der gallische Heerführer sein Schwert zu den Gewichten in der Waagschale, mit der das Gold gewogen wurde, und rief sein berühmtes »Vae victis«, wehe den Besiegten!

Man kann sich vorstellen, wie imponierend und furchterregend diese großen, muskulösen Gestalten mit ihrem langen, welligen Haar und den wilden herabhängenden Bärten auf die kleineren Südländer wirken mußten. Diodor berichtet, daß die Kelten das Haar mit einem dicken, kalkigen Brei einschmierten und nach hinten strichen, so daß es wie eine riesige, buschige Mähne hochstand. Welches Entsetzen packte die Gegner, wenn die Gesaten – eine besondere Kriegerkaste, den Landsknechten ähnlich – splitternackt vor der Hauptkampflinie Stellung bezogen, mit Gebrüll heranstürmten und ihre Speere gegen die Feinde schleuderten. Alles, was sie am Leibe trugen, waren ein goldener Halsring und Armreifen. Wir finden diese nackten Kriegergestalten auf dem Pergamonfries und auf römischen und keltischen Münzen dargestellt. Die Römer hielten die Nacktheit der Kelten für Kraftprotzerei, wahrscheinlich aber handelte es sich bei dieser Sitte um die Anrufung eines magischen Schutzes. Dieser rituelle Brauch war in vorgeschichtlicher Zeit auch in Italien und Griechenland verbreitet gewesen. Jetzt erschien er den Römern befremdlich.

Welche Angst mußten die Kelten verbreiten, wenn sie ihre gefangenen Feinde enthaupteten, die Köpfe an die Zügel der Pferde hängten, um sie dann zuhause oder in ihren Heiligtümern zur Schau zu stellen. Diese Krieger waren außerordentlich geschickte Reiter. Von Caesar und vor allem von Polybios wissen wir, daß sie mit ihren Streitwagen an die feindliche Kampflinie heranrasten, an ihr entlangfuhren und mit schrecklichem Lärm und Geschrei, Trommeln schlagend und Hörner blasend, ihre Speere schleuderten. Dann sprangen sie von den Wagen, die Wagenlenker hielten diese für einen schnellen Rückzug bereit, die Kämpfer begannen, den Gegner zu verhöhnen und zu schmähen und die eigene Herkunft und Tapferkeit zu rühmen. Darauf folgten die »klassischen« Zweikämpfe, und erst jetzt eröffnete die gesamte Streitmacht die Schlacht. Das sind Szenen wie aus der Ilias. Die Kelten waren also Erben dieser archaischen Tradition, als diese in Griechenland schon längst untergegangen war. Erst als die Römer ihre Eroberungszüge gegen Gallien führten, waren die Kelten gezwungen, ihre Kampfesweise zu ändern. Ihre Siege feierten sie mit wilden Gelagen, erzählt uns Polybios. Importierter Wein und selbstgebrautes Bier flossen in Strömen. Unmengen von Fleisch wurden geröstet oder in riesigen Kesseln gekocht. Die Krieger gerieten sich bei der Fleischzuteilung häufig in die Haare und rauften sich um die Portionen, die nach Verdienst und Stellung verteilt wurden. Streng war die Sitzordnung geregelt, Rang und Tapferkeit bestimmten den Platz. Am Höhepunkt des Festes sangen die Barden ihre Lieder zum Lob aber auch zum Spott eines Fürsten.

Das Bild, das die römischen Schriftsteller ihren Lesern von den Kelten gaben, ist sichtlich mehr oder weniger von der Abneigung gegen den Feind gefärbt. Appian bezeichnet sie als »von Natur aus unmäßig« und Strabo bemerkt: »Sie sind unerträglich als Sieger, aber verblüfft als Besiegte. Zu ihrer Geradheit und Leidenschaftlichkeit gesellt sich Torheit, Prahlerei und Putzsucht.« Auch die Äußerungen von Tacitus sind nicht besonders schmeichelhaft. Im Gegensatz zu den Germanen nennt er sie schlappes Gesindel. Und Strabo schreibt: »Die gesamte Nation ... ist kriegstoll, ebenso kühn wie gewandt in der Schlacht, gleichwohl sonst arglos und nicht wild.«

Den tiefsten Einblick in die gesellschaftlichen Verhältnisse, vor allem der Kelten auf dem Kontinent, gibt uns Caesar in seinem Werk »Der gallische Krieg«. Danach wurden die führenden gallischen Stämme von Adligen beherrscht. Anscheinend waren diese Adelsgruppen bei den wichtigsten Stämmen wie den Helvetiern, den Häduern und Avernern so stark geworden, daß sich ein einzelner Stammesfürst nicht gegen sie durchsetzen konnte. Ein bedeutendes Gewicht hatten auch die Ratsversammlungen der freien, volljährigen Männer des Stammes. Caesars Ausführungen hören sich beinahe an wie ein Bericht aus einer demokratischen Epoche. »... In Gallien gibt es nicht bloß in allen Stämmen, ja in allen Gauen und Bezirken, sondern auch fast in jeder einzelnen Familie Parteien. An ihrer Spitze stehen allemal diejenigen, die sich in der öffentlichen Meinung die meiste Geltung zu verschaffen wissen. Ihr Ermessen und ihr Urteil sind für die letzte Entscheidung in jederlei Rat und Tat maßgebend. Diese aus alter Zeit stammende Einrichtung hat offenbar den Zweck, keinen Mann aus dem Volke einem Mächtigeren gegenüber ohne Unterstützung zu lassen; denn jedes Parteihaupt schützt seinen Anhang vor Bedrängnis durch Gewalt oder List; andernfalls verliert es jedes Ansehen bei den Seinen.« Nach Caesar war das keltische Volk in drei Stände gegliedert: die Priester

(Druiden), die Adligen (Equites) und das einfache Volk (Plebs). Nach ihm genossen nur Adlige und Druiden größeres Ansehen. Der einfache Mann hatte wenig zu sagen und wurde mitunter wie ein Sklave behandelt. Vielleicht ist diese schlechte soziale Lage der einfachen Freien Ausdruck des Zerfalls der bäuerlichen Gesellschaft aufgrund inner- und außerpolitischer Wirren. Das Entstehen großer ständiger Wohnsitze, wie der Oppida, macht einen Wandel des gesellschaftlichen Gefüges der Kelten deutlich.

Eine entscheidende Rolle im geistigen, religiösen und manchmal auch im politischen Leben spielten die Druiden. Die Brahmanen in der religiösen hinduistischen Gesellschaft sind ihnen wohl am ehesten vergleichbar. Die Druiden waren, nach Caesar, vom Heeres- und Kriegsdienst befreit und steuerfrei. Viele junge Leute »studierten« bei ihnen bis zum Alter von zwanzig Jahren, und Caesar betont, daß sie kein Wort schriftlich niederlegen durften. Somit blieb der exklusive Charakter ihrer Geheimlehre bewahrt. Neben der Verkündigung des religiösen Wissens und der Rechtsprechung lehrten sie Mathematik und Sternkunde. Sie waren die »Ärzte und Naturwissenschaftler« ihres Volkes und bestimmten durch ihre Weissagungen maßgeblich die Geschicke. Mit der Romanisierung Galliens ging ihr Einfluß zurück, und Kaiser Claudius (41 – 54 n. Chr.) verbot ihre Gottesdienste wegen der Menschenopfer, die dabei dargebracht wurden, und wohl auch aus politischen Gründen, denn die Druiden bildeten das Rückgrat des keltischen nationalen Widerstandes gegen die Römer.

Auch in das Familienleben gibt Caesar interessante Einblicke. Der Mann hatte Gewalt über Leben und Tod von Frau und Kind. Bei der Eheschließung legten die Eheleute ihren Besitz zusammen, verwalteten ihn gemeinsam und legten den Gewinn zurück. Dem überlebenden Teil fiel das gesamte Hab und Gut zu. Die pädagogischen Grundsätze waren streng. Caesar hebt hervor, daß die Gallier ihre Söhne in der Öffentlichkeit erst dann in ihrer Nähe duldeten, wenn sie herangewachsen und wehrhaft geworden waren. Es galt geradezu als Schande, wenn sich ein noch nicht erwachsener Sohn öffentlich an der Seite seines Vaters zeigte.

Diese Kelten also, die in ständiger kultureller Berührung und machtpolitischer Auseinandersetzung mit der antiken Welt lebten, gingen praktisch als Ganzes im Römischen Imperium auf.

Die Germanen

Im Gegensatz zu den Kelten sind die Germanen als Gesamterscheinung viel schwieriger zu erfassen. So ist auch die Germanenforschung wieder in Fluß geraten und steht vor neuen Problemen. Wir gehen im allgemeinen mit dem Wort Germanen um, als sei es ein eindeutig feststehender Begriff. Aber die Schwierigkeit beginnt bereits mit der Frage nach der Herkunft des Wortes. Die Kelten waren unter ihrem Namen zu ihrer Zeit überall bekannt. Die germanischen Stämme hingegen führten niemals einen nationalen Sammelnamen. Sie fühlten sich stets nur einem bestimmten Stamm zugehörig und bezeichneten sich als Chatten, Cherusker, Sueben, Hermunduren, Mattiaker und so weiter. Einige Wissenschaftler nehmen an, daß »germani« einmal der Name eines keltischen Stammes war, der dann weiter übertragen wurde. Dieser Stamm hatte möglicherweise im Niederrheingebiet gesiedelt, war aber bei der Ankunft Caesars bereits untergegangen.

Den antiken Schriftstellern fiel es schwer, Kelten und Germanen auseinanderzuhalten, denn äußerlich unterschieden sie sich kaum. Das wichtigste Unterscheidungsmerkmal war zunächst die Sprache. Wir dürfen davon ausgehen, daß im Raum des »barbarisch«-bäuerlichen Mitteleuropas kulturelle und sprachliche Entwicklungen sich gegenseitig durchdrangen und überlagerten; daß es also keltisierte Germanen und germanisierte Kelten gab. Unterwarf ein Stamm einen anderen, so bildete das Siegervolk zunächst die Herrenschicht, die sich im Verlauf der nachfolgenden Generationen mit den Unterworfenen vermischte.

Gleiche Bräuche und Riten bei Hochzeitsfeierlichkeiten des keltischen und germanischen Hochadels deuten auch auf dynastische Verbindungen. Eine völlige sprachlich-völkische Identität ist also sehr unwahrscheinlich. Die kulturelle und militärische Überlegenheit der Kelten in der Latènezeit bis zu ihrem politischen Untergang durch Caesar hat sicherlich die nördlich und östlich von ihnen lebenden Völker, die sich an den Rhein heranschoben, beeinflußt. Die Latèneimporte und die Nachahmung der Erzeugnisse der Latènekunst und der Waffen in diesen Gebieten sprechen augenfällig dafür.

Caesar ist eigentlich der erste Geschichtsschreiber, der die wesentlichen Unterschiede zwischen beiden Völkern erkennt und beschreibt – und schließlich auch den Volksnamen »Germanen« einführt – und ihn recht gerissen hochspielt, denn mit dem »Germanenschreck« ließ sich bei den Römern das Geld für seine gigantische Heeresmacht leichter locker machen. Wenn er allerdings den Rhein als Grenze zwischen Germanien und Gallien nennt, so ist dies eine grobe Vereinfachung, denn unmittelbar am linken Rheinufer saßen Völker mit einem guten Schuß germanischen Bluts, die zum Teil gallisiert waren und als Galli galten. Vergleichen wir die Aussagen der antiken Schriftsteller, so bestehen zwischen Kelten und Germanen weniger leibliche – im allgemeinen werden die Germanen als noch größer und wilder beschrieben – als charakterliche und kulturelle Unterschiede. Die Aufzählung germanischer Rassenmerkmale bei Tacitus: trotzige blaue Augen, rotblondes Haar, hoher Wuchs, findet sich bei allen Schriftstellern, die über Germanen berichten.

Archäologische Funde haben die Beschreibung der Germanen durch die Römer bestätigt. Vor allem sind es die Moorleichen, die zeigen, wie sie wirklich ausgesehen haben. Messungen an Funden der Bronzezeit ergaben eine Entwicklung zur Langschädelform bei mehr als 80 vom Hundert. Die Durchschnittsgröße – bei über 700 Moorleichen erst jüngst ermittelt – beträgt bei Männern 172,3 Zentimeter und bei Frauen 159,7 Zentimeter. Der durchschnittlich 150 Zentimeter große Römer mußte also wirklich zu einem Germanen »aufschauen«.

Wo siedelten nun die Germanen? Wie die Forschung heute annimmt, saßen sie zunächst in Böhmen, Mähren, der westlichen Slowakei, an der Moldau, in Galizien und bis hinunter zum Schwarzen Meer in Südrußland. Der Schwerpunkt ihres Siedlungsgebietes lag jedoch an der Elbe, Oder und der Weichsel, in Nordwestdeutschland und Skandinavien.

Und wie war das Land beschaffen, das die Römer, begreiflicherweise, als Hölle schilderten?

Sicherlich war es nicht ein einziges, riesiges Urwaldgebiet. Zwar gab es ausgedehnte Wälder, dazwischen aber lag waldfreies, gut bebautes Siedlungsland. Caesar und Tacitus berichten, daß die germanischen Stammesgebiete voneinander durch urwaldartige, auch sumpfige Ödlandzonen getrennt waren. Dieses Niemandsland bot natürlich guten Schutz gegen feindliche Angriffe. Aber innerhalb dieser Siedlungsgebiete gab es waldfreie Flächen und lichte Haine mit eingestreuten Höfen und Dörfern. Dieses Landschaftsbild erhielt sich bis in die Zeit der großen inneren Kolonisation im 12. und 13. Jahrhundert.

Die Germanen, dieses ungemein vitale Bauern- und Hirtenvolk, geriet in Bewegung und drängte in immer neuen Wellen nach Westen. Das zwang die Römer, ihre ganze Macht aufzubieten, um das Reich zu verteidigen.

Römische Soldaten brachten die Kultur

NIRGENDS SONST im ganzen Imperium gab es eine solche Anhäufung von Streitkräften wie an der Rheinfront. Seit den ausgedehnten Feldzügen des Drusus und Tiberius lag hier die größte aller Provinzialarmeen: ein Sechs-Legionen-Heer. Zwei Legionen davon waren in Birten bei Xanten (Vetera), je eine in Neuß (Novaesium) und Bonn (Bonna) und zwei in Mainz (Mogontiacum) stationiert. Dazu kamen die Hilfstruppen, die Auxilien, in den kleinen Kastellen und die dazwischen postierten Wachkommandos. Nach der Katastrophe der Varusschlacht wurde dieses Rheinheer zeitweise auf zwei Vier-Legionen-Heere mit je ungefähr 50 000 Mann erhöht.

Von den Auxilien sind aus der julisch-claudischen und neronischen Zeit (etwa 16 bis 69 n. Chr.) in Mainz bis jetzt 7 Alen, also Kavallerie-Regimenter, und 13 Auxiliarkohorten, für Wiesbaden 3 Kohorten nachgewiesen. Wahrscheinlich waren es weit mehr. Denn noch viele Jahrzehnte nach Beendigung der Germanenoffensive, vielleicht bis um 70 n. Chr., muß ein sehr großer Teil der Auxilien des obergermanischen Heeres als taktische Einheit zur Unterstützung der beiden Mainzer Standlegionen in und um Mainz gelegen haben.

Zwei Legionen in ständiger Garnison in Mainz – das war eine, für antike Maßstäbe – ungeheure Massierung von Menschen. Es blieb ja nicht nur bei den 10 000 bis 12 000 Legionären. Mit etwa 10 000 Troßknechten und der gleichen Anzahl zugeordneter Hilfstruppen lagen hier also ungefähr 30 000 Mann. Marketender, Händler, manche mit ihrer ganzen Familie, schlossen sich an. Diese Truppe war aber auch ein Magnet für Abenteurer, Gaukler, Schausteller, Possenreißer und für lockere Mädchen. Zwar war dieser irreguläre Troß, der sich auf eigene Faust an das Heer hängte, für die Disziplin der Truppe gefährlich und konnte lästig werden, verzichten aber wollte man doch nicht auf die Annehmlichkeiten und Zerstreuungen, die diese Leute zu bieten hatten. Besonders nicht, wenn die Legionäre Tausende von Kilometern von der Heimat entfernt barbarische Länder besetzten; gerade dann hatten sie etwas Unmoral für ihre moralische Aufrüstung nötig, entsprechend einer merkwürdigen Dialektik soldatischer Ethik.

So viele Soldaten, bei denen das Geld locker saß – welch eine Kaufkraft! »Der Gardesoldat bekommt seit den Flaviern 750 Denar, der Legionär 225, für einen Auxiliarsoldaten haben wir in Ägypten einmal die Summe von 774 Drachmen, also 186 Denar. Diese Beträge scheinen bei kasernierten Soldaten hoch, sie unterliegen aber sehr erheblichen Abzügen. Jenem Soldaten in Ägypten werden 240 Drachmen für die Verpflegung abgezogen, 36 für Kleidung und Lederzeug, 30 für Heu, 24 für Beiträge verschiedener Art. Der Rest von 414 wird auf sein Konto bei der Truppe eingetragen, und Bargeld bekommt er nur in die Hand, wenn er es bei der Kasse, das heißt bei einem Vorgesetzten, abhebt. Die Gehälter der Offiziere liegen schon unter Augustus zwischen 2 500 und 10 000 Denar, hundert Jahre später erhält der Centurio 3 750, der Militärtribun oder Kommandant einer Auxiliarformation in der Linie 12 500 – 30 000 Denar. Die Gehaltsstufen der prokuratorischen Laufbahn beginnen mit 15 000 Denar, sie steigen über Staffeln von 25 000 und 50 000 bei den höchsten Reichsstellen auf 75 000«, führt Ulrich Kahrstedt in seiner »Kulturgeschichte der römischen Kaiserzeit« an.

Selbstverständlich sind nicht ohne weiteres Preise von damals mit heute vergleichbar. Doch kann gesagt werden, daß das Brot in der römischen Kaiserzeit im Vergleich etwas teurer war als bei uns zu Anfang des 20. Jahrhunderts. Alles andere wie Öl, Käse, Gemüse und Landwein war wesentlich billiger. Auch für Kleidung mußte man weniger ausgeben. So kostete ein Gewand für den Alltag 10 bis 20 Denar. Ein Offizier hatte mit etwa 50 bis 60 Denar für eine Uniform zu rechnen, und der Preis für eine festliche Tunika lag bei 75 Denar.

Und alle wollten essen!

Der Legionär erhielt seine Verpflegung in Naturalien, alle sechzehn bis siebzehn Tage faßte er 12 bis 15 Kilogramm Weizen, den er selbst mahlte, daraus seinen Brei kochte oder Brot backte. Auch Käse und Gemüse wurden zugeteilt. Fleisch gab es selten. Moderne Ernährungswissenschaftler hätten ihre helle Freude an dieser gesunden Kost! Ein Reiter bekam bis zur dreifachen Menge, da er noch ein bis zwei Knechte versorgen mußte, und rund 3 Zentner Gerste für das Pferd.

Verpflegung für 12 000 Mann in Mainz bedeutete etwa 3 000 Tonnen Getreide im Jahr. Bedeutete also, wollte man vom Nachschub auf den langen Wegen über die Alpen oder Meere unabhängig sein, die Kultivierung großer Acker-, Garten- und Weideflächen.

Auch in der Fremde möchte der Legionär nicht seinen gewohnten Lebensstandard und der Offizier nicht seinen Luxus entbehren. »Die Qualitätsprodukte der campanischen Güter, die Öle und Fischkonserven aus Gades, Malaga und Arles finden hier so viele Abnehmer wie nirgendwo sonst an den Grenzen, Gläser und Sigillaten werden in Massen verbraucht. An keiner Stelle in Westeuropa liefern die Abfallhaufen so viele Austernschalen und Pfirsichkerne wie in den Garnisonsstädten am Rhein«, heißt es bei Kahrstedt.

Und dieses Heer trug die Verantwortung für die Vermessung der Lager, aber auch für die Landvermessung, Stadtplanung, Straßenbau und Wasserversorgung. Seine Architekten, Ingenieure, Spezialisten und Künstler hatten alle Hände voll zu tun. Riesig war der Bedarf an Baumaterial und Steinquadern, die die Arbeitskommandos des Heeres aus den Steinbrüchen holten. Ziegel stellten die Legionen in eigener Fabrikation her und versahen – seit Claudius – pedantisch jeden einzelnen mit ihren Stempeln. Zahllose Ziegelbrocken werden auf so manchem unserer Äcker hochgepflügt. Die Ziegelstempel geben uns Aufschluß über die Geschichte des römischen Heeres in Germanien, zum Teil viel genauer als die wenigen uns überlieferten und nicht immer zuverlässigen Berichte antiker Schriftsteller.

Aneinandergereiht liegen die Kastelle – vor ihren Toren wachsen die Lagervorstädte und die Zivilsiedlungen. Überall herrscht reger Verkehr zu Lande und zu Wasser. Diese Grenzprovinz blüht und erlebt einen wirtschaftlichen Aufschwung ohnegleichen.

Nach einer blutigen, grausamen Zeit der Okkupation hat eine Konsolidierung eingesetzt, die sich gleichsam selber trägt aufgrund der genialen Verquickung des Militärischen mit dem Zivilen in der Verwaltung. Dieses römische Heer, das alle Völker, Rassen und Religionen ohne Diskriminierung integriert, überträgt selbstverständlich diese Toleranz auf die Bewohner eines eroberten Gebietes. Der römische Soldat ist nicht nur Kämpfer und »Held«, sein Wissen und Können sind überlegen und beispielgebend. Er braucht den primitiven Unterworfenen nichts aufzuzwingen; willig und eifrig machen sie sich seine höhere Lebensart zu eigen. Die einheimische Bevölkerung wird in erheblichem Maße geformt und mit dem Niveau der Zivilisation hebt sich das Kulturniveau. Die Fülle fragmentarischer Reste gibt beredt Zeugnis für die positive Seite der Römerherrschaft im besetzten Germanien.

In der zweiten Hälfte des ersten Jahrhunderts präzisiert (nach Swoboda »Carnuntum«) ein Prominenter am Rhein die Politik Roms gegenüber den Provinzialen und erklärt: den Frieden zu garantieren vermag nur Rom und sein Heer: »denn wenn einmal, was die Götter verhüten mögen, die römische Herrschaft zusammenbricht, was gäbe es anderes, als einen allgemeinen Völkerkrieg. Der Friede aber ist nicht möglich ohne Heer, ein Heer nicht möglich ohne Sold und Sold nicht möglich ohne Tribute!« Die Römer sind unpathetische Missionare ihrer Macht und Ordnung. Wer sie anerkennt, wird aufgenommen ohne Vorbehalt. Man ist nicht auf Kampf versessen. Es ist viel billiger, sich den Frieden an den Grenzen durch Bestechung barbarischer Häuptlinge und Fürsten zu erkaufen, als Legionen auszurüsten und in Marsch zu setzen. Die vielen Funde wertvoller Gegenstände aus dem Boden des freien Germaniens – nicht nur Beutestücke und Handelsware, auch »Gastgeschenke« – sprechen eine deutliche Sprache. Daß es Leute gibt, die sich dieser Ordnung widersetzen, wie diese »militanten«, »anarchistischen« Chatten, ist römischem Denken schwer begreiflich.

Überall im Imperium gilt das gleiche Recht. Die Verwaltungsvorschriften werden pragmatisch und liberal den jeweiligen lokalen Gegebenheiten angepaßt. Das Römische Imperium ist eine gut funktionierende Verwaltungsgemeinschaft, die heterogenste internationale Gruppen vereinigt.

Das Kastell dieses »Bürgers in Uniform« ist keine Kaserne – kein abgeschlossenes Besatzungs-Getto. Zwar herrscht dort unvorstellbare Enge, aber diesem Lager liegt das Bild der antiken Stadt mit Forum, geordneten Vierteln und einem gegliederten Straßennetz zugrunde. Selbst in die dunkelste Provinz pflanzt er das Abbild der mediterranen Stadt.

Die Legionäre der Rheinarmee waren zunächst Italiker und farbige Exoten aus der fernsten Peripherie des Reiches. Im Laufe der Zeit verstärkte sich hier das keltische und germanische Element. Ebenso wie aus den anderen Provinzen Hilfstruppen rekrutiert wurden, traten Kelten und Germanen in den Dienst des römischen Heeres.

Das ersehnte römische Bürgerrecht wurde einer ganzen Einheit als Auszeichnung für besondere Tapferkeit verliehen. Aber nach Beendigung seiner Dienstzeit erhielt auch jeder einzelne Soldat feierlich das Militär-Diplom. Dann konnte er stolz sagen: »Civis Romanus sum« – ich bin römischer Bürger.

Ein solches Militärdiplom bestand aus zwei Tafeln, die mit Drahtscharnieren verbunden, mit Draht verschnürt und so versiegelt waren. Es enthielt die Abschrift des entsprechenden Erlasses des Kaisers, der in Rom hinter

dem Tempel des Augustus auf dem Palatin oder hinter dem Kapitol angeschlagen war, und den Namen des Inhabers sowie die Beglaubigung der
Abschrift durch die Namen und Siegel von sieben Zeugen. Ein Diplom
aus Mainz zeigt die zweite untere Hälfte der Innenseite des Militär-
diploms für den Reiter Mucapor. Das Dokument lautet: »Der Imperator
Domitianus, Sohn des göttlichen Vespasianus, Augustus Germanicus, Pon-
tifex Maximus mit tribunicischer Gewalt zum zehnten, Imperator zum
einundzwanzigsten Mal, Censor auf Lebenszeit, Consul zum fünfzehnten
Mal, Vater des Vaterlandes, hat den unten namentlich aufgeführten Reitern der vier Reiterregimenter und den Infanteristen und Reitern der
vierzehn Kohorten, die in Germania superior unter [dem Statthalter] L.
Javolenus Priscus stehen, nach einer Dienstzeit von 25 oder mehr Jahren
für sie selbst, ihre Kinder und Nachkommen das Bürgerrecht verliehen,
sowie das Recht zur Ehe mit ihren Frauen, die sie bei der Verleihung
des Bürgerrechts hatten, oder soweit sie ledig sind, mit den Frauen, die
sie später heiraten, sofern es sich jeweils um eine Frau handelt.
Am 27. Oktober unter dem Consulat des Albius Pullaienus Pollio und
des Cn. Pompeius Longinus [90 n. Chr.]
An den in der 1. Aquitanischen Veteranenkohorte unter M. Arrecinus
Gemellus dienenden
Reiter
Mucapor, Sohn des Eptacentis aus Thracien.
Überprüfte Abschrift von der Bronzetafel, die in Rom an der Mauer
hinter dem Tempel des Augustus beim Standbild der Minerva angeschlagen
ist.

Q. Muci	Augustalis
L. Pulli	Verecundi
C. Lucreti	Modesti
C. Pompei	Eutrapeli
C. Iuli	Clementis
Q. Vetti	Octavi
L. Pulli	Ianuari.«

Als römischer Bürger hatte der Auxiliar nun also auch das Recht, eine
Ehe zu schließen, und die Kinder erbten natürlich das Bürgerrecht. So
wuchs bereits die zweite Generation fraglos und selbstverständlich als
staatsbewußte Römer der Rheinprovinz heran. Man gab den Kindern
römische Namen, wie zum Beispiel der keltische Schiffer Blussus aus
Mainz-Weisenau, der seinen Sohn in der Mitte des ersten Jahrhunderts
n. Chr. *Primus* nannte. Bei Verhandlungen und Geschäftsabschlüssen

sprach Blussus wohl ein vom Idiom der Soldaten geprägtes Provinzlatein. Mit seiner Frau redete und schimpfte er vielleicht noch keltisch. Doch um 100 n. Chr. wird sich wie in Gallien Latein als Umgangssprache durchgesetzt haben.

Ausgeprägtes Selbstbewußtsein und Korpsgeist der Vielvölkerlegionen zeigte sich in der ersten großen Krise des Kaisertums, im Vierkaiserjahr 68/69 n. Chr. Nach der Absetzung und dem Selbstmord Neros erhoben sich die Legionen in Gallien und Teilen Spaniens und riefen ihre Favoriten zum Kaiser aus. Die Praetorianer, die Elitetruppe des Kaisers in Rom, setzten Galba auf den Thron. Auch die Rheinarmee fühlte sich berufen, ihren eigenen Kaiser an die Spitze des Imperiums zu stellen, und erkor am 1. Januar 69 n. Chr. in Köln Aulus Vitellius als Caesar. Die Hälfte des Heeres brach mit ihm auf in die Hauptstadt. Gegenkaiser Otho (der Nachfolger Galbas) wurde bei Bedriacum vernichtend geschlagen und beging Selbstmord. Am 17. April 69 zog die rheinische Armee in Rom ein und bildete die neue Praetorianergarde. Das »klassische Schauspiel« dieses Einmarsches hat auch den damals etwa 14jährigen Tacitus gefesselt:

»Die Adler von vier Legionen in der Front und ebenso viele Fahnen aus anderen Legionen zu beiden Seiten, dann die Feldzeichen von zwölf Reiterscharen und hinter den Reihen des Fußvolkes die Reiterei; hierauf vierunddreißig Kohorten, je nach den Völkernamen oder Waffengattungen gesondert. Vor ihren Adlern die Lagerpräfekten, die Tribunen und die ersten Centurionen in weißem Gewand, die übrigen jeder neben seiner Centurie, in ihren Waffen und Ehrenauszeichnungen strahlend; auch bei den Soldaten glänzten Brustgehänge und Halsgeschmeide: ein schöner Anblick und ein Heer, eines andern Fürsten als Vitellius würdig. So zog er auf das Kapitol, umarmte dort seine Mutter und beehrte sie mit dem Namen Augusta.« (Tacitus Historien II/89)

Doch zum agilen, weltstädtischen Römer hat es nicht ganz gereicht. Im Straßenbild der Hauptstadt fielen die antiken Rheinländer noch etwas aus dem Rahmen, wie uns Tacitus erzählt: ». . . Und einen nicht minder schrecklichen Anblick boten sie selbst, in ihren Tierhäuten und ungeheuren Waffen starrend, wenn sie dem Gedränge des Volks in ihrer Plumpheit nicht gehörig auswichen oder, waren sie auf schlüpfriger Erde oder durch jemandes Entgegenrennen niedergefallen, einen Streit vom Zaun brachen, tätlich wurden und zum Schwert griffen. Ja, auch Tribunen und Praefekten schwärmten auf schreckenerregende Weise und mit Scharen Bewaffneter umher.«

54

Dies alles blieb Episode. Mit Gelagen, Prassen und aufständischer Soldateska allein läßt sich ein Imperium nicht regieren. Ganz Italien erhob sich, und Vitellius wurde Ende des gleichen Jahres im Straßenkampf erschlagen. Doch kehren wir wieder zurück nach Mogontiacum.

Im rheinhessischen Dreieck

»Die wichtigste natürliche Voraussetzung des Stadtbildes ist die geographische Lage der Stadt. Mainz liegt ungefähr in der Mitte des Rheinlaufs vom Bodensee zur Nordsee auf dem linken Stromufer genau gegenüber der Einmündung des von Osten kommenden Mains an einer Stelle, wo das Hochufer der unteren Rheinterrasse sowohl nahe genug an den Rhein herantritt, um diesen weithin übersehen und leicht erreichen zu können, und doch in einem Abstand bleibt, der Raum läßt für eine leicht ersteigbare und besiedelbare Böschung. Zudem besitzt das Hinterland einen sehr fruchtbaren Lößboden und gestattet außerdem eine unmittelbare Verbindung zwischen Hunsrück und Haardt hindurch mit dem lothringischen Hügelland und damit der nordfranzösischen Tiefebene. Diesem bedeutenden Verkehrsweg nach Westen entspricht rechtsrheinisch einer der wichtigsten Zugänge zur norddeutschen Tiefebene durch das weite Maintal und die Wetterau. Das ungewöhnliche Zusammentreffen so vieler günstiger natürlicher Voraussetzungen ließ diesen Ort seit den frühesten Zeiten zu einem ständigen Treffpunkt der Menschen und zu einer nahezu idealen Siedlungsstätte werden. So entstand hier eine dichte Abfolge einander überlagernder Kulturschichten, von denen jedoch die jüngeren die älteren meist so stark gestört haben, daß Aufschlüsse fast nur noch an den Stellen zu gewinnen sind, die längere Zeit außerhalb der Besiedlungsgrenze lagen.« (K. H. Esser)

Kein Wunder, daß diese günstige topographische Lage die Menschen von jeher angezogen hat. Schon vor 20 000 Jahren lagerte eine Horde von Jägern auf dem Linsenberg. An dieser altsteinzeitlichen Raststätte entdeckte man ihre Feuerstelle, Steingeräte und Überreste vom Woll-Nashorn, Rentier, Wildpferd, Höhlenbären und sogar vom Mammut. Auch zwei »Venusfiguren« – Frauenfiguren, wahrscheinlich Symbole eines Fruchtbarkeitskultes – kamen wieder ans Tageslicht und sind heute im Mittelrheinischen Landesmuseum, Mainz, aufbewahrt.

Während der Jungsteinzeit und der Bronzezeit ließen sich hier Fischer nieder. In der Mainzer Spitze liefen mehrere prähistorische Wege des rheinhessischen Dreiecks zusammen, und auf jahrtausendelang benutzten Furten gelangte man über die Inseln an das andere Ufer des Rheins. Zwischen dem dritten und vierten Jahrtausend vor Christus erschienen die ersten Bauern auf der Szene der Mainzer Geschichte, Bandkeramiker und Angehörige der Rössener Kultur. Die Besiedlung geht dann ohne Unterbrechung über die Hallstatt- und Latène-Zeit weiter. Demnach ist das Mainzer Becken altkeltisches Gebiet. Hier etwa verlief die keltisch-germanische Sprachgrenze, als die Römer kamen. H. v. Petrikovits präzisiert:

»Gegenüber von Mogontiacum wohnten die Mattiaci, die ein Teilstamm der Chatti gewesen zu sein scheinen. Südlich der Mattiaker mögen im frühen ersten Jahrhundert n. Chr. die Wohnsitze der Vangionen gewesen sein. Mogontiacum lag also etwa an der Grenze zwischen germanischem und keltischem Sprachgebiet. Während am Niederrhein das germanische Sprachgebiet offenbar auf das römische Rheinufer hinübergriff, muß es am Mittelrhein anders gewesen sein. Leo Weisgerber hat an den Personen-, Götter- und Ortsnamen des Landes der Treverer und Mediomatriker erwiesen, daß hier bis in römische Zeit unter der keltischen Sprachschicht ein Substrat erhalten war. Wir wissen nicht, ob diese ältere Schicht noch in der römischen Epoche im gesprochenen Wort fortlebte.«

Das Mainzer Römerlager

Als sich Augustus in den Jahren 16 bis 13 v. Chr. in Gallien aufhielt, um die Eroberung Germaniens bis an die Elbe vorzubereiten, wurden die Garnisonen von Gallien an das linke Rheinufer vorverlegt. Als erste entstanden Castra Vetera I auf dem Fürstenberg in Birten bei Xanten und das Lager in Novaesium = Neuß am Rhein. Im Verlauf dieses Unternehmens gründete Drusus zwischen 13 und 11 v. Chr. gegenüber der Mainmündung ein Lager für zwei Legionen, das die XIV. Gemina und die XVI. Gallica bezogen, die von nun an ständig in Germanien in Garnison lagen.

Der Platz auf dem Kästrich in Mainz (Kästrich von römisch *castra* = Lager abgeleitet) war gut gewählt. Das Gelände fällt auf drei Seiten ab, und gegen den Rhein hin war es durch mooriges Gebiet geschützt. Auf dieser Hochterrasse stand das Lager mit unverändertem Grundriß für die nächsten Jahrhunderte, bis es Anfang des vierten Jahrhunderts aufgegeben wurde. Die Anlage mit 35 Hektar (etwa 750 x 500 Meter) war verhältnismäßig klein, denn die römische Militärordnung schrieb 25 Hektar für eine Legion vor. (Das Zwei-Legionenlager in Vetera umfaßte zum Beispiel 56 Hektar.) Demnach waren die Hilfstruppen außerhalb untergebracht. Ein solches Auxiliarlager für eine Ala, eine Reiterabteilung also, ist auf der Hochebene von Weisenau, dreieinhalb Kilometer vom Legionslager entfernt, nachgewiesen. Als nach Beruhigung der militärischen Lage 86 n. Chr. eine Legion von Mogontiacum abgezogen wurde, gab es im Legionslager Raum auch für die Hilfstruppen und später für die Verwaltungsbehörden.

Wie in Haltern, Vetera und Neuß waren diese ersten Lager zunächst Winterlager. Aber man hat sie nicht – wie früher üblich – im Sommer abgebrochen, sondern sie dienten auch in der warmen Jahreszeit, während die Legionen im germanischen Kampfgebiet operierten, als Auffang- und Versorgungslager. Der Lagerkommandant, der *praefectus castrorum,* befehligte die verbliebenen Wachtposten, Etappen- und Versorgungseinheiten.

Von den Griechen haben die Römer auch für die Festungsbaukunst das für sie Brauchbare übernommen. Bei Pseudo-Hygin und den beiden Militärschriftstellern Livius und vor allem Polybios finden wir die Richtlinien.

Für die Einteilung eines Legionslagers war die allgemein gültige Vermessungsgrundlage das Achsenkreuz. Parallel zu den beiden sich kreuzenden Hauptstraßen, der Via Principalis und der Via Praetoria, liefen die anderen Straßen, so daß übersichtlich geordnete Häuserblocks (*insulae*) entstanden. Das Lager basierte auf dem für militärische Zwecke abgewandelten Plan der mediterranen Stadt. Wie diese hatte auch das Lager ein Forum, das Hauptgebäude, die *principia.* Man betrat es durch ein Tor und gelangte in einen von einem Laubengang umschlossenen Innenhof, an dem Waffenkammern und Büros sowie eine überdachte Gerichtshalle (*basilica*) lagen. Im Fahnenheiligtum (*sacellum*) standen die Büsten der Kaiser und ihrer Familie sowie die Feldzeichen der Legion. Ein darunterliegender Keller barg die Truppenkasse und die Ersparnisse der Legionäre. Zu beiden Seiten des Heiligtums befanden sich Versammlungsräume (*scholae*) für die verschiedenen Dienstgrade. An die Principia grenzten die Diensträume und die Wohnung des Legionskommandeurs, das Praetorium. Hinter der Principia schloß sich das Domizil des Lagerkommandanten an, der zugleich die Funktion des verantwortlichen Versorgungsoffiziers (*praefectus castrorum*) innehatte. An der Hauptstraße lagen auch die Häuser der sechs Militärtribunen einer Legion, komfortable Peristylhäuser mit schönem Gartenhof, Springbrunnen oder Wasserspielen – manchmal fast schon kleine Paläste.

Auch die Kavallerie war an der Via Principalis untergebracht. Sie konnte so im Falle eines Alarms sofort antreten und durch die seitlichen Tore ausreiten. In der Nähe dieser Gebäude wurde in der Lagermitte das Lazarett *(valetudinarium)* mit einem Operationssaal und vielen Krankenzimmern eingerichtet. An der die Lagerbauten umlaufenden Via Sagularis hatten Transportfahrzeuge und die Lasttiere ihren Platz.

Bei der großzügigen Anlage der Bauten für die hohen Offiziere blieb für die Mannschaften wenig Raum. Jede Centurie hatte ihre eigene »Baracke« mit mindestens zehn hintereinanderliegenden Doppelkammern, von denen jeweils die vordere kleinere zur Ablage der Waffen und als Herdstelle, die hintere als Schlafraum diente. Sie war mit zwanzig Quadratmetern und weniger so klein, daß sich acht Mann gerade eben zum Schlafen ausstrecken konnten. Unter einem Vordach verrichteten die Soldaten, auch bei schlechtem Wetter, verschiedene Arbeiten; sie reinigten Waffen, putzten Schuhe, besserten ihre Kleidung aus und mahlten Korn. Die Unteroffiziere kampierten in denselben Unterkünften, aber zu zweien oder dreien auf einer Stube. Der Hauptmann *(centurio)* besaß am Ende eines solchen Gebäudes einen größeren Wohntrakt mit ziviler Einrichtung. Auch für Kanalisation war gesorgt, entweder mit Gruben oder durch in die Lagerstraßen verlegte Holzrohre, die die Abwässer nach draußen, möglichst über die Latrine, den Graben unter dem »Donnerbalken« in einer abseitigen Lagerecke, leiteten. Ferner brauchte jedes Lager ein Pferdelazarett, Wagenschuppen sowie eine Werkstatt *(fabrica)* für Stellmacherarbeiten und Reparaturen verschiedenster Art, und wenigstens eine Schmiede innerhalb des Walles für den Fall einer Belagerung. Der Amboß dieser Schmiede im Mainzer Lager und Schmiedeerzeugnisse wie Trensen, Wagenbeschläge, Beile, Bohrer, Hacke und Waagschale sind erhalten geblieben und lagern im Magazin des Mittelrheinischen Landes-Museums.

Wichtig waren vor allem die Getreidespeicher *(horrea)*, in denen größere Vorräte für eine längere Zeit lagerten, und die man, um den Anlieferungsweg zu kürzen, nahe am Haupttor baute. Essensvorräte haben die Soldaten auch einfach vor ihren Baracken in in die Straße eingelassenen Kastengruben verstaut und mit einem Holzdeckel verschlossen. In Mainz entdeckte D. Baatz auch Faßdaubenabdrücke in der Erde. Zur Vorratshaltung hat hier also ein Faß gedient.

Im Legionslager Mainz folgten vier Bauperioden mit Holz-Erdemauern aufeinander, erst das fünfte wurde unter Vespasian (69 bis 79 n. Chr.)

mit einer steinernen Wehrmauer befestigt. Die ältesten Gebäude waren stroh- oder schindelgedeckte Holzbauten ohne Steinsockel. Später hat man diese Holzbauten auf Steinsockel gestellt. Die Bausteine eines solchen Sockels waren zunächst noch mit Lehm gebunden. Mörtel fand erst später Verwendung. Schließlich setzte sich die Steinbauweise ganz durch. Und diese Häuser standen auf gemörtelten Fundamenten. Zum ersten Mal blinkten Fensterscheiben, und weithin leuchteten die roten Ziegel der Dächer.

Aquädukte – Thermen – Großbauten des Heeres

Mensch und Tier von zwei Legionen verbrauchten viel Wasser. Kein Römer wollte sein tägliches Bad missen. Zunächst haben die Soldaten das Wasser sicher aus dem Zahlbach mühsam den Berg hinaufgeschleppt. Dann löste man das Problem auf eine zwar kostspielige, für den Gebrauch aber bequeme Weise. Man baute einen Aquädukt.

Der Bau der Aquädukte zeigt in besonderem Maße das technische Können römischer Architekten und Ingenieure. Vitruv, der Experte auf diesem Gebiet, empfahl ein Gefälle von einem halben Meter auf hundert Meter. Wegen des sanften Gefälles blieb der Druck auf Verteilerbassin und die angeschlossenen Holz-, Ton- oder Bleirohre gering. Kein natürliches Hindernis war zu schwierig. Brücken, oft in zwei-, ja dreistöckigen Bogenkonstruktionen, überspannten die Täler. Durch schwer zu umgehende Berge führten Tunnel mit Leitungskanälen, die mit Hilfe eingelassener Schächte kontrolliert und gereinigt werden konnten. Bei tiefen Einschnitten fand auch das Prinzip kommunizierender Röhren Anwendung; das heißt, das Wasser fiel auf der einen Seite der Schlucht, durchquerte das Tal und stieg auf der anderen Seite auf die ursprüngliche Höhe empor. Der erste Aquädukt wurde übrigens schon im Jahre 305 v. Chr. von Appius Claudius in Rom erbaut.

Das Wasser für Köln, die Colonia Claudia Ara Agrippinensium, kam im zweiten Jahrhundert n. Chr. aus der Eifel über eine Strecke von etwa 90 Kilometern, bei einem Gefälle von 400 Metern. Tagesleistung dieses Aquädukts: 30 Millionen Liter Wasser!

Zwei Quellen, eine vom Königsborn bei Finthen und die andere zwischen Finthen und Drais, speisten die Anlage in Mainz. »Das Wasser lief zunächst in unterirdischen Rinnen, weiter unten wurde eine gedeckte Rinne auf Steinpfeilern geführt, die schließlich beim Übergang über das Zahlbachtal eine Höhe von über 30 Metern hatte. Auf der Hochfläche des Legionslagers setzte sich die auf Pfeilern geführte Steinrinne fort und endete in zwei Hochbehältern nicht weit von der Südecke des Lagers. Von hier wurde das Wasser in Tonröhren weitergeführt; jeden Punkt des Legionslagers konnte es in natürlichem Gefälle erreichen« bemerkt dazu D. Baatz. Nach den Stempeln der Legio I Adiutrix auf den Tonröhren wurde die Wasserleitung zwischen 71 und 86 n. Chr. in einer Gesamtlänge von etwa acht Kilometern erbaut und hat wohl bis ins vierte Jahrhundert ihre Dienste getan.

Diese vom »Alter zerfressenen« restlichen sechzig Pfeilerstümpfe am Abhang des Zahlbachtals (der längste Pfeiler in der Talsohle ist noch in einer Höhe von zehn Metern erhalten) sind die einzigen heute in Deutschland sichtbaren Teile eines Aquädukts. Der Volksmund nennt sie Römersteine. Die Bogen fehlen, und von der Quaderverkleidung ist nur an einem Pfeiler ein Rest zu erkennen. Ein Block der Steinrinne steht im Hof der Universität.

Von diesem Aquädukt wurde auch das Kastellbad gespeist, in der letzten Bauperiode immerhin ein Gebäude von 50 Meter Breite und 69 Meter Länge, vergleichbar dem Typ der Bäder der Limeskastelle.

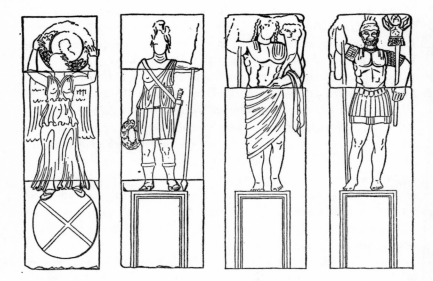

Ergänzte Skulpturen aus dem Verwaltungsbau oder Statthalterpalast
auf dem Kästrich

Leider ist von dem wichtigsten Bau des Lagers, der Principia, nicht einmal der Grundriß bekannt. Aber einige aus den Fundamenten der spätrömischen Stadtmauer zum Vorschein gekommene Skulpturen lassen auf einen Monumentalbau mit offener Säulenhalle schließen. Der Inhalt ihrer Darstellungen weist auf ein unter Vespasian errichtetes Verwaltungsgebäude des Steinkastells oder auf einen Statthalterpalast hin. Die Steinblöcke, Säulensockel, waren vielleicht Teil der steinernen Brüstung eines Säulenumgangs. Bruchstücke von Schrankenplatten, die dazu gehören, zeigen Victoria und Roma, Mars und Bonus, Eventus oder Honos, Victoria mit

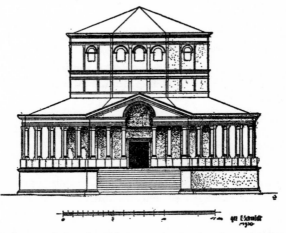

Rekonstruktion des Oktogons im Legionslager Mainz

Palmzweig, eine trauernde Germanin und einen Legionssoldaten mit Kette an der Linken, zwei Germanen, mit einem Halseisen zusammengekettet und auf dem Rücken mit den Händen gefesselt, Soldaten mit Schild und erhobener Lanze, im Angriff und stehend mit Feldzeichen.

Es ist durchaus denkbar, daß diese eindrucksvollen Zeugen aus dem Palast des Statthalters stammen, der seit 85 n. Chr. in Mainz residierte, als die beiden germanischen Provinzen eingerichtet wurden. Dieses Amt verwaltete als erster Antonius Saturninus.

Das in Mainz aus dem Rhein geborgene Militärdiplom des Reiters Mucapor nennt im Jahre 90 n. Chr. zum ersten Mal die Provinz *Germania superior* unter dem Statthalter L. Javolinus Priscus, dem Nachfolger des Saturninus.

Außerdem muß noch ein weiteres recht imposantes Gebäude innerhalb des Lagers gestanden haben: ein Achteckbau oder Oktogon, von dem

Teile in der spätrömischen Stadtmauer verbaut gefunden wurden. Nach diesen Quadern hat E. Schmidt das Oktogon rekonstruiert. Um eine achteckige Cella führte ein Säulenumgang. Im Peristyl und im Innenbau fand man Kapitelle von unterschiedlicher künstlerischer Qualität und Ausführung. Steinmetzzeichen auf den Quadern tragen die Signatur der Legio I Adiutrix. Also wäre das Baujahr etwa um 70 n. Chr. anzusetzen.

Der Zweck des Oktogons ist umstritten. Vielleicht war es ein Nymphaeum, ein den Quellnymphen geweihtes Heiligtum. Wahrscheinlicher ist, daß es als Markthalle für Lebensmittel verwendet wurde. Eine solche Markthalle, ein Macellum, ist gewöhnlich ein zweistöckiger Kuppelbau, vergleichbar mit dem, das Nero im Jahre 59 n. Chr. in Rom auf dem Mons Caelius errichten ließ und das später in anderen Städten nachgeahmt wurde.

Da die Hypothesen bisher nicht befriedigten, werden die Architekturteile neu untersucht. Womöglich handelt es sich um zwei Gebäude, die anderen Zwecken dienten.

Wildwestsiedlung der Antike

Seit der Mitte des ersten Jahrhunderts n. Chr., als die Lager in Stein umgebaut und zu ständigen Festungen wurden, entwickelte sich auch in Mogontiacum südwestlich und südöstlich des Kastells die feste Lagervorstadt *(canabae legionis)*. Vor den Lagertoren wies man den Händlern und Abenteurern, die im irregulären Troß mitgezogen waren, auf dem Legionsterritorium einen geeigneten Platz zu. Hier schlugen sie ihre Zelte und Buden auf. Dicht reihten sich die Stände aneinander – wie noch heute in unseren Messen und Jahrmärkten, wo jeder nach vorne an die »Hauptstraße« drängt und lautstark ins Geschäft zu kommen sucht.

Den Kern dieser Vorstadt bildeten Marketender und Händler. Aber auch Teile des regulären Trosses ließen sich hier nieder. Zunächst hatte dieser Troß, der römischen Heeresordnung entsprechend, seine genau bestimmten Viertel innerhalb des Marsch- und Standlagers. Schmieden, Töpferöfen und Ziegeleien waren am Lagerrand untergebracht, wie Grabungen in Neuß, Hofheim und Bonn ergaben, und zwar möglichst in der Nähe von Nutzwasser, nicht zuletzt wegen der ständigen Feuergefahr dieser Betriebe für die übrigen Lagerbauten. Aber auch die Handwerks- und Reparaturwerkstätten für Waffen, Sattelzeug, Pferdegeschirr, Schuhe, Kleider wollten entsprechend ihres mehr zivilen Charakters nicht so recht in die militärische Ordnung passen und wurden deshalb einschließlich ihrer Belegschaft in die Canabae verlegt.

Hier verbrachten die Legionäre am liebsten ihre freie Zeit. Nachdem sie stadtfein, frisch und sauber das Kastellbad verlassen hatten, besuchten sie eine Vorstellung der neuen Gauklertruppe und machten anschließend einen Einkaufsbummel. Der eine ersetzte seine zerbrochene Keramikschüssel, eine Tasse, kaufte dann ein eben auf den Markt gebrachtes Putzmittel, das seinen Waffen einen besonderen Glanz verlieh, und ergänzte schließlich seine Kleidung durch eine zweite Garnitur. Ein anderer ließ sich von einer schönen Samariterin eine Heilsalbe verordnen, an deren Wunderkraft er mehr glaubte als den medizinischen Künsten seines grobschnäuzigen Militärarztes.

Vor einem Laden bot ein Soldat einen steinbesetzten Silberbecher an, seinen Anteil aus der Kriegsbeute während eines Feldzuges, und feilschte heftig um den Preis. Temperamentvoll und laut kommentierten herumstehende Kameraden den Handel, als ginge es ums Leben. Irgendwann würde man sich einig werden und Legionär und Händler würden zufrieden sein. Besonders letzterer, denn gewandte Ankäufer wußten, daß Legionäre mitunter sehr wertvolle Kunstgegenstände, Kriegsbeute aus Nordafrika, Griechenland, Ägypten, Judäa, Syrien oder Arabien versilbern wollten. Als Anteil erhielten die Soldaten sogar erbeutete Sklaven, die sie dann bei guter Gelegenheit an den Mann brachten. Auch dieser Gewerbezweig florierte sicher in den Canabae von Mogontiacum.

Nach einem solchen Geschäftsabschluß ging es natürlich in die Kneipe, das Thermipolium – die Theke der Antike. Dort trank man, wie zuhause, den in Amphoren erwärmten, mit Wasser vermischten Wein, spülte den Ärger über Vorgesetzte hinunter, kolportierte den neuesten Kastelltratsch oder vergnügte sich mit leichten Mädchen. Doch mancher Legionär eilte »nach Hause«, zu seiner festen Freundin, einer soliden Handwerkerstochter, die er später als rechtmäßige Frau heimzuführen gedachte.

Die Canabae standen unter strenger militärischer Verwaltung und Kontrolle, denn die teilweise recht fragwürdigen Elemente des illegalen Trosses konnten die Truppe demoralisieren. Wie es mitunter zuging, erfahren wir von Tacitus aus seinen Historien II, 87: »Während Vespasian seine Kräfte mobilisierte, zog Vitellius, täglich verächtlicher und schlaffer, mit schwerem Heereszug nach Rom. 60 000 Bewaffnete folgten ihm, verderbt in Zügellosigkeit, die Zahl der Troßknechte war noch größer, wobei selbst im Vergleich mit den Sklaven die Marketender als äußerst freches Gesindel auffielen; dazu viele Legaten und Freunde, unfähig zu gehorchen, selbst wenn sie unter strengster Zucht stünden ... Zu ihnen gesellte sich Pöbel, zu allen Schändlichkeiten bereit, dem Vitellius schon bekannt und dienstergeben, Possenreißer, Schauspieler, Wagenlenker, an deren entehrenden Bekanntschaften er seine besondere Freude hatte.« Dazu bemerkt Tacitus noch, daß das durchzogene Gebiet wie Feindesland gebrandschatzt und geplündert wurde.

Sicherlich patrouillierte in den Canabae die Militärpolizei, schlichtete Streitigkeiten, griff bei Schlägereien ein, schützte die Legionäre vor allzu gerissenen Händlern, achtete darauf, daß die Promille in erträglichen Grenzen blieben und sorgte für die Einhaltung der Polizeistunde. Um die Sicherheit der irregulären Troßleute hat man sich weniger gekümmert. Man gestand ihnen auch keine feste Umwehrung zu. Nach einer Äußerung Caesars durften sie sich allerdings bei Gefahr ins Lager flüchten. Leute wie Gaukler, Schauspieler, Dirnen und Besitzer anrüchiger Kneipen waren übrigens vom Erwerb des Bürgerrechts ausgeschlossen.

Im Laufe der Zeit dehnten sich diese Siedlungen aus und nahmen stadtartigen Charakter an. Die Häuser säumten die Ausfall- und Fernstraßen vor den Lagertoren, meist übersichtlich durch rechtwinklig aufeinanderstoßende Straßen gegliedert. Die primitiven Verkaufsbuden wurden von Holzbauten und später durch Fachwerkhäuser, aufgesetzt auf Steinsockeln, abgelöst. Es waren die auch sonst in solchen Ansiedlungen üblichen Lang- oder Streifenhäuser, meist etwa 30 Meter, einige sogar bis zu 60 Meter lang. Mit einer Schmalseite von oft nur 5 Meter Breite lagen sie an der Straße, ähnlich den Häusern, wie wir sie heute noch in Pompeji und Herculaneum sehen, mit offenem Schank- oder Verkaufsraum. Diese Läden und Schenken, einfache und rechteckige Räume, öffneten sich zur Straße hin und konnten nachts mit Holzläden verschlossen werden. Möglich, daß manche Häuser auch ein leicht vorkragendes Obergeschoß hatten, wofür im Lagerdorf Hofheim von H. Schoppa gefundene Stützpfosten und im Hausinnern angedeutete Treppenwangen Hinweise geben.

Am Hofheimer Langhaus trennte ein Korridor den vorderen Verkaufsraum und Wohnteil vom hinteren Wirtschaftsteil mit Herd und Backofen. Bei den späteren Häusern am Zugmantel-Kastell und an der Saalburg fehlt diese räumliche Trennung. Einzelne Räume hatten Fußbodenheizung, wie Hypokaustenreste zeigten. Große gelbe und rote, durch weiße Streifen unterbrochene Farbflächen schmückten die Wände.

Neben einfachen Langhäusern konnte H. Schoppa 1955/57 im Hofheimer Vicus auch einen Gebäudekomplex mit einer Länge von 38 Metern und einer Breite von 22 Metern (also mit 836 Quadratmeter Grundfläche) freilegen. An der Süd- und an der Westseite war dem Haus ein schmaler Portikus vorgelagert. In seinem Grabungsbericht sagt dazu H. Schoppa: ». . . Das Praefurnium (Heizraum) lag an der Ostseite, kenntlich an einer starken Holzkohleschicht, nach Westen zum Portikus (Säulengang) öffnete sich dieser Raum mit zwei Zungenmauern in seiner ganzen Breite in einer 4,20 Meter tiefen Vorhalle mit einem Mittelpfosten. In der Nordwestecke wurde nachträglich eine Badekammer eingebaut . . . Zum Portikus an der Straße lagen zwei breite offene Räume, die durch den schmalen Korridor getrennt sind. Der eigentliche Wohnraum war sorgfältig mit Steinen gebaut und mit farbigem Putz versehen. Im Hof fanden sich Schuppen, Herde und dergleichen, während im Osten eine kleine Küche abgetrennt war. Durch den südlichen Portikus gelangte man in einen weiteren Raum, dessen Zweckbestimmung unklar bleibt.«

Die Bewohner der Lagervorstadt (Canabarii), haben bei vielen Langhäusern nur den vorderen Teil unterkellert, wie an der Saalburg, und die Keller mit Fenstern und Nischen ausgestattet. Oft legten sie die Keller auch außerhalb des Hauses an und stiegen über eine Rampe, oder, bei besonders tiefen Ausschachtungen, über eine Leiter ein.

Fecit Mogontiacum – Made in Mainz

In diesen Häusern florierte vor allem das Lederhandwerk. Hier arbeiteten die Schuster, Sattler, »Militärschneider«. Am Fuße des Mainzer Legionslagers, an der heutigen Emmeranstraße, haben Arbeiter ihre Werkstattabfälle in eine Grube geworfen, deren sumpfiger Grund Schuhe, Sandalen, Schwertscheiden besonders gut konserviert hat. Lederkoller mit Säumen und Steppnähten, Lederbeläge von Wangenklappen, Lederbezüge von Schwertscheiden, Dolche, Fibeln und Sigillata-Scherben – alle diese Funde sprechen dafür, daß sich hier bereits im ersten Jahrhundert n. Chr. eine Militärwerkstatt etablierte. Auch am Dimesser Ort, in der Rheinallee und einigen anderen Stellen der Altstadt konnte man Überreste von Lederwerkstätten freilegen.

Der Metallverbrauch für Waffen, Helme, Handwerkszeug, Nägel, Hufeisen, Pferdegeschirre, Waagen, Fibeln und Gefäße aus Bronze war enorm. Wo die Essen glühten und die Schmiede hämmerten, läßt sich heute nicht mehr lokalisieren, weil von diesen Produktionsstätten so gut wie nichts übrig blieb. Aber tausende von Eisengeräten und Waffen kamen mit den Pfeilerresten der Rheinbrücke ans Tageslicht. Der Archäologe F. Fremersdorf beklagt bitter, daß nicht alles in die Museen wanderte, sondern zum Teil an Altwarenhändler verhökert wurde. Viele dieser Funde, darunter eine große Zahl von Pionierwerkzeugen, tragen gemeinsame Merkmale, wurden also in den Canabae angefertigt. Auch der Rohguß eines Scheibenhakens und Bronzeschlacken, die man am Linsenberg fand, stammen vielleicht aus einer militärischen Bronzegießerei.

Neben diesen Staatsbetrieben, die der Ausrüstung der Legion dienten, versorgte eine Reihe privater Unternehmen die Zivilbevölkerung. Über das gesamte Stadtgebiet verstreut fanden sich Bronzefibeln und emailverzierte Fibeln, figürlich verzierte Bronzenadeln, Ringe, auch sie teils mit Email, Anhänger, Amulette, Ohrringe, Armreifen, Halsketten, auch Durchsteckknöpfe und Zierbeschläge für Holzkästen, zierliche Bronzefigürchen sowie Bronzeglöckchen als Spielzeug für Kinder.

Eine als Armreif getragene Geldbörse zeigt, wie erfinderisch man damals Praktisches mit Hübschem zu verbinden wußte. Als Reste einer Werkstatt wurden 39 emailverzierte Fibeln und Zierbeschläge mit einer dazugehörigen Gußform gefunden. Bestimmte Formen und ein besonderes Schmelzverfahren weisen auf die bei den Kelten schon Jahrhunderte vor Christi Geburt in höchster Blüte stehende Emailkunst hin, die in Mainz wieder aufgelebt ist. Kein Zweifel, die Mainzer Bronzemanufaktur war bedeutend. Eine nach Heddernheim (Nida) gewanderte große, bronzebeschlagene Eisenflasche trägt die Aufschrift ».. . fecit Mogontiac[i]« – Made in Mainz.

Metallarbeiten gehörten zu den Spitzenleistungen antiker Technik. Das Rohmaterial war eine schwer zu beschaffende Kostbarkeit. Deshalb hat man Bronze immer wieder eingeschmolzen und Neues geformt. Wie viele Gefäße und Statuetten, aber auch unersetzliche Standbilder mögen in die Schmelztiegel gewandert sein? Wie zum Beispiel die überlebensgroße Bronzefigur, von der etwa 300 kleine Reststücke nahe der Brückenrampe in der Petersstraße geborgen werden konnten: ein Stück bärtigen Gesichts, noch Silberspuren in den Augen, und Teile des nackten Körpers lassen einen Wassergott oder Jupiter erkennen. Kultbild eines Tempels? Standbild auf einem öffentlichen Platz?

In der römischen Frühzeit wurden die Bronzewaren, Kellen, Siebe, Kasserollen hauptsächlich aus dem italischen Capua importiert. Schon zur Zeitenwende arbeiteten dort riesige Gießereien mit Tausenden von Sklaven und versorgten das halbe Imperium. Im ersten Jahrhundert nach Christus ist dort der Fabrikant Cipius Polybius ein reicher Mann geworden. Sein Name findet sich auf vielen Bronzegeräten auch am Rhein.

Aber die Konkurrenz des Nordens ließ nicht lange auf sich warten. Seit der Mitte des zweiten Jahrhunderts entwickelte sich durch die Erschließung der Galmeivorkommen (Zinkerze) bei Gressenich im Gebiet Köln – Aachen ein Fabrikationszentrum. Die berühmten Hemmoorer Eimer sind hier entstanden und bis weit in den Norden geliefert worden. Es ist anzunehmen, daß die Mainzer damals Zink, das auch anstelle von Zinn für Bronzelegierungen zu verwenden ist, von dort her bezogen haben.

Auch die Münzprägung erforderte immer neues Material. Zwar ließ der Staat das Geld meist in Rom oder gallischen Werkstätten in Nîmes und Lyon prägen, doch in der Mitte des dritten Jahrhunderts n. Chr. eröffnete ein gewisser Viminacus die erste Münzstätte in Köln.

Nicht nur die eben genannten Wirtschaftszweige blühten in Mogontiacum. Auch lichtscheues Gesindel, der unvermeidliche Bodensatz jeder hohen Zivilisation, wußte sein Schäfchen ins Trockene zu bringen. In Mainz-Kastel setzte um 230 n. Chr. eine Falschmünzerei »Blüten« in Umlauf, deren Prägestöcke heute im Römisch-Germanischen Zentralmuseum liegen. So seltsam es klingt, es ist durchaus möglich, daß auch staatliche Organe bei diesem illegalen Geschäft ihre Finger im Spiel hatten. Die beginnende Inflation machte es vielleicht nötig, Falschgeld in Umlauf zu setzen. Vor allem mußte den Soldaten, um Meutereien vorzubeugen, der Sold rechtzeitig ausgezahlt werden.

Wenn Caesar sogar während seiner Feldzüge nicht ohne einen »Mosaikboden« reiste, Tafeln, die er bei jedem Halt als »Roten Teppich« vor dem Feldherrnzelt ausbreiten oder damit die Zeltwände dekorieren ließ, so mochten die Offiziere der Rheinarmee bereits in der frühen Kaiserzeit nicht auf das Porzellan der Antike, die Terra Sigillata, dem feinsten Tongeschirr, verzichten. Auch teure Bronzegefäße und wertvolles Silber befanden sich im Gepäck der Offiziere, die in die rheinischen Garnisonen zogen. Die feinen Tafelservice für die hohen Militärs und Verwaltungsbeamten sowie die einheimische Oberschicht wurden auch späterhin importiert.

Die Truppe verwandte für den Hausgebrauch einfachere Keramik. Zunächst belieferten die Töpfereien aus Arezzo (Arretium) in Oberitalien das Heer. Nachdem die Lager in Gallien aufgeschlagen worden waren, sparte man den Transportweg und ließ an Ort und Stelle gallische Töpfer für sich arbeiten. Diese zogen dann mit ihren Brotherren an die Rheinfront und stellten auf der Drehscheibe glattwandige Gebrauchskeramik serienmäßig her. Mit Hilfe von Schablonen drehten sie gleichmäßige Teller, Tassen, Becher und Schüsseln, die man zu Servicen zusammenstellen konnte. Ihre Erzeugnisse, die auch bei der einheimischen Bevölkerung großen Anklang und Absatz fanden, sind ein Gemisch verschiedenster Formen und Dekors, denn die Gallier hatten italische Vorbilder übernommen, Formen und Glasuren der arretinischen Terra Sigillata imitiert und durch eigene Stilelemente abgewandelt. Die Archäologen nennen diese Produkte »Belgische Ware«. Es gibt sie in Mainz reichlich, ebenso weißtoniges Geschirr und Faltenbecher, Griesbecher, grautonige Töpfe, Schüsseln, Teller, Doppelhenkelkrüge und Reibschalen, sowie dreifüßige Vasen. Es ist möglich, daß hier sogar das »römische Porzellan«, die Terra Sigillata, angefertigt wurde, da der Fehlbrand einer Bilderschüssel und mehrere Formschüsseln existieren. Vielleicht hatte auch in Mainz der geschäftstüchtige Ateius aus Arezzo eine seiner vielen Filialen eröffnet.

Fabrik für Tonlampen

Der interessanteste Betrieb dieses Töpfergewerbes ist die Fabrik für Tonlampen im Gebiet des Weisenauer Steinbruchs, die Fremersdorf entdeckt und mit wissenschaftlicher Akribie untersucht und beschrieben hat.

Fritz Fremersdorf, dem bedeutenden Wissenschaftler und ehemaligen Leiter des Kölner Walraff-Richartz-Museums, verdankt die Mainzer Altertumsforschung außerordentlich viel. Schon der Elfjährige zeigte (das war 1905) eine ungewöhnliche Entdecker- und Sammlerleidenschaft. Dieser geniale junge Forscher überließ bald nichts mehr dem Zufall. Er wandte sich an die Baufirmen, pflegte Beziehungen zu deren Bauarbeitern, durchstreifte systematisch Antiquitätenläden und kaufte interessante Funde an. Freunde und Gönner legten manches Stück dazu. Alles Material wurde sorgfältig geordnet und aufgezeichnet, und der dreizehnjährige Gymnasiast legte stolz seinen ersten Fundbericht vor, dem er dann jährlich einen weiteren folgen ließ. Schließlich umfaßte seine Sammlung 3830 Stücke, die Mehrzahl aus römischer Zeit, die das Mittelrheinische Landesmuseum 1955 erwerben konnte.

Kaum hatten die Römer im Mainzer Gebiet festen Fuß gefaßt, gründeten sie – spätestens um Christi Geburt – eine Lampenfabrik und erweiterten sie um die Mitte des ersten Jahrhunderts auf mehrere Öfen, denn der Bedarf der Soldaten war beträchtlich. Allein im kleinen Hofheimer Lager hat man 415 Lampen gefunden. Nun, die Voraussetzungen für eine solche Fabrik auf dem Hochplateau bei Weisenau waren gut, Ton gab es in Fülle. Die Töpfer bauten ihn ab, indem sie Schächte durch den Sand bis in die fette Schicht des Tonlagers hineintrieben und auch in kurzen seitlichen Gängen ausbeuteten. Brennmaterial holten sie im nahen Wald, der die Hochfläche damals bedeckte. Lediglich Wasser fehlte. Mühsam mußten tiefe Ziehbrunnen ausgeschachtet und mit Holz verschalt werden. Ein recht kostspieliges Unternehmen für einen Privatmann. Fremersdorf hält das für einen Beweis, daß es sich deshalb um eine militärische Produktionsstätte gehandelt hat. Auch die schlechtere Ausführung der Produkte spricht für diese Annahme.

Vor der Verarbeitung muß das Material in Schlämmgruben gereinigt werden. Der mit Kies, Sand, Kalk und anderen Fremdkörpern durchsetzte Ton wird in einem großen Kasten zu einem dünnflüssigen Brei angerührt, den man durch eine Öffnung abfließen läßt. Die Rückstände bleiben auf dem Kastenboden liegen. Auch in Weisenau hat man so die Qualität des Tons verbessert. Nicht alle Tonarten sind von gleicher Güte. Manche erreichen erst nach Vermischung die nötige Festigkeit. Der Ton von Weisenau ergab nach dem Brennen das für diese Fabrikate charakteristische satte, zum Teil lederfarbene Gelb, das teilweise ins Grünliche hinüberspielt. Später bezog man zum Mischen zusätzlich Ton von auswärts. Weitere Qualitäts- und Farbunterschiede der uns überlieferten Lampen und Tonwaren sind auch auf die Verschiedenheit, Brenndauer und Temperaturschwankungen der Brände zurückzuführen.

Die Zeichnung zeigt den Brenn- und den Feuerraum des Töpferofens. Zwei Drittel der Kuppel saßen in der Erde, um die Hitze festzuhalten. Die Kuppel selbst war aus mit Stroh durchsetztem Lehm ausgebaut, hatte 2 Öffnungen, eine als Rauchabzug und zum Ablassen zu großer Hitze, die zweite, eigentlich schon eine Tür, zum Einsetzen der Tonwaren in den Brennraum. Sie wurde während des Brandes mit Tonfladen lose vermauert, bis auf ein kleines Guckloch zum Beobachten des Brandes.

Die Arbeitsräume dieser frühen Lampenmanufaktur lagen in Mulden, die wegen ihrer Tiefe von zwei bis drei Metern den Arbeitern Schutz boten gegen die eisigen Winde, die im Winter über die Hochfläche fegten. Wahrscheinlich waren sie überdacht. Mehrere Töpferscheiben hatten in einem Arbeitsraum nebeneinander Platz. Die größte Fundausbeute lieferten die Abfallgruben, also Fehlbrände, mißratene, zersprungene oder rissige Stücke, Verformungen und zusammengebackene oder unvollständige Lampen. Welcher Töpfer mag dort in der Wohngrube, die nach zweitausend Jahren wieder freigelegt wurde, gelebt haben? Die geglätteten Wände dieses Raumes von 1,70 x 1,70 Meter waren wohl einst mit Holz verschalt. Hier lagen große Amphoren, Henkel, Kochgefäße und ein prachtvoller gallischer Kelch.

Rekonstruierter Töpferofen der antiken Lampenfabrik in Mainz-Weisenau

Für die Herstellung von Öllampen benutzten die Töpfer Hohlformen
– eine für das Unterteil der Lampe und eine für das Oberteil mit dem
Lampenspiegel – in die der feuchte Ton mit den Händen eingedrückt
wurde. Nach dem Antrocknen nahm der Töpfer die beiden Teile aus
den Formhälften und setzte sie zusammen. Daß das Aufeinanderlegen
in halbfeuchtem Zustand große Genauigkeit und Sorgfalt erforderte, erkennt man an Verformungen durch die Hände der Arbeiter. Nun wurde
der überstehende Rand des Deckels passend abgeschnitten und durch Verstreichen des noch weichen Tons mit dem Unterteil verbunden und so
befestigt. Dazu und um den Übergang zu glätten, benutzte der Töpfer
einen aus Knochen geschnitzten Modellierstab. Er konnte damit auch Ton-
patzen entfernen oder die Umrisse der Bilder auf dem Lampenspiegel
nachfahren, wenn sie undeutlich waren oder sich schlecht aus der Form
gelöst hatten.

Die Signatur auf der Unterseite ritzte er ebenfalls mit dem Modellierstab
ein. Manchmal finden wir zwei Namen, den des Fabrikherrn, zum Beispiel

»L. Fabric. Masc.« (gestempelt) und den des Töpfers: »Macimus. Fecit.« (mit Griffel).

Im allgemeinen wurden auf den Bilderlampen Menschen und ihr Gerät, Tiere der Fabel und der Wirklichkeit, Götter und Sagen und geometrische Ornamente, wie Muschel und Rosette, dargestellt. Die Legionäre liebten besonders Gladiatoren und Wagenrennen. In der Mainzer Fabrik waren verschiedene Bilder in Gebrauch: eine Victoria mit Schild, ein Polyphem mit einem toten Gefährten des Odysseus, ein Eber, der von einem Hund angegriffen wird, das seltene Bild eines Gauklers zwischen zwei Tieren, ein Gladiatorenpaar.

Nach dem Zusammenfügen der Lampen wurden das Docht- und das Öl-loch und der Luftschlitz ausgestochen. Man benötigte dafür ein Messer, vielleicht ein Bronzeröhrchen oder das Modellierholz. Da ein Arbeiter sicher nicht alle Geräte zugleich handhaben konnte, werden diese Arbeits-gänge verteilt gewesen sein. Wenn ein Töpfer mit dem Messer das Docht-loch ausgeschnitten hatte, wanderte die Lampe weiter zum nächsten, der mit dem Bronzeröhrchen das Ölloch durchstieß und zum dritten, der den Luftschlitz einschnitt. Rationelles Arbeiten – Fließbandherstellung – in Mainz zur Zeit Christi!

Die Henkel wurden meist gesondert geformt. Eine der Möglichkeiten be-stand darin, kleine Tonwürste zu kneten, sie an einem Ende mit dem Oberteil der Lampe fest zu verbinden, über einem Rundholz zu biegen und am Unterteil zu verstreichen.

Die Lampen trockneten an der Luft und wurden im Ofen aufgeschichtet. Wie uns ein Fehlbrand von aneinandergebackenen Lampen veranschau-licht, waren sie, versetzt, immer Unterseite auf Unterseite, aufgetürmt.

Nach kurzem Brennen erhielten die Lampen einen Überzug aus Firnis, besser Engobe genannt; das ist eine mit Asche vermischte Tonbrühe. Daß sie nicht einfach in diese Brühe getaucht wurden, hat Fremersdorf anhand der Fingerabdrücke der Arbeiter nachgewiesen. In einer bestimmten Hand-haltung, wie er herausfand, verstrichen sie den Firnis mit einem Pinsel. Beim zweiten Brand wurde der Ofen auf 900 bis 1000 Grad erhitzt. Dieses zweimalige Brennen garantierte der Tonware, bei Öllampen sehr wichtig, Undurchlässigkeit.

Unerläßlich war für eine Fabrikation die Verwendung mehrerer Hohl-formen. Arbeiteten in einer Fabrik drei bis vier Töpfer, konnten diese nur ausreichend beschäftigt werden, wenn die Arbeitsgänge kontinuierlich abliefen.

Für die Bildlampen brauchte man eine Negativform, für die ein Künstler ein Modell anfertigte. Ein biederer Handwerker war dazu sicher nicht imstande. Das Mittelrheinische Landesmuseum in Mainz bewahrt die Form des Oberteils einer Bildlampe mit der Signatur des Meisters P. Satrius auf. Um eine solche Negativform zu erhalten, formte der Künstler zuerst ein Originalmodell: er knetete eine massive Lampe und versah sie mit seinem Bildentwurf. Davon fertigte er in Ton oder Gips eine Negativform, und zwar Oberteil und Unterteil der Lampe. Und von dieser nahm er soviele Negativformen ab, wie er verkaufen wollte. Die zusammengehörigen Hälften dieses Modells paßte er sorgfältig aufeinander, versah

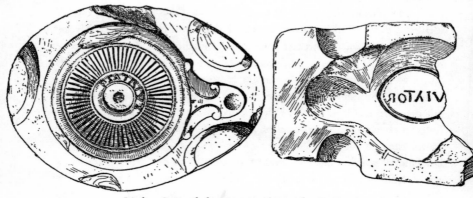

Links: Spiegel der Lampenform des P. Satrius.
Rechts: Unterteil der Negativform einer Firmalampe
mit Namenszug des Viator

sie mit Zapfen und Löchern und verschnürte sie, damit kein Teil verlorenging. Er war Künstler und lieferte nur den Entwurf. Sein Geschäft war es, ihn gut und recht oft zu verkaufen. Lampen hat er meist nicht selber hergestellt.

Die Lampentöpfer nahmen von einer Negativform, die sie erworben hatten, weitere Negativformen ab, in denen sie ihre Lampen ausprägten. Dabei tilgten sie den Namen des Künstlers, wohl weil er für sie »urheberrechtlich« nicht wichtig schien. So fehlt auf allen nach dem Entwurf des Satrius gemachten Lampen dessen Namenszug.

In Nied bei Höchst am Main zeichnete ein Fabrikant Lucius auf der Unterseite einer Lampennegativform neben seiner Signatur die Nummer XXXX ein. Das wird die Anzahl seiner vorhandenen Modellformen gewesen sein. Von diesen haben die Lampenhersteller fünf bis zehn Modeln abgenommen und gelangten so in den Besitz von 200 oder 400 Formen.

Auch in anderen Fragen des Urheberrechts erwiesen sich die Römer als recht großzügig. Die Töpfer zerschnitten häufig die Bilder ihrer Negativformen und komponierten sie mit Teilen anderer Darstellungen zu einem neuen Bild. Sie nahmen zum Beispiel von einem Gladiatorenpaar einen Recken weg und setzten an seine Stelle einen Faustkämpfer, einen angreifenden Bären, Tiger oder Löwen. Besonders findigen Leuten gelang es, einen knienden Gladiator von seinem Mitkämpfer zu trennen und durch eine leichte Drehung in einen springenden zu verwandeln. Mit einiger Fantasie ließ sich auf diese Weise eine Vielzahl neuer Lampenbilder prägen, und vor allen Dingen sparte man das Geld für den Künstler. In gleicher Weise verfuhr man mit jeder Art Reliefmuster auf Schüsseln, Bechern und anderen Gefäßen.

In der frühen Kaiserzeit hat es in Obergermanien wohl kaum Designer von Bildlampen gegeben. Sie saßen vor allem in Südgallien und Italien. Ihre Bildmotive entlehnten sie der großen Kunst, die den Geist des ausklingenden Hellenismus spüren ließ, denn mit dem Niedergang Griechenlands, besonders nach der Auflösung der griechischen Fürstenhöfe nach der Schlacht von Actium 31 v. Chr., wanderten viele griechische Künstler nach Westen aus. Für die Mainzer Manufakturen hat das Militär damals wohl die Vorlagen aus Italien besorgt. Später waren die Besitzer kleinerer Werkstätten zugleich auch ihre eigenen Modelleure.

Im Jahre 60 n. Chr. zeichnet sich in der italischen Lampenindustrie eine neue Entwicklung ab; die Bildlampe wird von der einfacheren Firmalampe verdrängt. Als während der politischen Wirren im Vierkaiserjahr 69 n. Chr. und der Kämpfe des Vitellius vor allem Oberitalien verheert wurde, blieben die Lampenfabriken nicht verschont. Die Formen und Modelle wurden vernichtet und die Künstler vertrieben. Ersatz war schwer und nicht so schnell zu beschaffen. Dies verhalf der Firmalampe, stärker auf den Markt zu kommen. Für die Massenanfertigung waren diese einfacheren Lampen noch geeigneter und auch von ungeübten Handwerkern herzustellen. 70 n. Chr. kam die Firmalampe zuerst mit den Legionären an den Rhein. Und danach fabrizierte Viator diese Lampen auch in Mainz und stempelte sie mit seinem Namenszug. Exemplare seiner Produkte und eine Negativform stehen im Mittelrheinischen Landesmuseum.

Keramiker Adam Winter in Kastel hat in jahrelangen Experimenten versucht, der antiken Töpferei auf die Spur zu kommen. Er hat genau ergründet, wie der herrliche Glanztonüberzug der Terra Sigillata zustandekommt, wie damals die Tonbrühe gewonnen wurde, und analysiert, welche Schichten der alten Lehmgruben Verwendung fanden. In einem nachgebauten Töpferofen brennt Adam Winter die kleinen, heute auf der Saalburg als Souvenirs erhältlichen Öllämpchen.

Territorium legionis – Steinbrüche, Ziegeleien

Jedes Standlager einer Legion besaß sein eigenes Territorium, das sich weit über die Canabae hinaus erstreckte. Es umschloß ein großes Gebiet an Nutzland, aus dem sich die Truppe zum Teil selbst versorgte. Das Prinzip der Selbstversorgung hatte zweifellos auch einen pädagogischen Effekt. Das Heer lag ja mitnichten auf der faulen Haut und vergammelte. Der Legionär führte keine parasitäre Existenz, sondern blieb ständig in einen sinnvollen Arbeitsprozeß eingegliedert und konnte, seinen Kenntnissen und Erfahrungen entsprechend, etwas leisten. Wie wichtig die Führung diese Beschäftigungstherapie nahm, geht auch aus einem Text von Tacitus hervor: »Damit aber die Truppen nicht müßig wären, ließ Pompejus den vor 63 Jahren [9 v. Chr.] von Drusus begonnenen Deich zur Eindämmung des Rheinstromes vollenden. Vetus aber traf Vorkehrungen, um die Mosel und die Saône durch Anlage eines Kanals zu verbinden, damit die Frachtgüter auf dem Seewege, dann die Rhône und die Saône stromaufwärts geführt, durch diesen Kanal, dann durch die Mosel in den Rhein und von da in den Ozean [Nordsee] befördert würden. So sollten unter Vermeidung des mühseligen Überlandtransportes die Küsten des Westens und des Nordens durch einen Binnenschiffahrtsweg verbunden werden.« (Annalen 53–57)
Munera sordida – die schmutzige Pflicht des Plebs – also nach Auffassung des Römers diffamierende Arbeit – brauchte auch der Legionär nicht auszuführen. Bergbau zum Beispiel galt als entwürdigend. Dafür wurden Sträflinge und Sklaven eingesetzt.
Als man daran gehen konnte, Rechtsverhältnisse zu schaffen, wurde das Territorium legionis genau abgegrenzt und mit Grenzsteinen markiert. In Mainz sind bisher solche Grenzsteine nicht entdeckt worden wie andernorts. Nach Baatz haben die in der Nähe liegenden Auxiliarlager und die Häfen sicherlich zu diesem Gebiet gehört. Es erstreckte sich wahrscheinlich am linken Ufer des Rheins entlang, mindestens von Weisenau bis zum Dimesser Ort. Und da das Lager am Brückenkopf von Mainz-Kastel nachweislich vorübergehend mit in Mogontiacum stationierten Hilfstruppen besetzt war, dehnte sich das militärische Territorium womöglich bis über das rechte Rheinufer aus. Vermutlich wurde auch der Aquä-

dukt für die Wasserversorgung der Truppe auf ihrem eigenen Grund und Boden erbaut und hat das Quellgebiet bei Finthen und Drais mit eingeschlossen. Aufgrund von Funden, die sechs Kilometer südwestlich vom Legionslager gemacht wurden, könnte sich das Territorium bis Klein-Winternheim erstreckt haben.

Auf diesem Nutzland säten und ernteten die Legionäre Getreide aus von Italien mitgebrachtem Saatgut, Weizen, Binkelweizen und mehrzeilige Gerste. Die Soldaten kultivierten Gartenland und versuchten, italische Gemüse- und Obstsorten im fruchtbaren Mainzer Lößboden und dem Klima Rheinhessens zu ziehen. Hier weideten auch unter Aufsicht des Viehhüters *(pecuarius legionis)* ihre Herden, Nutz- und Schlachtvieh, und ihre Arbeitskommandos mähten Heu.

Nahe bei den Legionslagern standen die Gutshöfe und Farmen, die von Legionären selbst bewirtschaftet wurden oder verpachtet waren, mitunter an Veteranen. Im eigenen Wald fällte die Legion Stämme für Bauholz und Holzkohle. Für größere Aktionen wurden Arbeitskommandos (Vexillationen) von benachbarten Truppenteilen angefordert. Holzfällerkommandos der Zweiundzwanzigsten aus Mainz marschierten sogar bis nach Obernburg zum »Holzeinsatz«. Und sie beuteten die, wenn auch meist geringen, Erzvorkommen ihres Gebietes aus. Im Lager Hofheim fand man einen Schmelztiegel, und auch auf den kaiserlichen Gütern wurde Eisen von Militärs geschmolzen. In seinen Annalen erwähnt Tacitus Silberbergbau im Gebiet der Mattiaker, der tatsächlich bei Ems an der Lahn und bei Braubach am Mittelrhein nachgewiesen werden konnte.

Im Steinbruch der Mainzer Legion am Steilhang zum Rheinufer bei Weisenau herrschte rege Tätigkeit. Zur Errichtung repräsentativer Militärgebäude, für die der Statthalter oder der Kaiser selbst den Befehl erteilte, verwendete man die Quadern aus dem legionseigenen Steinbruch vom Rüdenet und am Brunhildisstuhl bei Bad Dürkheim, woher auch Steine für Altäre stammen, oder man holte den roten Sandstein aus Miltenberg am Main. Das gesamte niederrheinische Gebiet wurde mit Natursteinen vom Mittelrhein versorgt. Arbeitskommandos aus den verschiedensten Legionslagern und ihre zivilen Hilfskräfte zerteilten die Felsen mit Keilen und Hämmern durch Keillöcher und Schrotrinnen in Blöcke, die mit Schlitten und Rutschen an den Rhein gebracht und auf Schiffe verladen wurden. Auch Reiterschwadronen, Auxiliarkohorten und die Rheinflotte stellten Mannschaften für diese Arbeiten ab. Dies bezeugt die Inschrift eines Weihesteins aus dem Steinbruch bei Brohl, um 100 n. Chr. an Herkules gerichtet, als dem Beschützer der Steinbrucharbeiter aus Bonn, Neuß, Xanten und Nymwegen.

Auf dem Felsberg bei Reichenbach im Odenwald ist einer der römischen Steinbrüche heute noch zu besichtigen. Der Eindruck, als habe sich eine Flut gigantischer Steine über den Hang ergossen, hat dem Gelände im Volksmund den Namen »Felsenmeer« eingebracht.

»Der Felsberg bietet mit rund 200 Steinen, die sichere römische Bearbeitungsspuren tragen, das beste Zeugnis der römischen Granitindustrie unseres Landes. Es ist kein eigentlicher Steinbruch in unserem Sinne, sondern eine Reihe verschiedener Werkplätze ist über den von mächtigen Steinblöcken bedeckten Berg verstreut. Deutlich sind an den römisch behauenen Stücken noch die mit der Spitzhacke geschlagenen Rillen, die trapezförmigen Keillöcher und die mit der Steinsäge bearbeiteten geraden Flächen zu erkennen. Unter den fertigen und halbfertigen Stücken sind die ›Riesensäule‹, der ›Riesensarg‹, die ›Riesenkiste‹, der ›Altarstein‹ und die ›Pyramide‹ zu nennen. Eiserne Doppelspitzhacken wurden an den alten Werkplätzen gefunden. Es ist anzunehmen, daß der Steinbruchbetrieb nach dem Ausbau des Limes im Laufe des zweiten Jahrhunderts aufgenommen wurde. Die Werkplätze selbst machen den Eindruck, als seien sie plötzlich verlassen worden, was nach dem Fall des Limes geschehen sein könnte. Daß der Kern des Trierer Doms von 375 aus Felsberggranit besteht, beweist, daß die Werkplätze später erneut benutzt wurden.« (W. Jorns.)

Auch auf der Höhe von Lee bei Heppenheim fand man die Spuren römischer Granitindustrie, die wie die Kalksteinbrüche bei der Haselburg im Kreis Erbach von den Römern ausgebeutet wurden.

Marmor, das edelste Material, brachen sie bei Bensheim-Auerbach. Der Grabstein der Telesphoris aus einer Bildhauerwerkstätte in Mainz ist aus Auerbacher Marmor gearbeitet.

Aus den Mainzer Militärziegeleien stammen wahrscheinlich die in Mainz auftretenden gelben Ziegel, die von Nied und Rheinzabern lieferten nämlich rote. Der Betrieb befand sich in Kastel, wo am 26. März 220 ein »cus[tos] Castel[li] figlina[rum]«, ein Ziegeleiaufseher der XXII. Legion, für Kriegsgott Mars einen Alter gestiftet hat.

Der Ziegel, einer der ältesten Baustoffe der Menschheit, ist keine Erfindung der Römer. Bereits vor 5000 Jahren wurden in Ägypten, Mesopotamien und anderen Kulturländern gewaltige Bauten aus getrockneten Lehmsteinen und gebrannten Tonziegeln errichtet. Mörtel war damals allerdings noch unbekannt. In der Genesis, Kapitel 11, wird einmal Erdpech erwähnt, eine Bitumenmasse, mit der man die Bausteine regelrecht

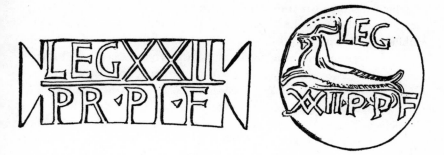

Ziegelstempel der XXII. Legion Primigenia Pia Fidelis,
die ihre Garnison seit 92 n. Chr. in Mainz hatte

wasserdicht verklebte. Der Ziegel beginnt sich in Europa erst im 1. Jahrhundert v. Chr. durchzusetzen. Aber dann entstehen Bauten wie das Pantheon in Rom, über das sich eine Kuppel von 43,5 Meter Durchmesser wölbt, die späteren Aquädukte, und die riesigen Thermen des Caracalla, um nur einige Beispiele zu nennen.

Eine römische Ziegelei mag so ausgesehen haben: Hier standen Ziegelöfen und andere technische Anlagen, die Schlämmbecken und Trockenschuppen und, nicht zu vergessen, die Unterkünfte der als Ziegler arbeitenden Soldaten. Und wie überall beim römischen Militär ging es auch hier sicher sehr bürokratisch zu. Brauchte eine Einheit Ziegel, mußte der führende Offizier sie bei der Legion anfordern. Die verantwortliche Charge beantragte daraufhin beim Legionsbaubüro die Lieferung mit genauen Angaben über Menge und Größe der Steine. Dort wurde die Order geprüft, mit anderen Aufträgen koordiniert und an die Legionsziegelei weitergeleitet.

Bei der Zubereitung des Tons gingen die Arbeiter mit großer Sorgfalt vor. Sie kneteten die mit Wasser versetzte Lehmerde gründlich durch und schlämmten sie, wenn nötig, mehrere Male. Dann formte man die Ziegel mit der Hand und preßte die Masse in rahmenartige Holzformen. Die überstehenden Ränder wurden mit dem Glättholz abgestrichen und die Ziegel auf Holzgestellen in Trockenscheunen abgelegt. Dort wurden sie zur besseren Durchtrocknung in gewissen Zeitabständen mehrmals umgewendet.

Ein Vorarbeiter markierte, vielleicht während er die Ziegel zählte, nach einer bestimmten Norm eine gewisse Menge davon mit Formstempeln aus Ton, Holz oder Metall. Das war eine Art Firmenstempel und hatte dieselbe Bedeutung wie Amphorenstempel und die Stempelung von Sigillaten. Zugleich diente die Abzeichnung als Ausweis für Heeresgut und verhinderte, daß die Ziegel unter der Hand an Private verschachert wurden. Bei Privatunternehmen, die es auch in Obergermanien gab, haben römische Ziegelschläger die Zahl ihres Arbeitsertrages, Lohnlisten und Arbeitsverzeichnisse stets auf Ziegel geschrieben. Den Daten nach muß es sich um Tagesleistungen handeln. 220 ist eine immer wiederkehrende Zahl bei kleinen Ziegeln, sie deutet auf ein bestimmtes Arbeitssoll. Der Ziegelstreicher wurde im Taglohn bei freier Kost nach der Stückzahl seiner gelieferten Ziegel bezahlt. Unter Diokletian war der Lohn genau vorgeschrieben. Zum Beispiel erhielten Kalkbrenner und Zimmerer 50 Denar täglich, Marmorarbeiter und Anstreicher 60 Denar. Der Verdienst der Ziegler dürfte dem entsprochen haben.

Eine eigentümliche Erscheinung, der man bei den Ziegeln begegnet, sind Abdrücke von Kinder- und Frauenfüßen und von Tierpfoten. Aus Eining ist ein Ziegel mit besonders hübschen Kinderfüßchen bekannt. Auf den Ziegeln sind Fußspuren von Hunden, Hasen, Rehen, Ziegen, sogar Abdrücke von Schweine- und Hühnerfüßen abzulesen. Dies war wohl ein abergläubischer Brauch oder ein Kult, denn Tiere sind ein häufig auftretendes Symbol, gerade im keltischen Raum. Manche bayrischen Bauern lassen auch heute beim Zementieren über den weichen Boden einen Hund laufen.

Für die vielen Lagerbauten brauchten die Soldaten auch Mörtel für Estrich und Verputz und dazu Kalk, der gebrannt oder gelöscht werden mußte. Die bekanntesten römischen Kalkbrennereien lagen in der Eifel. In Iversheim, Kreis Euskirchen, gelang es, fünf der dort vermuteten zwölf Kalkfabriken auszugraben. Sie gelten nach Ansicht der Archäologen als einzigartig in Europa. Experten beabsichtigen, einen der antiken Kalköfen wieder in Betrieb zu nehmen und das römische Kalkwerk zu einem Museum auszubauen.

Welch eine Stadt!

MIT DER LAGERVORSTADT, den Canabae, breitete sich eine Zivilsiedlung *(vicus)* aus. Im allgemeinen unterschieden sich Vici und Canabae darin, daß die Canabae der Militärverwaltung unterstanden, während die Zivilsiedlung sich selbst verwaltete. In den Canabae wurde das meist knapp bemessene Grundstück zugeteilt, und die Bauweise war vorgeschrieben. Wer also freier leben und arbeiten wollte, ohne ständige Militäraufsicht, der ließ sich im Vicus nieder.

Ob allerdings in Mainz, bei der starken Dominanz und der engen Verflochtenheit des Militärischen mit dem Zivilen, eine solch strenge rechtliche Unterscheidung möglich war und bestand, ist fraglich. Wahrscheinlich hatten die Zivilsiedlungen hier zunächst keine gemeinsame Selbstverwaltung. Mit steigendem Wohlstand und dem Zusammenwachsen der Stadtteile wird sich allerdings der Trend dahin verstärkt haben. Bei gewichtigen Fragen hat sich das Militär bestimmt das letzte Wort vorbehalten.

Die Mainzer Vici wuchsen im Laufe des ersten Jahrhunderts in der Ebene bis zum Rhein, dem heutigen Altstadtkern. Die Achse war die Straße, die vom Legionslager zur Rheinbrücke führte, die heutige Große Emmeranstraße. Senkrecht dazu, parallel zum Strom, lief die andere Hauptstraße, an der wahrscheinlich im Norden die Jupitersäule und im Süden das Bühnentheater standen. Sonst ist über das Straßennetz nichts bekannt, bis auf die Tatsache, daß es nicht gradlinig angelegt war, wie sonst in antiken Städten.

Auch am Dimesser Ort, dem heutigen Zollhafen, und auf der Hochfläche bei Weisenau entwickelten sich Vici, von denen fünf bekannt sind: der Vicus Apollinensis war Apollo geweiht, den die Römer dem keltischen Gott Mogon gleichsetzten, der Vicus Vobergensis geht auf einen germanischen Gott zurück, und die Bezeichnung für den Vicus Salutaris könnte auf einen Tempel der Göttin Salus, der Göttin der Gesundheit, hindeuten. Vicus Novus heißt schlicht der »Neue Vicus«, und der Vicus Navaliorum ist das Hafenviertel. Diese Vici wuchsen schließlich zusammen und bildeten die Stadtteile von Mogontiacum.

Das Forum dieser Stadt könnte in der Gegend des Schillerplatzes (früher Dietmarkt) gelegen haben, in Urkunden noch 1309 als »forum gentilium« und 1299 als »forum gentile« bezeichnet. Hier im Altstadtkern war der Dombereich schon in der Antike ein Heiliger Bezirk, und ein solcher Tempelbereich hat häufig in der Nähe des Forums gelegen. Zu einem der Gebäude am Forum könnte – als Portal von Säulenhallen – der Dativiusbogen gehört haben, dessen Nachbildung jetzt am Ernst-Ludwig-Platz steht.

In den Canabae, der Wohnstadt des Trosses, überwog zunächst das italisch-mediterrane Element, während den Grundstock in den Vici die einheimische Bevölkerung bildete, den Gallier aus dem Landesinnern, von dem aufstrebenden Wirtschaftszentrum angelockt, verstärkten. Auch Germanen immigrierten, nicht nur aus dem Grenzland, sondern weither aus Mitteldeutschland und dem Elbgebiet, um sich hier eine neue Existenz aufzubauen. »Die Urkunden zeigen, wie in den Städten das germanische Element im Laufe der Generationen an Stärke gewinnt. Sie spiegeln natürlich nicht die Einwanderung selbst wider, sondern den sozialen Aufstieg der Enkel und Zugewanderten. Zwischen der Zeit, da in der germanischen Familie ein mitgebrachter Topf am Zugmantelkastell in Scherben ging und der, wo ein Familienmitglied sich in Trier einen marmornen Grabstein bestellte, liegen Jahrzehnte.« Was hier Kahrstedt zur Entwicklung im gesamten Rheinland sagt, gilt selbstverständlich auch für Mainz.

Welch ein Völkergemisch – welch kosmopolitische Stadt! Helvetier, Gallier, Germanen, Italiker, Syrer, Araber, Afrikaner, Ägypter, Juden – alles existiert mit-, durch- und nebeneinander. Und alle sind bemüht, zunächst eines zu sein: römische Bürger.

Buntes Hafenleben

Der interessanteste Vicus war der am Hafen. Ein faszinierendes Bild, dies Mogontiacum vor zweitausend Jahren!

Aus aller Herren Länder legten die Schiffe an . . . Sie kamen von Main und Neckar, von der Mosel und vom Oberrhein, ja von der Nordsee und löschten und verluden ihre Waren. Hier traf die Terra Sigillata von Arezzo (Arretium) ein, die den weiten Weg über das Ligurische Meer nach Marseille (Massilia) und von dort den Rhônestrom aufwärts an den Rhein hinter sich hatte.

In Mainz gab es mehrere Anlegestellen, eine beim heutigen Dom, eine auf dem sogenannten Brandplatz, wo unter anderem früher ein Bootssteg und ein keltischer Nachen geborgen wurden.

Ende 1971, Anfang 1972, machte man hier bei Ausgrabungen wieder aufschlußreiche Entdeckungen. Nach ersten Ergebnissen stand hinter einer Uferdüne im ersten Drittel des ersten Jahrhunderts eine Uferpalisadenmauer, die aus drei Pfahlreihen bestand und teils zwei Meter hoch erhalten ist. Zur Entwässerung des feuchten und von Hochwasser bedrohten Geländes haben die Römer eine Holzdrainage angelegt, von der Reste geborgen wurden. Das Fälldatum der verwendeten Baumstämme gibt noch Rätsel auf und konnte noch nicht genau bestimmt werden. Manches deutet darauf hin, daß die gefällten Bäume vielleicht aus den Jahren 25 und 21 *vor* Christus! stammen. Diese aufgedeckte Uferpalisade steht im Zusammenhang mit einem frührömischen Anlegeplatz oder Bauplatz für einen Rheinübergang oder eine Schiffsbrücke, deren Existenz schon vermutet wurde. Belegt ist diese Schiffsbrücke jetzt durch einen 2,40 Meter langen, handgeschmiedeten Eisenanker, der bei diesen Grabungen zutage kam, und der ehedem mit einem oberen Quer- oder Treibholz die Brücke hielt. Nach Aussagen der Archäologen des Römisch-Germanischen-Zentralmuseums Mainz handelt es sich um den Befestigungsanker für den ausfahrbaren mittleren Teil einer Schiffsbrücke.

Interessant ist, daß im zweiten und dritten Jahrhundert, wie später im Mittelalter, das Vorgelände zum Rhein mit Schutt angefüllt und die Ufergrenze vorgeschoben wurde. Das stets durch Hochwasser gefährdete Gebiet war in der Römerzeit mit Holzhäusern bebaut, zu denen auch die entdeckten kastenförmigen Holzbrunnen gehörten. Dieser Bereich wurde in der römischen Spätzeit von der Stadtmauer zum Rhein hin mit eingeschlossen.

Bei den Ausgrabungen am Schloßplatz, seit Januar 1972, zeichnen sich starke Fundamentmauern größerer Gebäude ab. Hoffen wir, daß diese Grabungen manch neue Erkenntnis bringen und noch verborgene Schätze aus den Tagen des antiken Mainz gehoben werden. Bestimmt ankerten Schiffe beim heutigen Zollhafen – dem Dimesser Ort. An dieser Stelle ist der Rhein durch Inseln geteilt, und hier verlief ein alter Rheinarm. Damals nutzten die Menschen gern stromaufwärts verlandete Altflußarme als Hafen.

Die Ufer waren auch hier mit einer hölzernen Kaimauer befestigt, ähnlich wie am Standort der römischen Rheinflotte in Alteburg bei Köln und im Hafen von Xanten, der Colonia Ulpia Trajana, wo Kaimauern freigelegt werden konnten. Dieser ins Wasser gerammten Balkenwand verliehen Querverstrebungen aus dicken Eichenbohlen Halt gegen den Strom. An ihrer Oberkante war über den weichen Schlick des Ufers eine Bohlenbrücke gelegt. So entstand eine Art hölzerne Uferpromenade, von der Landungsstege ins Wasser führten, an denen die Schiffe festmachen konnten. Leider ist in Mainz außer wenigen Resten von Kaianlagen nichts erhalten geblieben.

Wie Inschriften und eine große Anzahl von Amphoren, die an verschiedenen Stellen gefunden wurden, beweisen, müssen hier ausgedehnte Anlagen mit Getreidespeichern, Lagerhäusern und Werften gestanden haben. Die Mainzer Molen dienten auch militärischen Zwecken. Zeitweise war hier ein Kommando der römischen Rheinflotte *(classis germanica)* stationiert, das Leben in die Stadt brachte. Die Mannschaften der Rheinflotte rekrutierten sich vor allem aus erfahrenen, seekundigen Matrosen, meist Exoten aus dem Osten des Reiches, wie Steuermann Lucius Octavius mit der sehr langen Dienstzeit von 34 Jahren und sein Schreiber Dionysius. Lucius Octavius stammte aus Eleia und Dionysius aus Tralles, beides Städte in Kleinasien.

Hier stapelten sich die Militärziegel und wurden die Quader aus den mittelrheinischen Steinbrüchen, die Buntsandsteine aus dem Maingebiet und die Mühlsteine aus Basaltlava der Eifel angeliefert und bis nach Raetien und Schottland verfrachtet. Hier lagen die legionseigenen Werften. Hier weihte ein Feldwebel der Werften, Lucius Septimus Bellus, dem Jupiter, dem Besten und Höchsten und dem Genius Loci unter dem Consulat des Saturninus und Galbas, also im Jahre 198 n. Chr., einen Altar. Und hier beaufsichtigte Titus Albanius Primanus, *signifer* der XXII. Legion, als Oberaufseher der Schiffswerften den Bau der Schiffe, ließ gebrochene Planken reparieren, legte Hand an, um Nahtstellen wasserdicht zu machen und prüfte, ob ein ausgebessertes Leck wieder dicht war.

Die Schiffe für den Binnenverkehr waren im wesentlichen so konstruiert wie die Seeschiffe, allerdings mit flacherem Kiel und geringerem Tiefgang bis höchstens 90 Zentimeter. Um schwierige Wendemanöver zu vermeiden, hatten manche Schiffe außer den beiden Steuerrudern am Heck noch zwei weitere am Bug, so daß man in jeder Richtung fahren konnte. Das »Neumagener Weinschiff« gibt über die Größe Aufschluß. Es war mit 22 Ruderpaaren ausgestattet. Rechnen wir für ein Ruder einen Mann, bestand allein die Rudermannschaft aus 44 Knechten.

Mogontiacum – Umschlagplatz der Dutzendware Keramik, für Mosaiksteinchen, Glas, Leder, Mehl, Wolle, Stoffe und vieles andere, hatte sicher seinen Anteil am Mohrrüben- und Geflügelexport der Rheinlande. Rheinische Gänse und Gänsebrüste waren zur Kaiserzeit in Rom gefragte Delikatessen. In Mainz ansässige Importeure nahmen Sendungen von Alpenforellen, Alpenkäse, indischen Pfeffer und vielleicht auch gelegentlich Kaviar in Empfang, wenn der Statthalter hohen Besuch erwartete. Gleichzeitig war Mogontiacum Kopfstation für den Fernhandel mit den Germanen, die Felle, Harz und Pech für den Schiffsbau, Flachs, Bernstein, Frauenhaar und Sklaven anboten.

Auch größere Kauffahrteischiffe liefen hier ein und brachten den Hauch der großen, weiten Welt in die Stadt. Die aus dem Rhein und am Ufer geborgenen Amphoren erzählen von einer großen Reise über das Mittelmeer. Pinselinschriften, als Etikett, nennen ihren Inhalt: Korinthen, Oliven, Wein. Gewicht und bei Wein Jahrgang oder Alter waren nicht vergessen: »[annorum] trium« = dreijährig oder »ich bin fünf Jahre alt«, heißt es ein andermal.

Die berühmten Fischsaucen, darunter das beliebte, in Pompeji nach speziellem Rezept zubereitete Garum oder »des M. Valerius Maxumus excellente Makreelensauce«, vor allem aber Austern, hatten im ersten nachchristlichen Jahrhundert einen großen Anteil am Import des Rheinlands. Wegen ihrer leichten Verderblichkeit wurden Austern und Oliven in Salzlake konserviert.

Angestellte des Erzeugers, des Spediteurs oder eine Zoll- oder Steuerbehörde pinselten Kontrollvermerke senkrecht – im Gegensatz zum Etikett, das waagrecht geschrieben war, – auf den Amphorenhals. Um einen solchen Vermerk handelt es sich wohl bei der Mainzer Inschrift ». . .SPAN. NIGRI«. Ergänzt man »HISPAN«, so hieße dies: geprüft von einer spanischen Grenzbehörde. In den nördlichen Provinzen sind Pinselinschriften

Pinselinschrift auf einer Amphorenscherbe aus Mainz (Originalgröße)

selten, denn sie wurden durch die Lagerung der Gefäße im feuchten Boden zerstört oder abgewaschen, wenn der Ausgräber die Fundstücke von den Erdresten säuberte.

Die Amphoren, die Verpackung der Importware, wurden auf den großen Landgütern Spaniens und Italiens gleich in eigener Produktion hergestellt, wie die Stempel der Lieferanten auf den Henkeln beweisen: das Prinzip der Einwegflasche schon in der Antike!

Das »antike Bilderbuch« der Igeler Säule, unweit Trier, Grabmal der Tuchhändlerfamilie der Secundinier, blättert in herrlichsten Illustrationen Schnappschüsse aus dem Alltag auch im Hafen auf: Ein mit Tuchballen beladener Kahn, von einem Steuermann gelenkt, wird von zwei Treidel-knechten stromaufwärts gezogen. Der Flußgott, langbärtig und mit wal-lendem Haar, sitzt am Ufer und grüßt mit segnender Gebärde das Schiff.

Die sehr gut erhaltene Bildszene eines anderen Grabdenkmals aus Neu-magen an der Mosel zeigt Schauermänner, die mit Stroh umwickelte Wein-amphoren auf einem Kahn verstauen. Ein anderer zieht das Schiff mit einem am Bootsmast befestigten Seil, während es ein vierter mit Staken vorwärts bewegt. Die Docker werden vom Kapitän beaufsichtigt, dessen markanten »klassischen« Kopf mit Lockenhaar, Bart und stolzer Haken-nase der Schöpfer dieses Reliefs mit ästhetischem Realismus wiedergege-ben hat.

Auf einem Grabstein von Jünkerath, Landkreis Daun, refft ein Matrose mit Hilfe einer Leine die geblähten Segel, während sein Kumpan einen kräftigen Schluck aus der Feldflasche nimmt.

Nachbildungen dieser Denkmäler sind im Römisch-Germanischen Zen-tralmuseum, Mainz, zu sehen.

Ein Mainzer Grabmonument hat Szenen aus einem wohl in der Nähe des Hafens liegenden Geschäftsbetrieb des Großkaufmanns oder Getreide-händlers [Brit]omarti oder [De]omarti aus Mainz festgehalten. Seine Dok-ker sind gerade dabei, Fässer über eine Planke auf seinen stolzen, mit Strickleitern ausgerüsteten Zweimaster zu rollen, sagt uns die eine Dar-stellung. Andere Arbeiter sieben Getreidekörner und tragen sie in Körben weg. Auf einem weiteren Bildausschnitt schleppen vier Männer Säcke über eine Bohlenbrücke, die vom Kai an das Schiff gelehnt ist. Einer der Träger ist von der Brücke gestürzt und liegt mit seiner Last am Boden.

Ein großer Hafen wie Mainz wimmelte von Flößern, Transportarbeitern, Lastträgern, Treidelknechten, Schiffszimmerleuten und Aufsichtsbeamten. Gelegenheitsarbeiter und Taglöhner strolchten herum. Matrosen sangen und johlten in den Kneipen. In den Wechselstuben und Kontoren herrschte reger Betrieb. Hier schlossen auch der Kaufmann Tiberius Ulpius Julianus und seine beiden Brüder, die aus Tium – einer Stadt am Schwarzen Meer – nach Mainz gekommen waren, ihre Geschäfte ab, unterstützt von ihrem Freigelassenen Chrysogonus, der geschickt Handelsbeziehungen knüpfte und die Korrespondenz führte.

Hier wurden eingegangene Waren registriert, Zahl und Qualität geprüft, aber auch andere organisatorische Fragen erörtert, wie: Einteilung des Treideldienstes, Pflege und Schutz von Treidelpfaden, Unterkunft und Verpflegung der Leute und das An- und Abheuern von Schiffsmannschaften. Und wie überall im Imperium schlossen sich auch in Mogontiacum die Schiffer, wie die übrigen Berufsstände auch, in eigenen Kollegien zusammen, die ihre Belange und gesellschaftlichen Interessen vertraten.

Kein Wunder, daß die Hafensiedlung sehr schnell wuchs. Hier wurde man reich, verstand man sein Geschäft. Wenn bereits um 60 n. Chr. die Einwohner ein so kostspieliges Weihedenkmal wie die große Jupitersäule stiften konnten, signalisiert dies blühenden Wohlstand. Das ausgewählte Steinmaterial stammt von der oberen Mosel, und die künstlerische Ausführung der Steinhauerarbeiten, wie wir sie auf dem Sockel und dem umlaufenden Reliefband der Säule sehen, spricht für eine gute Werkstatt. Die beiden Bildhauer, Samus und Severus, hat man eigens von auswärts, wahrscheinlich aus Gallien, kommen lassen. Man geht sicher nicht fehl, anzunehmen, daß die Stifter Qu. Julius Priscus und Qu. Julius Auctus und andere wohlhabende Bürger in recht komfortablen und repräsentativen Häusern lebten. Daß die Dedikanten Vertreter ihrer Gemeinde waren, ist ein Beweis der frühen zivilen Selbstverwaltung dieser stolzen Bürgersiedlung. Diese Säule ragte einst vielleicht als Wahrzeichen des Vicus Navaliorum über dem Marktplatz des Hafenviertels.

Kunstgewerbe und Künstler der Rheinprovinz

Die beiden Bildhauer Samus und Severus und der Schöpfer des Dieburger Mithrasaltars, das waren Künstler von Rang nördlich der Alpen. Ob Samus und Severus für immer in Mainz geblieben sind oder nach Erfüllung ihres großen Auftrags wieder nach Gallien zurückkehrten, ist ungewiß. Aber so mancher tüchtige Mann unter den Legionssteinmetzen, die die Quadern für Militär- und öffentliche Gebäude bearbeiteten und die Säulen, Kapitelle, Altäre, Reliefs, sowie die Inschriften auf den Soldatengrabsteinen meißelten, machte sich später selbständig und gründete seine eigene Firma. Einer dieser zivilen Betriebe könnte die sogenannte »Blussus-Werkstatt« gewesen sein, in der die Grabsteine des Reeders Blussus und seines Bruders, »des Gärtners mit der Rose«, geschaffen wurden.

Fremersdorf hält das antike Mainz auch für einen Mittelpunkt der Elfenbeinschnitz- und Steinschneidekunst. Die ansässigen Handwerker stellten neben vielen einfachen Nadeln auch solche von hoher künstlerischer Qualität her, verziert mit Pinienzapfen, einer Hand oder einem menschlichen Kopf. Elfenbeinerne Messergriffe, Löffel, Beschläge für Schmuckkästchen, Spielwürfel, Spielsteine mit eingravierten Figuren, verschiedene Griffel, beinerne Schreibfedern, Kämme und sogar ein Zirkel aus Elfenbein fanden sich in Mainz. Dies alles gehörte damals zum soliden Familienbesitz. Elfenbein, Exportartikel aus dem fernen Afrika und Indien, war teuer. Deshalb schnitzten die Kunsthandwerker auch billigere Ausführungen aus Bein und Knochen.

Die Römer der Spätzeit trugen gern Gagat-Schmuck. Dieser »schwarze Bernstein« – bituminöse Kohle – läßt sich besonders leicht drechseln, feilen und polieren. Beliebt, aber kostbarer waren Gemmen und Kameen, aus Halbedelsteinen geschnitten, mit Darstellungen aus der antiken Mythologie oder dem täglichen Leben. Von den Fundstücken, die wir in den Schaukästen der Museen bewundern, stammt vielleicht ein Teil aus rheinischen Werkstätten. Die antike Eva von Mainz konnte gewiß zwischen einheimischen und importierten Schmuckstücken wählen. Die reichere Dame trug Ringe des Goldschmieds L. Bittius Paulinus und bevorzugte in der Spätzeit Perlen.

Das Zentrum der römischen Goldgewinnung lag in Spanien, doch auch in Gallien wurde Berg- und Flußgold geschürft und schon von Caesar ausgebeutet. Bernstein von den Küsten der Ost- und Nordsee und Siziliens war fast so begehrt und wertvoll wie Gold. Um den Import dieses »Goldes« anzukurbeln, hat Nero sogar einen Inspektor an die Ostsee geschickt. Schon damals waren Stücke mit eingeschlossenen Käfern, Ameisen und Libellen besonders gesucht und beliebt. Doch nicht nur für Anhänger und Ketten fand Bernstein Verwendung. Manch sensibler Snob trug Bernsteinkugeln in der Hand, wie es in Rom als chic galt, um sie zu reiben und ihren Fichtennadelduft (odor pinae) einzuatmen, wenn in den engen Gassen und im Gewühl der Menschen manches »ruchbar« wurde.

Die rheinischen Glasmacher – berühmt im gesamten Imperium

Eine der Glanzleistungen antiker Kultur in den Rheinlanden sind die Schöpfungen der Glasmacherkunst, die so herrliche Kostbarkeiten hervorbrachte wie das berühmte Kölner Diatretglas (damals wertvoller noch als Gold) und die prachtvolle, große Zweihenkelkanne mit bacchischen Szenen, die man dem Besitzer der Villa von Hohensülzen mit ins Grab gelegt hatte. Bereits 2500 Jahre vor Christi Geburt hatten es die Ägypter verstanden, über einem Tonkern aus freier Hand hohle Gläser zu formen;

Henkelkanne und Nuppenglas aus rheinischer Fertigung

später erfanden sie die Glasmacherpfeife, so daß sie die Produktion steigern und ihre Glaswaren überallhin ausführen konnten. Die Römer übernahmen diese neue Technik, und bald arbeiteten schweißglänzende Männer in den Glashütten der Provinzen, auch am Rhein.

Die natürlichen Quarzsandvorkommen in Frechen bei Köln boten eine ideale Voraussetzung dafür, daß sich im Rheinland schon im ersten Jahrhundert n. Chr. Glasschmelzen entwickelten, die einen raschen Aufschwung nahmen. Die Glasmacher imitierten zunächst die gebräuchlichsten italischen Formen der Salbfläschchen, Balsamarien, Parfümbehälter, Rippenschalen, wie sie aus Pompeji überliefert sind. Viele dieser Gläser sind Metallvorbildern nachempfunden, so Griffschalen oder Badefläschchen mit einem Bronzekettchen zum Aufhängen und einem zum Befestigen des Stöpsels und kleine Nachbildungen des bekannten Hemmoorer Eimers.

Früheste rheinische Erzeugnisse sind einfache Trichter, Saugheber, Strigiles, Tintenfässer, Toilettegeräte aus blaugrünem Naturglas sowie prismatische Flaschen und Melonenperlen für Schmuckketten. In der Frühzeit verstanden sich die Kunsthandwerker auf eine bestimmte Technik, mit der es gelang, Marmorierungen zu erzielen, aber auch das bezaubernde Millefioriglas mit dem italischen Tausendblütenmuster auf den Markt zu bringen.

Die rheinische Glasmacherkunst überflügelte innerhalb von hundert Jahren ihre ägyptischen und römischen Vorbilder und entwickelte neue, eigenständige Formen, deren Qualität und Schönheit den gesamten Markt des Imperiums eroberte. Schließlich wurde mehr Glas aus Köln und Trier nach Rom und Ägypten exportiert, als von dort an den Rhein gelangte. Im zweiten und dritten Jahrhundert n. Chr. gelang es, Glas zu entfärben, also völlig farblos herzustellen. Zu dieser Zeit erzielten die Kunsthandwerker auch eine sonst unerreichte Farbigkeit. Sie schwelgten in satten Farben, einem tiefen Blau, Grün, Rot und Braun. Jetzt kamen auch die Nuppengläser auf. Mit dieser simplen Methode entstanden neue hübsche Dekors: farbige Nuppen wurden auf die Glaswand getropft. Am bekanntesten und sehr beliebt waren anscheinend die Trinkhörner aus dieser Gattung. Hierher gehört auch der jüngste Fund, der als Sensation durch alle Zeitungen ging: Aus Glas geformte Ballettschuhe, die als Trinkgefäße dienten und die 1971 in Köln von Amateur-Ausgräbern völlig erhalten gefunden wurden.

Die Kölner Glasmacher schufen ihre berühmten Schlangenfadengläser, die man in Rom, Puteoli, Syracusa, Massilia, Alexandria, aber auch in London und Kyrene, am meisten bewunderte und kaufte. Mit besonderem Geschick legten sie auf den gläsernen Gefäßkörper farblose oder bunte Glasfäden in Schlangenlinien und Spiralen auf. Damit der erhitzte Glasfaden nicht vorzeitig erkaltete und brach, mußte das Auflegen sehr schnell geschehen, der Faden vielleicht auch über einem heißen Eisenblech vorgeformt werden.

Eine Weiterentwicklung bedeutete das formgeblasene Glas. Ihren Höhepunkt erreichte die Glasmacherkunst, als die Kölner die bereits im ersten Jahrhundert in Italien geübte Schlifftechnik zu ihrer Vollendung führten. Neben den einfacheren, ornamental geschliffenen Gläsern schufen sie herrliche Exemplare mit figürlichen Darstellungen von höchster Vollkommenheit, wie die Zweihenkelkanne von Hohensülzen. Die Kölner Glasmanufakturen wußten aber auch entfärbtes Glas von solcher Reinheit herzustellen, daß man seine antike Herkunft anzweifeln könnte, wären die Funde für jene Zeit nicht absolut gesichert.

Ende des dritten Jahrhunderts n. Chr. entstand durch ihre Fertigkeit ein weiterer wichtiger Gegenstand für den Alltag, nämlich konvexe Glasspiegelchen. Auf das äußerst dünnwandige Material von einem Millimeter Stärke trugen die Glasmacher mit dem Pinsel auf der Rückseite eine Quecksilber-Amalgamierung auf und faßten die meist runden Spiegel in verzierte Blei- oder andere Metallrähmchen. Oft genug wurde dieses Requisit auf dem letzten Weg ins Grab mitgegeben. Die Meisterschaft der Kölner Glasschmelzen und ihre Werkstattgeheimnisse, die besonders seltene Formen und einzigartige Stücke hervorbrachten, blieben unerreicht.

Ganz jedoch wollten die Mainzer ihnen nicht nachstehen. Kettenhenkelkrüge und Kettenhenkelflaschen aus blaugrünem Naturglas mit einer besonderen Form gedrehter Henkel finden sich hier so häufig als Grabbeigaben, daß wohl kein Zweifel an ihrer Mainzer Herkunft besteht. Sie sind im Mittelrheinischen Landesmuseum ausgestellt.

Städtischer Alltag

Neben all diesen in Mogontiacum als sicher nachgewiesenen Gewerben, den Steinmetzen, Töpfern, Sattlern, Gerbern, Tuchhändlern, Goldschmieden, Knochen- und Elfenbeinschnitzern, bestimmten noch viele andere das zivilisierte städtische Leben mit.

Bei Morgengrauen beginnen die Bauarbeiter, Ziegler, Schlosser, Zimmerleute, Schreiner und die Mosaikleger ihr Tagwerk, hämmern die Kupfer- und Messerschmiede, erfüllen Seiler, Färber und Walker die Stadt mit ihrem Lärm. Wagen rumpeln über die Straßen, Fuhrleute fluchen, das Geschrei der Transportarbeiter und ambulanten Händler, des Weinhändlers mit seinem Amphorenkarren, hallt zwischen den Wänden der Häuser. Bei Sonnenaufgang öffnen die Läden, Hausfrauen, Sklavinnen und Sklaven sind zum Einkaufen unterwegs. Mancher Hausherr feilscht vor den Ladentischen. Unter den Kolonnaden ein Hauch von Süden, ein Abglanz mittelmeerischer Heiterkeit und betriebsamer Geschäftigkeit. Spezereien, eine Konditorei, Schenken – ein buntes Bild, das uns sicher wirklichkeitsgetreu vermittelt würde, stünde vom antiken Mainz eine Ladentheke, wie in der großen Ladenstraße von Pompeji, auf der noch das schnell hingeworfene Geld des letzten Käufers lag – hinge ein marmornes Ladenschild neben der Tür, wie heute noch in Herculaneum.

In den Körben der Lebensmittelhandlung liegen Erbsen, Linsen, Bohnenkerne, Nüsse und getrocknete Weinbeeren aus, leuchtet frischer Käse, stehen dickbauchige Vorratsgefäße mit Hirse und Mehl, sogar mit Reis aus dem Osten des Reiches, ölgefüllte Amphoren, eingelegte Oliven und die »Palme des Genusses« – Austern in Salzlake. Reich ist auch das Angebot der Viktualienhandlung: Lauch, Lattich und Zwiebeln, Mohrrüben, Kohl, Rettiche und Gurken, und, für den verwöhnteren Geschmack, Malven, Mangold, aus Südosteuropa importierte Kichererbsen, dazu viele Gewürzkräuter. Gelegentlich kommen hier sogar Delikatessen wie Spargel, Chicoree und Artischocken auf den Markt. Je nach Jahreszeit gab es Äpfel, Birnen, Pflaumen, Quitten (für Marmelade) und frische Kirschen. Die begehrten Aprikosen und Pfirsiche, vielleicht zum ersten Mal auch in Honig eingelegte Feigen und Datteln, bereichern die Tafel.

In der Bäckerei wählt der Kunde zwischen verschiedenen Brotsorten: Luxusbrot aus feingemahlenem Weizenmehl neben gröberem Gersten-, Hirse- oder Speltbrot. Und der Kuchenbäcker lockt mit leckerem Gebäck.

In der Garküche hält die Matrona warme Gerichte bereit, und mancher Passant kehrt ein oder nimmt etwas mit nach Hause, wie wir heute Hähnchen vom Grill.

In der Fleischerei hängt Frischfleisch von Schwein, Lamm, Rind und Ziege, dazu Gepökeltes und Geräuchertes.

Der Weinhändler (vinarius) schöpft den Trunk aus den Amphoren in die Mischgefäße, versucht genüßlich den gerühmten Falerner. Dann schmeckt er eine mit Wacholder, Myrrhe oder Lorbeer gewürzte Probe ab. Von den achtzig bekannten Weinsorten, die in der Kaiserzeit im Handel waren und die sich nicht nur durch Herkunft, sondern auch durch die Methode des Zubereitens – es gab Zusätze von Ton, Gips, Harz und Pech – oder der Veredlung unterschieden, mag mancher gute Tropfen in Mainz getrunken worden sein, zur Abwechslung neben Keltenbier (cerevisia). Bald kamen auch einheimische Weine von Rhein, Main, Nahe und Mosel dazu.

Der Duft von Heilkräutern und Spezereien hängt in allen Winkeln und Ecken der antiken Apotheke, die auch »Kolonialwaren« führt. Honig, der Zucker der Antike, Pfeffer, Koriander und Safran stehen neben Medizinen und Salben – geheimnisvollen Eigenfabrikaten – auf den Regalen. Hier holt man sich Rat und Mittel gegen alle möglichen Gebrechen. Und die Schönen der Stadt erstehen hier gallische Seife, Zahnpulver und -paste, Schminke, Wimperntusche, Creme gegen Sommersprossen, Haarentferner, Haaröl, Haarfärbemittel und Haarkräusler. Hautcremes für fettigen oder trockenen Teint werden unter so klangvollen Namen wie »Isis«, »Aniketos«, »Phosphoros« angepriesen. Jede Menge Modeparfüms gab es hier, vielleicht das erste »4711« aus Köln, das ein gewisser Sectus Haparonius Justinus, Parfüm- und Salbenhändler *(seplasiarius)* zubereitete. Als Angehöriger der Legio I Adiutrix versorgte er mit seinen Salben das Kölner Lazarett. *(seplesia* sind Duftstoffe, auch Salben – kurzum alles, was in Capua in der Straße gleichen Namens verkauft wurde.)

An manchem Haus machte ein Namensschild darauf aufmerksam, daß hier Doktor Sowieso wohne. Auch in Mogontiacum brauten Ärzte ihre speziellen Mixturen, auf die sie schworen, verordnete Quintius Carninius Quintilianus den Patienten sein »linderndes Schwämmchen gegen jede Art von Augenentzündung, in Eiweiß aufzulösen«. Und ein anderer verschrieb: »Des Lucius Julius Senex Safransalbe gegen entzündliche Rauhigkeit der Augenlider [Trachom].«

Und in einer Stadt wie dieser fehlten auch die überall unvermeidlichen Juristen und Pauker nicht. Im Mittelrheinischen Landesmuseum steht der Steinsarg des »doctor artis calculaturae Lupulius Lupercus«, eines Mathematiklehrers also, der aus der Gegend von Worms stammte.

In dieser Handelsstadt haben Kaufherren als Groß- und Zwischenhändler die Waren vieler kleiner Handwerker aufgekauft und diese Posten en gros abgesetzt. Sie waren für die kleineren Handwerks- und Familienbetriebe sichere Abnehmer. An solche zivile Handwerker, die zunächst im Familienverband arbeiteten, bis sie sich einen oder mehrere Sklaven leisten konnten, vergab auch das Militär Aufträge in Heimarbeit, wenn die militäreigenen Werkstätten zur Deckung des Bedarfs nicht ausreichten. Auch in diesem Fall wird ein Zwischenhändler die Ware gesammelt, geprüft und an den Wirtschaftsoffizier der Legion weitergeleitet haben, der sich mit vielen Einzelkäufen nicht befassen konnte.

Die Organisationen des Handels und Fernhandels, die *negotiatores cisalpini et transalpini,* die in allen größeren Städten wie Köln, Lyon, Avenches und Budapest ihre Zweigniederlassungen, Versammlungs- und Kultlokale *(collegia)* hatten, und der Verein der syrischen, ägyptischen Kaufleute, saßen, wie in allen Häfen des lateinischen Westens, bestimmt auch in Mainz. Schon 43 n. Chr., unter Kaiser Claudius (Germanicus) existiert das erste Zeugnis einer Kaufmannsinnung von Mogontiacum. Selbst die Kleinhändler und Trödler dieser Stadt waren nachweislich in einer Zunft organisiert.

Welches Panorama, welches unverwechselbare Stadtbild empfing den Wanderer, der sich Mogontiacum von Hofheim, Nida oder Wiesbaden, über die Brücke von Kastel kommend, oder auf der großen Limesstraße entlang den Ufern des Rheins näherte?

»Mogontiacum bot«, schreibt Baatz, »zu Beginn des dritten Jahrhunderts den Anblick einer offenen, blühenden Stadt, deren Kern an der gleichen Stelle war, wo sich auch heute der Stadtkern befindet. Wie eine Zitadelle lag darüber das mächtige Legionslager, das vermutlich schon in der zweiten Hälfte des ersten Jahrunderts eine steinerne Wehrmauer bekommen hatte.«

Ulrich Kahrstedt nennt das Mainz der Römerzeit eine architektonisch große Stadt, und die Archäologen sprechen von einer dichten Bebauung. Aber es ist außerordentlich schwer, mit nur wenigen Mauerresten, Ziegelbrocken und Scherben ihr Bild zu rekonstruieren. Bei einer jahrtausendelangen ununterbrochenen Besiedlung mit all ihren Veränderungen im Auf und Ab der Geschichte, ist nicht viel über die Zeit hinweg zu retten. Wenn Neues gebaut wurde, zerstörte man das Alte. Denkmalschutz gab es nicht. Antike Bauten waren der nächste und bequemste Steinbruch. Was mag, als man in Mainz im Mittelalter die tiefen Keller aushob, nicht alles vernichtet, achtlos weggeworfen oder unauffindbar vermauert worden sein!

Trotzdem – das mühevolle Puzzlespiel der Archäologen, das geduldige Aneinanderreihen auch des kleinsten Fundes und der Vergleich gesicherter Ergebnisse ähnlicher Verhältnisse liefern doch eine ungefähre Anschauung dessen, was diese Stadt einmal war, läßt sie als historische Fata Morgana vor unserem geistigen Auge wiedererstehen. Wie wohnten die Mogontiacenses, wie sah »die heilige Stätte eines jeden Bürgers« (Cicero), der Ort für die Schutzgottheiten seiner Familie, seines Herdes, seiner Geschäfte – aus?

Reste römischen Mauerwerks, Estrich und Ziegelplatten, bemalter Wandverputz und Architekturfragmente (gefunden in der Stephanstraße, Ecke Eisgrubweg); ein 2,35 Meter langes Bruchstück mit einer 25 Zentimeter hohen und ebenso breiten verputzten Rinne einer aus Kalksteinen gemauerten Wasserleitung oder eines Abwässerkanals (am Rodelberg); Fragmente eines Mosaikbodens mit geometrischem, aus Drei- und Vierecken gebildeten Muster und flechtbandartiger Umrandung aus hellen und dunklen Steinchen (in der Langgasse); einzelne winzige Stückchen eines fünffarbigen Mosaiks (Kleine Langgasse); verschiedene Reste von Mosaikböden mit noch erkennbaren figürlichen Darstellungen aus dem Haus zum »Goldenen Pflug«, Pfandgasse, aus der Bader- und Gaugasse; der Ziegelpflasterboden und eine 75 cm breite Badewanne, wahrscheinlich eines besseren Privathauses (Ludwigstraße); und Stücke weißen italischen Marmors, Teile einer Terrakotte – eine sitzende Hausgöttin aus dem Larenschrein einer »gutbürgerlichen« Wohnung, sowie Tiegellampen und arretinische Sigillata, eine Säulentrommel aus Rotsandstein, gemörtelte Mauern aus Kalkbruchsteinen, rot und figürlich bemalter Wandverputz und vieles andere lassen erkennen, daß in der Gegend um die Langgasse das »vornehme« Viertel mit Peristylhäusern lag und lassen ahnen, wie die römischen Mainzer lebten.

Die in der Kaiserzeit aufkommende Mauertechnik mit Mörtel, festem Estrich, Verputz, Ziegeln, Mosaiken und Wandmalereien hatte die lehmverschmierten Flechtwände und das hölzerne Fachwerk abgelöst und verlieh auch Mainz das im ganzen Imperium typische Gesicht einer römischen Stadt. Wie überall war sie in Häuserblocks (*insulae*) aufgeteilt, und ihre Mietshäuser glichen denen in Pompeji, Ostia und Rom. Zwar ragten sie nicht fünf bis zehn Stockwerke hoch wie einige Mietskasernen in der Hauptstadt, aber vielleicht waren es zwei- oder dreistöckige, einförmige Quartiere. Hier lebten in bedrückender, stickiger Enge Kleinbürger, Handwerker, Händler und Taglöhner, in nächster Nachbarschaft zu besseren Wohnvierteln. An der Straße lagen Läden und Geschäftslokale, oft unter überdachten Passagen. Die Reichen vermieteten die Vorderfront ihrer Häuser genauso wie die Pompejaner. In Köln zum Beispiel besaß der »Ubier Schmitz«, wie ihn die Kölner heute nennen, Eigentümer der prächtigen Stadtvilla mit dem Dionysos-Mosaik, die fast eine ganze Insula einnahm, mehrere Läden, die er selbst betrieb oder vermietete. In solchen Verkaufsräumen hausten mitunter ärmere Pächter oder Sklaven in einem Verschlag, auf einem Hängeboden, wo sie kochten, arbeiteten und schliefen.

Kein Zweifel, auch in Mainz trachtete die vermögende Oberschicht danach, sich so schnell wie möglich als Statussymbol das italische Peristylhaus mit Gartenhof, Brunnen und Wasserspielen zu leisten, wie es die hohen Offiziere in den Legionslagern bewohnten. »Es hat sich eine römische Oberschicht, meist Kaufleute und Großgrundbesitzer, gebildet, die der Kultur ihr Gepräge gibt. Die Offiziersbauten in den großen Kastellen am Rhein, in Vetera (Xanten), Novaesium (Neuß) oder Mainz, sind mit einem Luxus ausgestattet, der dem gleichzeitiger Privathäuser in den südfranzösischen und italischen Städten ebenbürtig ist, und lehnen sich im Grundriß eng an solche Vorbilder an.« (H. Schoppa)

Nicht weniger als zwanzig Zimmer gruppierten sich bei der Villa mit dem einzigartigen Dionysos-Mosaik in Köln um einen geräumigen mit Säulen umgebenen Gartenhof (*peristyl*). Ein Wasserbecken (*nymphaeum*) spendete an heißen Tagen Kühlung. Der etwas erhöht liegende Fest- und Speisesaal von 10 mal 7 Meter Größe öffnete sich zum Garten hin. Den Fußboden bedeckte das uns erhalten gebliebene kostbare Mosaik mit vielen Darstellungen bacchischer Szenen. Es zeugt von Reichtum und Geschmack der Bewohner. Im Winter zog sich die Familie selbstverständlich in den mit Hypokausten beheizten Wohntrakt zurück.

Zwar war Köln eine der reichsten Städte der nördlichen Provinzen, sicher die reichste Stadt am Rhein. Die Kölner Kaufherren tauchten als Präsidenten ihrer Vereinigungen in Lyon und Budapest auf. Und der Bankier und Kaufmann Gaius Aurelius, ein Freigelassener, spezialisierte sich auf England-Export-Import und besaß seine eigene Bank.

Warum sollten die Mainzer nachgestanden und nicht auch größere Unternehmer dieser Handelsstadt einen Aufwand getrieben haben wie die Patrizier in Köln? Schließlich war das spätrömische Mainz 25 Hektar größer als die Colonia Claudia Ara Agrippinensis.

Warum sollte der Sitz der Statthalter Obergermaniens, zum Beispiel eines P. Cornelius Anullinus und des Legaten Publius Pomponius Secundus, der nebenbei klassische Tragödien schrieb, soviel bescheidener gewesen sein als der ihrer Kölner Kollegen? Im Jahre 96, Anfang 97 n. Christus residierte auch Trajan als Statthalter der Germania superior im Palast zu Mogontiacum. Im Oktober desselben Jahres wurde er zum Nachfolger des Kaisers ernannt. Vielleicht ging dieser ausgezeichnete Verwaltungsmann nicht sofort nach Rom, sondern blieb zunächst am Rhein, um den von ihm eingeleiteten Aufbau zu organisieren und zu überwachen. Im Januar 98 wurde Trajan Kaiser; er hat Caesars Eroberungspolitik wieder aufgenommen. Unter seiner Herrschaft (98 bis 117) – er war wohl einer der besten unter den Regenten – erreichte das Römische Imperium seine größte Ausdehnung.

Den Luxus der Hypokaustenheizung gab es auch in Mainz in vielen Häusern der Stadt; zahlreiche Überreste davon – über das gesamte Stadtgebiet verteilt – haben sich bis heute erhalten. Die Hypokaustenheizung, die im Grunde auf dem ganz einfachen Prinzip der aufsteigenden Wärme beruht, bedeutete für den Provinzbewohner des Nordens einen Fortschritt, eine Wohltat ohnegleichen, war eine wesentliche Voraussetzung dafür, daß es der sonnenverwöhnte Italiker ein halbes Jahrtausend in unserem Klima aushielt.

Wie Plinius der Ältere schreibt, gilt Sergius Orata als Erfinder dieses Heizsystems, das er für seine Austernzucht nützte und es damit zum Millionär brachte. Zu diesem Zweck legte er über das Fundament einen zweiten Fußboden, der von kleinen, etwa 60 Zentimeter hohen parallel laufenden Ziegelpfeilern getragen wurde. In diesen Holzraum schoben Heizer brennende Reisigbündel, die den Boden erwärmten. Nun, der Gedanke, damit auch Wohnräume zu heizen, lag nicht fern. Später verbesserte man die Anlage, baute Tonröhren oder Hohlziegel in die Wände ein, so daß die Heißluft zirkulieren konnte und eine behagliche Wärme in den Räumen verbreitete. Der Fußboden, der sich aus einer Lage Ziegelsteinen, einer Tonschicht und einem Stein- oder Marmorbelag zusammensetzte, konservierte die Wärme sehr lange. Die Temperatur ließ sich durch die Art des Brennmaterials regulieren, ganz einfach ob man Reisig, Holz, getrocknetes Kraut oder Holzkohle nahm.

Fußboden- und Wandbeheizung! Zweitausend Jahre später beginnt man wiederum, sich ihrer Vorteile zu erinnern.

Diese Erfindung revolutionierte das Leben der antiken Gesellschaft. Bis dato hatte man sich täglich nur Gesicht und Hände und die Beine gewaschen, war vielleicht wöchentlich einmal in einen Bottich gestiegen, der neben der Küche in einem kleinen, dunklen Raum stand, der gleichzeitig als Abort benutzt wurde – also eine Kombination aus Bad und Latrine – deshalb *lavatrina* genannt. Neben der Küche deshalb, damit alles verbrauchte Wasser abfließen und zugleich alles übrige wegspülen konnte. Kein anderes Prinzip als das unserer heutigen Installationswände.

Bis jetzt hatte man auf dem Küchenherd das Wasser erwärmt, nun konnte man plötzlich riesige Mengen Badewasser erhitzen. Welch ein Fortschritt! Mit einem Schlag verbreitete sich die Sitte des täglichen Bades. Unzählige Thermen entstanden. Kein Wunder, daß man in Mainz im Gebiet der Altstadt immer wieder auf Reste von Bädern und Hypokausten stößt.

Ein öffentliches Bad stand wahrscheinlich bei St. Stephan, von dem acht verschiedene Heiz- und Baderäume nachgewiesen werden konnten. Die Gebäudereste ließen noch die vorzügliche Ausführung erkennen: schwere Mauerzüge, hohl gelegte Fußböden, Heizkammer, Heizkanäle und Heizröhren. Als Wasserzuleitung dienten Bleirohre. Der Estrich zeugte von besonders guter Qualität und der dekorative Wandverputz war in leuchtenden Farben gehalten. Wer den Komfort des Badens nicht daheim genießen konnte, besuchte für eine Sesterze (etwa zwanzig Pfennig) eine solche

städtische Badeanstalt oder eine von privaten Unternehmern im Unterge-
schoß von Mietshäusern eingerichtete. Vielleicht gehörten die Ziegelpfeiler
der Hypokausten aus der Mainzer Bauerngasse, die vom Theaterplatz
(Haus Mellinger), Reste eines römischen Schwitzbades am Bischhofshof
(Haus Kesselstadt) oder die Wände mit hochkantgestellten Heizkacheln
eines römischen Bades auf dem Höfchen (»Zum Schützenhof«), und das
vor dem Gautor ausgegrabene rechteckige Wasserbecken von 6 Metern
Breite, in das man an beiden Ecken über fünf gemauerte Stufen hinunter-
stieg, zu solchen Bädern.

Festspiele wie im alten Rom

Feiertage gab es in der Antike mehr als genug. Schon unter Augustus
wurden in Rom 45 Tage im Jahr festlich begangen. Jeder Kaiser suchte
seinen Vorgänger zu übertreffen und buhlte mit immer neuen und kost-
spieligeren Festlichkeiten um des Volkes Gunst. Später waren es dann
80 Tage und schließlich sage und schreibe 182 Tage; demnach diente die
Hälfte des Jahres! einzig dem Vergnügen der Massen. Jeder Sieg, jeder
Triumph bot dem politischen Ehrgeiz der Caesaren Anlaß, den Untertanen
ein Fest zu schenken. Kein Jubiläum ließen die Römer aus, sie feierten
die Tempelfeste der einzelnen Stadtviertel, eine Art heidnischer Kirmes,
und sie wanderten hinaus zu den Festen der ländlichen Umgebung. Im
zweiten Jahrhundert n. Chr. fielen, wenn man alles zusammenrechnet,
auf jeden Werktag ein bis zwei Feiertage. Wunschtraum oder Alptraum
unserer Futurologen?

Da gab es jeden Monat die feststehenden »roten Tage« im Kalender,
die zwölf Iden, die sechs Kalenden, die drei Nonen. Tage der *feriae
publicae* waren zum Beispiel die Luperkalien im Februar, die *parilia,
die cerialia,* die *vinalia* im April, die *vestalia* und die *matrialia* im Juni,
die neuntägigen *volcanalia* im August und die Saturnalien vom 17. bis
24. Dezember. Auch die Geburtstage und die Tage der Thronbesteigung
der herrschenden Kaiser wurden festlich begangen. Manche *ludi* (Spiele)
währten nur einen Tag, so die Reiterspiele am 19. März und 19. Oktober,
das Sacklaufen der Robigalia am 25. April, das Wettlaufen und die Rennen der Maultiere der Consualia am 21. August und 15. Dezember, die
Ludi *piscatorii,* das Preisfischen am 8. Juni, die Pferderennen des *equus
october,* die *ludi martiales* am 1. August und die Pferderennen am 23. September, dem Geburtstag des Augustus, zur Erinnerung an den Gründer
des Kaiserreichs. Andere Festspiele erstreckten sich über mehrere Tage.

Kaum ein Volk hat wohl jemals soviel mit Lustbarkeiten erfüllte Freizeit genossen, den uralten Traum süßen Nichtstuns ausgelebt wie die Römer, aber auch bezahlt mit Verdummung, Abstumpfung, Blutrausch und Verfall. Doch vergessen wir nicht, dieser permanente Festrummel war ein Politikum ersten Ranges, womit das arbeitsscheue Gesindel, das aus allen Teilen der Welt in der Metropole zusammengeströmt war, »manipuliert«, also beschäftigt, betäubt und abgelenkt wurde. Vor diesem Hintergrund verstehen wir den Groll Juvenals: »Seit dieses Volk keine Stimmen mehr zu vergeben hat, dieses Volk, das einstmals die Macht, das Liktorenamt, die Legionen und alles zu verteilen hatte, liegt ihm nach seinem Sturz ängstlich und lüstern nur noch zweierlei am Herzen: Brot und Spiele. ... duas tantum res anxius optat panem et circenses.«

Vergessen wir auch nicht einen anderen wichtigen Aspekt: jedes römische Fest, auch der Staatskult, wurzelte in der Religion. Die Spiele verbanden Kaiser und Volk – was immer auf der Bühne, im Zirkus oder Amphitheater geschah, der Imperator, seine Familie, Ritter, Senatoren, Offiziere und der niedrigste Sklave gingen im kollektiven Erlebnis auf. Rom war in allem das große Vorbild, die Provinz eifrig bestrebt, römischer Lebensweise nachzueifern, die Auffassung städtischen Kulturlebens bis ins Detail zu kopieren. Keine Provinz wollte als rückständig gelten. Trotz der unvermeidlichen provinziellen Vergröberung – jede Provinzstadt war Klein-Rom.

Also feierte man auch in Mainz die Feste wie sie fielen: Kaisers Geburtstag und Apotheose (Vergöttlichung), die romanisierten keltischen Götter ebenso wie die aus allen Teilen des Imperiums eingebürgerten Kulte. Und die Mainzer nahmen teil an von den Regenten angeordneten Feiern der Legionäre, Treuekundgebungen für Kaiser und Reich – Gedenktagen ruhmreicher Schlachten über Chatten und andere germanische Stämme. Ja, die Caesaren hielten die feierlichen Manifestationen soldatischer Loyalität für so wichtig, daß die Statthalter angewiesen waren, die Durchführung ihrem Herrscher nach Rom zu melden. Tacitus berichtet von dem Eid, den das Heer am 1. Januar auf den Kaiser leisten mußte. Plinius der Jüngere meldet seinem Kaiser als Statthalter von Bithynien, daß er am 3. Januar die Neujahrsvota mit den Provinzialen dargebracht habe, und bei den Vota zum Dies imperii Trajans habe er mit den Soldaten und Provinzialen das Gebet an die Götter gerichtet.

Krönung dieser Feiertage waren die *ludi*, die Spiele: Aufführungen im Bühnentheater, im Amphitheater, Gladiatorenkämpfe, Tierhetzen und große Seeschlachten, Wagenrennen und Wettkämpfe im Zirkus. Alle diese

Spiele sind Erbe der etruskischen Kultur, entspringen rituellen Kulthandlungen bei Leichenfeiern, während derer auch Menschenopfer dargebracht wurden, um die Gunst der Götter zu erflehen. In der frühen Zeit spielten die Darsteller vor einer provisorischen Bretterwand, und die Zuschauer standen. Erst als die religiöse Bedeutung dieser Darbietungen schwand, forderte man Sitzplätze. Etwa um 145 v. Chr. bürgerte sich der feste Theaterbau ein. Gegen Mitte des ersten Jahrhunderts v. Chr. ließ der Ädil Scaurus das erste Theater in Holz errichten. Und 55 v. Chr. schenkte Pompeius Rom den ersten steinernen Theaterbau, zu dem ihn das griechische Theater von Mytilene angeregt hatte.

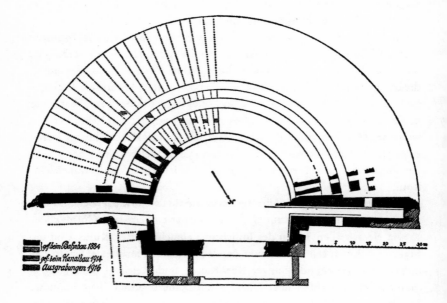

Grundriß des römischen Bühnentheaters in Mainz

Die Mogontiacenses waren mächtig stolz auf ihr Bühnentheater. Es brauchte einen Vergleich mit denen anderer Provinzstädte, wie Arles, Orange und Lyon, nicht zu scheuen. Mit einer Bühnenbreite von 41,25 Meter und einem Durchmesser des Zuschauerraums von 116,25 m war es größer als diese, die »nur« 103, 102 und 108 Meter maßen. Etwa 20 000 Zuschauer mögen dicht zusammengedrängt auf den in einer natürlichen Mulde angelegten Stufen Platz gefunden haben. Demnach müssen die Mainzer und ihre Soldaten eifrige Theatergänger gewesen sein. Das

Theater war aber auch deshalb so groß angelegt, weil die umwohnende Landbevölkerung ebenfalls zu den Schauspielen in die Stadt kam. Der Bautechnik »kleine Quadern mit Ziegeldurchschuß« nach wurde das Gebäude gegen Ende des zweiten Jahrhunderts n. Chr. errichtet. Der von den Archäologen während der Ausgrabungen erstellte Plan zeigt den für das römische Bühnentheater – von griechischen Architekten übernommen – üblichen Grundriß mit der Bühnenrückwand (*scaenae frons*) mit ihren drei Türen, hohen Säulen und den dazwischen aufgestellten Statuen. Hinter dieser Bühnenwand lagen die halbkreisförmige Orchestra, zu der überwölbte Gänge führten, und die Garderoben der Schauspieler. Strahlenartig angeordnete Stützmauern trugen den im Halbrund ansteigenden Zuschauerraum.

Vielleicht gehörte die im Städtischen Museum in Wiesbaden aufbewahrte Bronzetür (ähnliche Türen von einem Theater gibt es in Rom) zu diesem Theater. Vielleicht waren die großen Bronzebuchstaben, die das Mittelrheinische Landesmuseum in Mainz aufbewahrt, einst Teil einer Inschrift über diesem Tempel der Musen, so wie zu Goethes Zeit über dem Portal des Frankfurter Schauspielhauses stand, und heute noch über der Opernruine steht: »Dem Wahren, Schönen, Guten.« Die marmorverkleidete Bühnenrückwand mit ihren – einen Palast und die anderen Häuser symbolisierenden – drei Türen, mit vielen Säulen, Statuen, Vasen, Leuchtern und Brunnen, bot sicher die gleiche imposante, prunkvolle Kulisse wie in der Provinzstadt Orange oder in Sabratha (Tripolis) in deren antiken Theatern die Bühnenrückwände noch fast vollständig stehen.

Ähnlich wie im Theater von Herculaneum, das von den Lavamassen des 79 n. Chr. ausgebrochenen Vesuvs für uns »konserviert« wurde, als wäre es kurz vor Vorstellungsbeginn: an ihrem Platz die bronzene Quadriga, die wundervollen Wandfresken, die Dekorationen und Kulissen, Requisiten und Schmuckstücke in den Ankleideräumen der Schauspieler, die zur Verbesserung der Akustik aufgestellten Resonanzgefäße aus Bronze und die Bühnenmaschinerie. Für gute Resonanz sorgte auch der Holzboden, auf dem die Künstler spielten.

Wenn bereits 500 v. Chr. in Griechenland zur Zeit des Aristophanes Vorrichtungen Verwendung fanden, mit denen man im Theater Blitz, Donner, heulende Winde und Feuerwerke erzeugt hat, und wenn der Erneuerer der Bühnentechnik, Claudius Pulcher, diese Raffinessen 99 v. Chr. in Rom einführte, dann liefen sicher 300 Jahre später auch auf der Mainzer Bühne die Kulissen geräuschlos auf Gleitschienen und gehörten zur Bühnenausstattung drehbare, prismenförmige Kulissen aus Holz, eine Konstruktion, mit der durch einfache Drehung drei verschiedene Bilder aufeinander folgen konnten: eine Stadt, eine Landschaft, ein Hafen. Auch hier erschien, mit Hilfe einer Winde, ein Gott von oben, um ausweglose Situationen zu entwirren – der Gott aus der Maschine – *deus ex machina*! Vielleicht schlossen sich auch im antiken Mainz Arkaden an das Theatergebäude, unter denen die Zuschauer in den Pausen auch bei Regen flanierten, und Wege und Gärten, in denen sie zwischen den einzelnen Akten spazieren gingen.

Wenn auch hier nicht, wie in Pompeji, an heißen Tagen das große, schattenspendende Sonnensegel (*velum*) für die Zuschauer aufgespannt wurde, hat man vielleicht doch die Menge mit Safranessenz parfümiertem Wasser besprengt, mit Leckerbissen verwöhnt – möglich, daß man auch in Mainz beim »römischen Theaterlotto« durch ein Los Kleidungsstücke, Freßkörbe, als ersten Preis sogar ein Häuschen, gewinnen konnte.

Mainz – »wie es singt und lacht« – vor zweitausend Jahren

Gäbe es darüber nur einen Bericht, eine einzige Zeile! Und doch können wir uns das schillernde Leben vorstellen, wenn wir Statius, Sueton, Martial und »Den goldenen Esel« von Apulejus lesen.

Iden des Mai. Heute herrscht Hochstimmung. Die Stadt begeht zu Ehren ihres Namenspatrons, *Mogon*, ein Fest. Für den Höhepunkt des Tages, ein Schauspiel im Bühnentheater, ist eine beliebte Theatergruppe engagiert. Ein reicher Bürger, bekannter lokalpatriotischer Mäzen, hat es sich nicht nehmen lassen und tief in den Beutel gegriffen. Diese Ehrenpflicht, die Errichtung öffentlicher Gebäude zu finanzieren und für die Kosten der *ludi* aufzukommen, ließ viele hochgestellte Persönlichkeiten unter dieser Bürde seufzen. Ja, dieser Zwang, sich das Wohlwollen der Untertanen zu erkaufen, brachte manche an die Grenze des finanziellen Ruins. Daher war es dem Statthalter verboten, Spiele zu bezahlen.

Eintritt frei! Hoch und Niedrig, Freie, Frauen, Sklaven und Kinder eilen ins Theater, alle in sauberen Kleidern, wie es der Kaiser befiehlt. Die Honoratioren tragen Toga. Die Polizei verstärkt ihre Wachen, denn in der menschenleeren Stadt nutzen Diebe gern die Gelegenheit.

Eine lärmende Menge füllt die treppenförmig ansteigenden Sitzreihen des Theaterhalbrunds. Sie spielt, bevor der Vorhang »fällt« (damals wurde der Vorhang bei Beginn versenkt, also genau umgekehrt wie heute), genüßlich ihr eigenes Publikumstheater. Laute Begrüßungen . . Scherzworte .. Gelächter .. Streit um Sitzplätze .. einige packen Proviant aus, denn sie sind hungrig nach dem weiten Weg von ihrer entlegenen Villa rustica in Rheinhessen .. eine Familie hat ihren Vetter aus Aquae Mattiacorum (Wiesbaden) auf der anderen Seite entdeckt, und lachend winkt sie hinüber ...

Plötzlich geht eine Bewegung durchs Volk, die Zuschauer erheben sich und applaudieren. Der Statthalter Obergermaniens und Oberkommandierende des Heeres sowie die hohen Beamten der Selbstverwaltung erscheinen mit ihren Frauen und nehmen würdevoll ihre angestammten Ehrenplätze (das *bisellium,* der breite, gepolsterte Doppelsitz ist ein Privileg) in den vordersten Reihen ein. Die Menge – besonders der vordersten Reihen – bietet ein farbenprächtiges Bild. Die Damen der Gesellschaft in großer Toilette, mit viel Schmuck und modischen Frisuren. Die Schnelligkeit, mit der sich die neue Haartracht der Kaiserin und ihres Gefolges in der Provinz herumgesprochen hat, ist erstaunlich. »Sie kamen, um zu sehen und gesehen zu werden,« sagte schon Ovid.

Die Oberhäupter der Stadt werden heute deshalb so herzlich empfangen, weil der Statthalter Mißstände beseitigen ließ, die bei der letzten Vorstellung vom Volk angeprangert worden waren. Gerade diese Massenansammlungen boten der Menge Gelegenheit, ihrem Unmut mit Hohngelächter, Pfiffen und Johlen Luft zu machen. Nicht einmal der Kaiser blieb vor Kundgebungen dieser Art verschont, wußte auf diese Weise aber auch gut über die Stimmung des Volkes Bescheid.

Wahrscheinlich gab es im Mainzer Repertoire Aufführungen, die auf alte keltische Kultspiele und Sagen zurückgingen, jetzt natürlich romanisiert waren. Vermutlich standen Stücke von Plautus und Terenz, über Jahrhunderte beliebt, auf dem Spielplan. Die griechischen Autoren waren längst passé. Erlesenen Geschmack und Kunstverständnis bei diesem Publikum zu erwarten, wäre übertrieben. Die Menge ergötzte sich vor allem an den *atellanae* – komischen Burlesken, die ihren Namen der kampanischen Kleinstadt Atella verdanken. Dienten diese Schwänke zunächst zur Entspannung als Vorspiele vor Tragödien, so entwickelten sie sich im Lauf der Zeit zum Hauptprogramm. Das Publikum liebte die stets gleichen Gestalten dieses Gaudiums, und sie blieben bis in unsere Tage die Prototypen der italienischen Charakterkomödie. Die Zuschauer brüllten vor Vergnügen, wenn Maccus, der Freßwanst, als Bankier, Jungfrau, Schankwirt, Soldat oder Bauer rülpsend über die Bühne torkelte und seine Hanswursterein trieb, wenn der blöde Pappus bei Wahlen kandidierte, als dummer Bauer betrogen, als gehörnter Ehemann verhöhnt wurde, wenn

der bucklige, häßliche, glatzköpfige Bucco als General oder gar als tölpel-
hafter Gladiator in einer Gladiatorenschule auftrat. Das Publikum genoß
das angenehme Gruseln beim Erscheinen von Geistern und Dämonen, und
die Legionäre klatschten und johlten, wenn zum Abschluß der mit Tänzen,
Musikeinlagen und athletischen Kunststückchen garnierten Aufführungen
eine Schar nackter Mädchen ein freizügiges Ballett tanzten. Apulejus schildert farbig den Hergang auf einer Provinzbühne – so ähnlich mag es
auch in Mainz gewesen sein.

»Es erschien endlich der Tag der Spiele. Unter lautem Jauchzen und Freu-
dengeschrei des Volkes ... Pantomimische Tänze eröffneten die Lustbar-
keit ... Blühende Jünglinge und Mädchen von reizender Gestalt führten
in schimmerndem Putze, mit unnachahmlicher Anmut den griechischen
pyrrhischen Reigen auf ... und die Verzierung der Bühne wurde zum
Urteil des Paris verändert. Von Holz war ein hoher Berg errichtet, der
den berühmten, von Homer besungenen Ida vorstellte. Gesträuche und
allerlei lebendige Bäume deckten die Seiten. Von dem Gipfel rann ein
klarer künstlicher Bach ... Jetzt trat ein bildschöner Knabe auf, nackt,
nur daß ein kurzer Mantel um die linke Schulter flatterte. Blondes Haar,
aus dem zwei goldene und durch ein goldenes Band vereinigte Fittiche
hervorragten, krönten seinen Scheitel und wallte auf den entblößten Rük-
ken. Der geflügelte Schlangenstab, den er trug, kündigte ihn als Merkur
an ... Es erschien darauf ein Mädchen von hohem Ansehen, der Göttin
Juno um so ähnlicher, da ein weißes Diadem ihre Stirne umwand und
sie ein Zepter in der Hand trug. Dieser folgte eine andere, die man
sogleich als Minerva erkannte. Sie hatte einen schimmernden, mit einem
Ölzweig umkränzten Helm auf, führte einen Schild und schwang eine
Lanze, wie die Göttin, wenn sie im Kampfe erscheint.

Eine Dritte schlüpfte hinter diesen beiden her. Unnennbare Grazie war
über ihr ganzes Wesen verbreitet, und die Farbe der Liebe blühte auf
ihrem Antlitz. Es war Venus; aber die jungfräuliche Venus. Kein Gewand
versteckte die tadellose Schönheit ihres Leibes; sie ging nackend einher;
nur ein durchsichtiger seidener Schleier beschattete ihre Scham. Bald erhob
ein neugieriger buhlerischer Wind mutwillig den leichten Flor, und die
Blume der frischen Jugend prangte unverhüllt: Bald drückte ihn sein brün-
stiger Hauch fest an den Körper an, und unter der luftigen Hülle schimmerte jeglicher wollüstige Umriß durch. Man bemerkte nur zweierlei Farben an der Göttin: Weiß, der Leib; denn sie stammte vom Himmel ab:
blau, ihr Schleier, weil sie aus dem Meer entsprossen ... Venus war von
einem ganzen Volke fröhlicher Amoretten umgaukelt. Süßlächelnd stand

sie mit dem ihr eigenen Liebreiz mitten unter ihnen, zum allgemeinen Entzücken der Zuschauer. Man hätte die runden, zarten Knaben allesamt für wahre Amors halten mögen, aus Himmel oder Meer herbeigeflattert, so sehr entsprachen sie ihrer Rolle durch ihre kleinen Fittiche und Pfeile und überhaupt durch ihre niedliche Leibesgestalt. Auch die lieblichen Töchter jungfräulicher Schönen, die holden Grazien und die reizenden Horen umschwebten die Göttin. Sie bewarfen sie schalkhaft mit Sträußen und Blumen und schwebten in künstlichem Reigen einher, nachdem sie also mit den Erstlingen des Lenzes der Mutter der Wollust gehuldigt. – Jetzt flüsterten die viellöcherigen Flöten süße lydische Weisen. Nun begann, lieblicher denn alle Musik, Venus sich zu bewegen. Langsam erhob sich ihr Fuß; es schmiegte anmutig sich ihr Körper mit sanft auf die Seite gebogenem Haupte; jede reizende Stellung in Harmonie mit dem weichen Getöne der Flöten! Bald lächelte Huld und Milde auf ihrer Stirn ... Zuweilen tanzte sie allein mit den Augen. Wie sie vor den Richter hintrat, schien die Bewegung ihrer Arme ihm zu verheißen: daß, wenn er ihr vor den übrigen Göttinnen den Vorzug gäbe, sie ihm eine Gemahlin zuführen würde, die an Schönheit ihresgleichen nicht auf Erden fände und ihr ganz und gar ähnlich sein sollte. Allsofort reichte ihr mit Freuden der phrygische Jüngling den goldenen Apfel hin, das Zeichen des Sieges. Wundert ihr euch nun noch, ihr einfältigen Schöpse, oder vielmehr, ihr gierigen Geier von Advokaten, daß heutzutage die Gerechtigkeit jeglichem Richter feil ist? Da schon im Anfang aller Dinge, in einem zwischen Göttern und Menschen zu entscheidenden Handel Parteilichkeit sich eingemischt; da der allererste Richter – den Zeus, der höchste Zeus, noch dazu selbst bestellt, und der nur ein schlechter Hirte war – durch Wollust sich hat bestechen lassen, und das zum gänzlichen Verderben seines Geschlechts ...« (Auszüge aus »Der goldene Esel«)

Neben dieser antiken Boulevard-Kommödie gab es den weit deftigeren Mimus, dessen Stoff, dem bäurischen und städtischen Leben, und zwar der untersten Stände entlehnt, realistisch auf die Bühne gebracht wurde. Man travestierte respektlos Mythen und übte »Zeitkritik«, indem man geschickt mehr oder minder deutliche Anspielungen aus der lokalen Chronique scandaleuse in die Handlung einflocht. Besonders delikat, wenn sich der Betroffene im Theater befand! Vor allem amüsierten groteske Gaunereien, Liebeshändel und Ehebrüche, in denen es von Schimpfworten, Zoten, Obszönitäten und derben Späßen wimmelte und die Ohrfeigen auf die feisten Backen der Dummköpfe (stupidi) klatschten. Die Mimen spielten ohne Theaterschuh (kothurn) und Maske in realistischen Alltagskleidern.

Auch der Bajaz feierte damals fröhliche Urständ. Im bunten Harlekinkostüm, ein Mäntelchen übergeworfen, nahm der Mime, oft zugleich auch Texter, die Politik aufs Korn und glossierte die Zeitläufte. Besonderer Beliebtheit erfreute sich die Pantomime. Ganz Rom sprach unter Augustus von dem Pantomimen Pylades und seiner Eitelkeit, war begeistert von seiner Kunst, seinen Händen. Nero förderte diese Künstler und sie verkehrten in Hofkreisen, einer von ihnen errang die Gunst einer Kaiserin – so daß Tacitus sich über die Vergötterung aufregt. Aber auch Quintilian schwärmte von den Pantomimen: »Ihre Hände bitten und versprechen, rufen herbei und weisen ab. Schrecken, Furcht und Freude drücken sie aus, Trauer, Zögern, Geständnis, Bedauern. Maß und Unmaß, Zahl und Zeit. Sie erregen und beruhigen, sie flehen und gewähren. Sie sind im Ausdruck so stark wie Worte. Um eine Krankheit zu beschwören, ahmen sie einen Arzt nach, der den Puls abtastet, und die Musik blüht ihnen wie einem Lyraspieler aus den Fingern.«

Vielleicht herrschte auch in der Provinz ein ähnlicher Starkult wie in Rom und den anderen italischen Städten – und die Hautevolee von Mainz und Wiesbaden lud Mimen zur Tafel – ungeachtet dessen, daß der Schauspielerstand verachtet war. Komödianten galten als *infamis* und konnten das Bürgerrecht nicht erwerben. Einem römischen Bürger war es versagt, diese Kunst zu betreiben, wenn er nicht seiner Privilegien verlustig gehen wollte. Caesar bestrafte den dichtenden, durch Mimenstücke bekannt gewordenen Ritter Laberius auf besonders delikate Weise, indem er ihn zwang, in einem seiner von ihm verfaßten Schauspiele aufzutreten. Damit war dieser Mann für die Gesellschaft unmöglich geworden und verlor Amt und Würden.

Dekadenz und Verfall auch in der Provinz.

Die bestialischen Szenen der Spiele im Zirkus und Amphitheater verrohten die Menschen derart, daß sie auch im Schauspiel Blut sehen wollten. Nicht mehr eine Strohpuppe, ein Mensch mußte brennen! So hat man auch in den Theatern der Städte am Rhein den Schauspieler, der den Bühnentod erleiden sollte, in letzter Minute mit einem zum Tode verurteilten Verbrecher ausgetauscht, der dann – vor aller Augen – starb. Der Held wurde auch in der Provinz – wie die Tragödie es wollte – gefoltert, ans Kreuz geschlagen, am Kreuz hängend von wilden Tieren zerfleischt oder in einer eigens präparierten Toga auf der Bühne angezündet, so daß er als brennende Fackel schreiend hin- und herraste, bis ihn der Tod erlöste. Je entsetzlicher die Qualen des Delinquenten, desto geiler der Kitzel des Publikums. Die Leute waren so versessen auf dieses »Vergnügen«, daß – falls es nicht genügend Verurteilte am Ort gab – der Magistrat Beamte in die benachbarte Provinz schickte, dort Todeskandidaten aufzukaufen.

Auch die Grausamkeit der Mythen wurden ausgeschlachtet. So folgten dem Orpheus wirkliche Raubtiere und zerrissen ihn. – Und Ikarus schwebte am Theaterhimmel, stürzte ab und lag zerschmettert vor der enthusiastischen Menge. Sie wäre enttäuscht gewesen, hätte Dädalus überlebt – auch er mußte ein Opfer der Raubtiere werden. Und Herakles verbrannte lebendigen Leibes im Nessosgewand. Blutrausch der Millionen!

Im Amphitheater

Jede Zeit hat ihren spezifischen Irrsinn. Die geistige Pest der Antike, die sich epidemisch im ganzen Imperium verbreitete, der leidenschaftliche Blutrausch, tobte sich vor allem im Amphitheater aus. Das Bild rasender Massen, die sich am blutigen Gemetzel Mensch gegen Mensch, Mensch gegen Tier, Tier gegen Tier weideten, ist untrennbar mit dem alten Rom verbunden. Daß auch in den beiden Germanien die Meute ihr »mitte« (laß ihn!) oder ihr »jugula« (töte ihn!) brüllte, daß auch hier die Schreie durch die Arena gellten: »Warum zaudert er vor dem Eisen?«, »Warum stirbt er so ungern?«, an diesen Gedanken muß man sich erst gewöhnen. Aber auch in den Arenen von Köln, Xanten, Trier und Mainz werden Auspeitscher (lorarii) Kämpfer gegeneinander getrieben haben, hat der Sieger triumphierend mit dem blutigen Schwert nach allen Seiten gegrüßt, wenn der Gegner gefällt war – hat der todwunde Gladiator, wenn der Statthalter – wie der Kaiser in Rom – mit nach unten gestrecktem Daumen das Todesurteil gesprochen hatte, mit letzten Kräften seinen Hals dem Sieger zum Abschlachten dargeboten, damit er durch die »Kunst des schönen Sterbens«, wie es ihm in der Gladiatorenschule beigebracht worden war, das Spiel zu einem »stilvollen« Ende brachte. Ein makabres Happening gab den Schlußpunkt: ein als Charon, als Gott der Unterwelt, verkleideter Sklave trat auf und zertrümmerte dem im Sand liegenden Gladiator, ob tot oder noch lebend, mit einem Hammer den Schädel. Dann zerrten libitinarii die Leiche hinaus . . .

Natürlich erreichten die Spiele in den Provinzstädten nie die Monströsität derer in Rom, wo zum Beispiel im Jahre 80 n. Chr. durch Titus das Colosseum mit Ludi an hundert aufeinanderfolgenden Tagen eingeweiht wurde. Sueton berichtet, daß dabei an einem einzigen Tag 5000 Tiere durch die in der natürlichen Szenerie verborgenen, schwer bewaffneten Gladiatoren getötet wurden.

In unserer Provinz ist in der dadurch berühmt gewordenen römischen Villa in Bad Kreuznach auf dem großen Gladiatorenmosaik eines Fußbodens ein Tag im Amphitheater festgehalten – sind diese blutigen Szenen mit Mosaiksteinchen »gemalt«, »spielen« die Muskeln, »straffen« sich die Sehnen der Kämpfer – wie fotografiert –, spiegelt sich in den Augen der Tiere die Angst. Bei aller Darstellung der Grausamkeit ist es dem Künstler gelungen, das Ästhetische zu betonen.

Köln hatte sein Amphitheater, wie wir aus der Inschrift eines Centurio der Bedienungs- und Rüsträume und der Leichenkammer wissen, und Xanten hatte eine hölzerne Hebemaschine, um die Tiere aus den Käfigen in die Arena zu schaffen, und ein Tierfänger bedankte sich bei den Göttern, daß es ihm gelang, in den Wäldern Germaniens fünfzig Bären zu fangen. Von den in den gallischen und germanischen Provinzen ausgegrabenen Amphitheatern sind die von Arles und Trier am besten erhalten; das von Arles faßte 26 000, das von Trier 20 000 und das von Xanten 10 000 Zuschauer.

Von Mogontiacum heißt es, daß Reste eines Amphitheaters im Zahlbachtal beim ehemaligen Dalheim-Kloster gefunden worden seien. Um das Jahr 1100 ist davon in den Papieren des Mönchs Siegehard die Rede. Er spricht von Ruinen eines Theaters, das die Römer für Zirkus-, Gladiatoren- und öffentliche Schauspiele außerhalb der Stadt angelegt hätten. Das bezeichnete Gelände, eine natürliche Mulde, wäre für die übliche römische Bauweise geradezu ideal gewesen, nicht zuletzt wegen der nahen Nachbarschaft des Legionslagers und der Wasserleitung. Pater Fuchs nennt in seiner »Alten Geschichte von Mainz« allerdings eine Stelle im ebenen Feld zwischen Mainz und dem Hechtsheimer Berg. Dort sähe man einen großen Halbzirkel, in dessen Grund man Fundamente starker Pfeiler gefunden habe, die auf ein Amphitheater hindeuten. Hoffen wir, daß zufällige Funde oder die Möglichkeit systematischer Grabungen diese Frage eines Tages beantworten werden. Gleichviel, wo immer es lag, die vielen Soldaten verlangten und beanspruchten auch in Mogontiacum dieses für sie selbstverständliche Vergnügen.

Das Forum war Mittelpunkt des Lebens jeder antiken Stadt, der Treffpunkt all seiner Bewohner.

Vom Forum in Mainz ist so gut wie nichts erhalten. Es ist nicht einmal möglich, genau zu sagen, wo es lag. In den einzelnen Vici oder Stadtteilen mag es zunächst eigene Zentren gegeben haben, bis sich ein Hauptforum herausbildete. Wenn die Civitas Vangionum (Worms) und selbst Landstädte wie Nida (Heddernheim) und Lopodunum (Ladenburg) sich ein respektables Forum zulegten, Ladenburg gar mit einer imposanten Marktbasilika aufwartete, wie viel mehr werden die Mogontiacenses mit öffentlichen Plätzen und Bauten repräsentiert haben, und das, obwohl Mogontiacum nicht wie andere römische Städte als Colonia gegründet und nach mediterranem Schema angelegt, sondern aus verschiedenen Canabae und Vici zu einem städtischen Komplex, ja schließlich zu einer »Großstadt« zusammengewachsen war.

So darf man sicherlich auch für Mainz die zu jeder römischen Stadt gehörenden wichtigsten öffentlichen Gebäude erwarten: eine Basilika, in der Gericht gehalten wurde und öffentliche Versammlungen stattfanden, daneben die *curia* (Rathaus), in der der Stadtrat tagte, und vielleicht ein Tribunal und eine *rostra* (Rednertribüne), von der Politiker flammende Wahlreden hielten.

Das Forum war flankiert von Tempeln, Säulenhallen, Vereinshäusern der Innungen, von Büros der Stadtverwaltung, Wechselstuben und Läden. Als öffentlicher Versammlungsplatz war das Forum womöglich für den Verkehr durch Schranken gesperrt, wie in Rom, Pompeji und anderen Städten.

Der Dativiusbogen beweist die Existenz solcher Arkaden in Mainz, denn die erhaltenen Architekturfragmente, nach denen die Rekonstruktion des etwa 6,50 Meter hohen Bogens möglich war, zeigten Ansatzstellen von Mauerwerk der angrenzenden, in der Inschrift erwähnten Säulenhallen. Der Ehrenbogen, mit einem Weinrankenfries und Schuppenmuster verziert, mit Tierkreiszeichen und den Genien der Jahreszeiten geschmückt, enthält im Mittelteil Opferszenen. Jupiter und Juno werden begleitet von vier Gottheiten. Eroten halten eine Tafel mit folgender Inschrift: »Zu Ehren des Kaiserhauses haben dem Jupiter Optimus Maximus Conservator den Bogen und die Säulenhallen, die Dativius Victor, Ratsherr der Gemeinde der Taunenser [Nida] und ehemaliger Provinzialpriester des Kaiserkultes den Mainzern versprochen hatte, seine Söhne und Erben, Victorius Ursus, Getreidehändler und Victorius Lupus errichten lassen.«

Der aus Architekturteilen nachgebildete Dativiusbogen

Die Inschrift stammt aus den Jahren, als die lange Friedenszeit rechts des Rheins zu Ende ging. In ihren knappen Worten verbirgt sich ein Stück Geschichte: Anfang des dritten Jahrhunderts n. Chr. wird es an der Grenze wieder unruhig, stehen die Zeichen auf Krieg. Die Germanen, allen voran die Alamannen, durchbrechen immer häufiger den Limes, morden und plündern auch in der Wetterau. Im flachen Land brennen die Villae rusticae. Von Entsetzen und Angst gepackt fliehen die Menschen hinter die schützenden Mauern ihrer Civitas, nach Nida. Im Jahre 235 n. Chr. wird der Grenzkrieg zu einem Völkersturm. Selbst das befestigte Nida scheint nicht mehr sicher genug. Mancher verkauft seinen Besitz und flüchtet an das andere Rheinufer in den Schutz der Legionen. Auch dem Ratsherrn Dativius Victor wird der Boden zu heiß. Mit seiner Familie findet er in Mogontiacum Aufnahme und bedankt sich durch eine großzügige Stiftung. Die Söhne, von denen einer hier sein gutes Auskommen als Getreidehändler gefunden hat, haben das Gelübde eingelöst.

Hier am Forum konnte man die namhaftesten Leute treffen. T. Flavius Serenus, Legat der Legio IV und XXII, überquert eben gerade den Platz, als ihn ein Kollege begrüßt, aber er ist in zu großer Eile, um sich auf ein längeres Gespräch einzulassen, denn dringende Geschäfte erwarten ihn.

Quintus Aurelius Polus Syriacus begleitet seinen Vater, den Legionslegaten der Zweiundzwanzigsten, Quintus Aurelius Polus Terentianus, auf seinem Weg zum Tempel. Der Vater weilt erst seit kurzem in Mainz. Zuvor residierte er als kaiserlicher Legat der II. Legion in Dakien (dem heutigen Rumänien). Außerdem war er Mitglied des Priesterkollegiums der Fetialen. Diesem ausgewählten Gremium gehörten zwanzig Priester an, denen die Sorge für die Aufrechterhaltung des Völkerrechts oblag. Ihre Aufgabe war es, unter gewissen Zeremonien Friedensabschlüsse zu bestätigen, den Waffenstillstand zu bestimmen und Kriege als rechtmäßig zu erklären.

Wenn zum Beispiel die Römer ein Bündnis schlossen, zelebrierten die Fetialen folgendes Ritual: ein Mitglied des Kollegiums tötete ein Schwein mit einem Feuerstein, der aus einem bestimmten Jupitertempel stammen mußte, und sprach im Namen des Staates die Schwurformel: »Wenn das römische Volk zuerst von diesem Bündnis abfällt, nach gemeinsamem Beschluß und mit böser List, dann triff du, Jupiter, das römische Volk, so wie ich heute dieses Schwein treffe, und triff es um so stärker, als du viel stärker bist und mächtiger.« Dieser archaische Brauch scheint bis in jene Zeit zurückzugehen, als man noch furchteinflößende, mit magischer Gewalt ausgestattete Feuersteine mit der höchsten Gottheit, dem Himmelsgott Jupiter, in Verbindung brachte, dem Gott, der auch über die Meineidigen sein Strafgericht hielt.

Der Militärtribun und Praetor im Senat, Domitius Antigonus, strebt in blütenweißer Toga zur Basilika, um dort einer Sitzung beizuwohnen. Und Consul A. Junius Pastor L. Caesennius Sospes, gefolgt von einem ehrerbietig dienernden Klienten, besucht eine Gerichtsverhandlung im Tribunal.

Der frühere kaiserliche Regierungsbevollmächtigte zur Beaufsichtigung der städtischen Finanzverwaltung der Colonia Lugensium (vermutlich Lucca bei Pisa), jetzt kaiserlicher Legat der Zweiundzwanzigsten, tritt eben in eine Steinmetzwerkstatt nahe beim Forum. Er will einen Altar in Auftrag geben, den er gelobt hat, den Göttern zu weihen, wenn sie ihm ihre

Hilfe zuteil werden lassen. Er ist mit seiner Karriere immer noch nicht zufrieden und kandidiert für ein weiteres Amt. Die Überreste der Inschrift auf diesem Stein aus Mogontiacum erzählen diese Geschichte.

Zu wichtigen Fragen der Steuereinziehung hat Stadtrat Marcellinus Placidinus in der Curia zu tun. Dort ist eine Besprechung mit dem kaiserlichen Regierungsbevollmächtigten anberaumt, der die Mainzer Finanzverwaltung beaufsichtigt. Die Herren können eine gewisse Nervosität nicht verbergen, denn ihr zuständiger Vorgesetzter, der oberste Finanzbeamte Roms für die Provinzen Gallia Belgica und die beiden Germanien mit Sitz in Trier, hat angekündigt, er werde in Bälde zur Revision in Mogontiacum erscheinen.

Am Forum von Mogontiacum stand – wie in allen größeren Städten des Rheinlandes – wenigstens ein Staatstempel, der dem vergöttlichten Kaiser, »dem irdischen, sichtbaren, und gegenwärtigen Gott« – und seiner Familie geweiht war. Denn mehr noch als in Rom wurde in den eroberten Provinzen auf die Ausübung des Kaiserkultes Wert gelegt, den eigens bestellte Priester, die «Priester des Kaiserkultes« verrichteten. Für diesen Tempel weihte Domitius Antigonus, ein verdienter Reichsbeamter, einen Altar: »Zum Heil und zur Unversehrtheit unseres Herrn und Kaisers ... und seines göttlichen Hauses.«

Dieser hervorragende Mann, von Geburt Macedonier, hatte eine glänzende Laufbahn hinter sich. Er war unter anderem Militärtribun, Legat zweier Legionen, und zwar der V. Macedonischen und der Zweiundzwanzigsten. Unter Caracalla wurde Domitius Antigonus mit militärischen Ehren zum Praetor in den Senat erhoben.

Der Praetor, einer der höchsten Würdenträger des Römischen Imperiums, ein hoher Jurist im Zivilbereich, sprach nicht nur Recht, sondern seine Rechtsgrundsätze wurden in Edikten veröffentlicht und erhielten damit rechtsbildende Kraft. Das praetorische Recht ergänzte, ordnete und berichtigte das Zivilrecht (jus civile) im Zeichen der römischen Weltherrschaft, bis es unter Hadrian seine endgültige, aber auch erstarrte Form gewann. Außerdem hatten die Praetoren das Recht und die Pflicht, Geschworene zu bestellen und Spiele zu organisieren. Nach einjähriger Amtszeit in Rom ging der Praetor gewöhnlich in die Provinz und wurde mit einer Statthalterschaft betraut.

Wahrscheinlich hatten die Mogontiacenses am Forum auch einen Kapitolstempel. Der Tempel für die kapitolinische Trias: Juno, Minerva und in ihrer Mitte thronend Jupiter, war stets der größte und prächtigste Tempel der Stadt. Auch in den rheinischen Städten setzten Magistrat, Bürger und

Baumeister ihren Ehrgeiz darein, ihr Kapitol zu verwirklichen, das dem Roms auf dem Kapitolshügel gleichen sollte.

Das waren die klassischen römischen Tempel, auf einem Podium errichtet, zu denen eine etwa drei Meter hohe Freitreppe zur Säulenvorhalle hinaufführte, in der Vorübergehende an Räucheraltären opferten, und hinter der das säulenumgebene Heiligtum (cella) lag. In der Hauptstadt der untergermanischen Provinz, in Köln, ist der Kapitolstempel bezeugt. Mit den Maßen von 30 mal 33 Meter ist er genauso groß wie der des Jupiter in Pompeji, der eine ganze Schmalseite des Forums einnahm.

Natürlich konnte eine Provinzstadt mit dem Reichtum der Staatsbauten Roms, wo der Kaiser und viele adlige, wohlhabende Familien residierten, nicht konkurrieren. Aber hier wie in Pompeji haben viele verdiente Bürger zum Bau öffentlicher Gebäude und der Tempel beigesteuert, haben Altäre gestiftet, die Kosten für einen Marmorfußboden oder Portikus getragen, durch Fresken und Statuen für die Ausschmückung gesorgt. Wenn wir uns diese Tempel vorstellen, müssen wir uns, nach dem Geschmack der damaligen Zeit, die grauen oder blanken Marmorsäulen, die uns beim Rundgang durch die Ruinen einer antiken Stadt oder in den Museen begegnen, mit einer Wachsschicht überzogen und bunt bemalt oder stuckverziert und die Götterfiguren farbig denken. Überall glänzte Gold, Silber und Elfenbein, leuchteten goldene Lettern über den Portalen.

Der Mainzer Caesarenkopf

In einem solchen Sakralbau war vielleicht die Statue aufgestellt, zu der der Mainzer »Augustuskopf« gehörte. Dieser Fund aus dem Jahre 1961 hat die Wissenschaftler elektrisiert und die Gemüter erregt. Einiges daran war verwirrend – die Fundsituation, die bezweifelte Echtheit, und die Frage, ob es sich um Kaiser Augustus oder um seinen Enkel und Adoptivsohn Gaius Caesar handelt. Immer noch stehen die beiden Meinungen gegeneinander.

K. H. Esser plädiert mehr für Augustus und schreibt zur Wichtigkeit des außerordentlichen Fundes: »Eine überraschende Bestätigung der besonderen Bedeutung und vielleicht auch ein anschauliches Zeugnis der geistig-politischen Haltung der römischen Siedlung im Zollhafengebiet brachte ein 1961 kaum 800 m südlich des Fundortes der Jupitersäule geborgener, wohl einst zu einer Statue gehörender, lebensgroßer Marmorporträtkopf des jugendlichen Kaisers Augustus von höchster klassischer Schönheit ... und ein Jugendbild des Kaisers in der fernen Provinz als Ausdruck der

Heroisierung nach dem Tode erscheint, ist in dem Mainzer Augustuskopf vielleicht der vergöttlichte Gründer verehrt worden. Da das Werk zudem anscheinend in frühtiberischer Zeit und in den kaiserlichen Werkstätten in Rom entstanden ist, dürfte es nicht nur ein eindeutiges Zeugnis des hohen Kulturniveaus von Mogontiacum schon bald nach dessen Entstehung sein, sondern möglicherweise auch aussagen, daß die Bewohner für Mogontiacum den Rang einer augusteischen Gründung und den Charakter einer römischen Stadt bereits eine Generation vor Errichtung der Jupitersäule beansprucht haben.«

Heute hat der Caesarenkopf einen bevorzugten Platz im Mittelrheinischen Landesmuseum. Aus carrarischem Marmor ist er nach einem heute verlorenen Bronze-Original, in Rom oder in der Provence, geschaffen worden. Verschiedentlich wurde die Echtheit angezweifelt. Untersuchungen in einem Münchner wissenschaftlichen Institut mit Hilfe der Quarzlampe ergaben schwache Farbspuren, die nur von der damals üblichen farbigen Bemalung von Stein- und Marmorbildnissen herrühren können. Eine der vielen Repliken dieses Porträts steht im Vatikanischen Museum und wird, wie der Mainzer Kopf, für eine Darstellung des jüngeren Kaisers Augustus, als junger Prinz Octavian, gehalten.

Es ist aber auch möglich, daß es sich beim Mainzer Caesarenkopf nicht um Augustus handelt, sondern um ein Bildnis seines Enkels Gaius Caesar. Augustus hat den Sohn seiner Tochter Julia und Agrippas nach dessen Tod adoptiert und den Knaben zu seinem Nachfolger bestimmt. In Rom wurden mehrere Statuen des Prinzen Gaius Caesar und seines Bruders Lucius errichtet, deren Sockel im Forum Boarium gefunden wurden. Auch in den Provinzen stellte man Statuen der Kaiserenkel auf, denn Gaius Caesar und der jüngere Lucius erhielten schon früh öffentliche Ämter und Sitz und Stimme im Senat, ja hohe Priesterwürden. Wo immer sie sich in der Öffentlichkeit zeigten, gewannen sie die Herzen des Volkes. Vor allem im Westen wurden sie verehrt. Erika Simon schreibt dazu:

»Gaius war lange vor dem Zug nach dem Osten bereits bei den Soldaten der nördlichen Heerlager populär und beliebt. Augustus hatte den Zwölfjährigen 8 v. Chr. nach Gallien mitgenommen, damals, als Tiberius den Rhein überschritt und bis zur Elbe vordrang. In jenem Jahr gab der Kaiser dem Heer Geldgeschenke, nicht so sehr wegen der Erfolge des Tiberius, sondern aus Freude über Gaius, der sich damals zuerst mit den Soldaten in den Gymnasien übte, also von der Mannschaft ernst genommen wurde. In der Provence erhielten Gaius und Lucius bereits zu ihren Lebzeiten kultische Ehren.«

Es gibt davon Zeugnisse in Nimes, Martigny und Sens sowie in Trier. Gaius hatte in Trier den Titel Konsul und Imperator, und es muß dort ein großes Bauwerk zu Ehren des Prinzen gestanden haben. Die Stadt Nimes verehrte ihn als ihren Patron, und Gaius Caesar schenkte ihr auf Staatskosten eine Platzanlage und Säulenhallen.

Augustus hatte die Prinzen, kaum daß sie erwachsen waren, mit politischen Ämtern in den Provinzen betraut. Den jüngeren Lucius schickte er nach Westen, wo ihn, wie Tacitus berichtet, in Marseille neunzehnjährig eine Krankheit dahinraffte. Gaius Caesar war mit zwanzig Jahren Konsul in Syrien und starb, vierundzwanzig Jahre alt, an einer Verwundung, die er bei der Belagerung der Stadt Artagira erlitten hatte. Der frühe Tod dieses seines Lieblings, des sanfteren der beiden Brüder, hat Augustus tief erschüttert, war er doch schon sehr betroffen, als ihm Gaius Caesar – lebensmüde aus Syrien schrieb, er wolle sein Leben lieber als Privatmann denn als Staatsmann in Syrien beschließen. Aus dem Briefwechsel zwischen dem Kaiser und seinem Adoptivsohn existiert ein rührendes Dokument, das zeigt, wie herzlich Augustus dem zu seinem Nachfolger ausersehenen Gaius zugetan war:

»Sei gegrüßt, mein Gaius, mein lieber kleiner Lastesel, den ich – beim Schwurgott – immer herbeisehne, so oft Du von mir fort bist. Doch besonders an solchen Tagen wie dem heutigen suchen meine Augen meinen Gaius, von dem ich, wo Du auch heute gewesen bist, hoffe, daß er heiter und bei guter Gesundheit meinen 64. Geburtstag gefeiert hat. Denn wie Du siehst, sind wir dem allen Greisen gefährlichen Lebensabschnitt, dem 63. Jahr, entronnen. Ferner bitte ich die Götter, daß uns, wieviel auch immer noch mir an Zeit verbleibt, vergönnt sein möge, dies gesund zu verbringen und im glücklichsten Zustand des Staates, während Ihr Euch als Männer bewährt und meine Stellung übernehmt . . .«

In der Nähe der kaiserlichen Kultstätte dürfen wir vielleicht auch einen Tempel für Jupiter annehmen, denn auch in Mainz wird der Götterreigen von Jupiter und seiner Gemahlin Juno angeführt. »Dem Jupiter Optimus Maximus zum Heil des Kaisers und Caesars Titus Hadrianus Antoninus, dem Erhabenen und Frommen, dem Vater des Vaterlandes« hat auch der Staatsmann A. Junius Pastor L. Caesennus Sospes, kaiserlicher Legat zu Mainz, und in der Zeit von 138 bis 161 n. Chr. Legionslegat der Zweiundzwanzigsten, schließlich 163 n. Chr. zum Konsul ernannt, einen Altar geweiht.

Tief in der Erde lag ein einzigartiger Fund: die zweitausend Trümmer der großen Jupitersäule. Durch blindwütige Zerstörung sollte dieses Standbild ein für allemal dem Anblick der Menschen entzogen werden und blieb uns – gerade deshalb – erhalten. Einer der merkwürdigen ironischen Zufälle, mit der die Geschichte der Archäologie gelegentlich spielt.

Professor Lindenschmit, dem damaligen Leiter des Römisch-Germanischen-Museums, war im Winter 1904/05 zu Ohren gekommen, daß Arbeiter Bronze- und Bleibruchstücke an einen Altmetallhändler verkauft hätten. Als besessener Wissenschaftler und Archäologe, der er war, setzte er sich sofort mit kriminalistischem Spürsinn auf die Fährte und ließ nicht locker, bis er der Erde das Geheimnis entrissen hatte.

Im Schrotthaufen eines Altwarenhändlers entdeckte er den Fuß, das Stück eines Blitzes und die Adlerklaue einer überlebensgroßen Bronzestatue. Mit Feuereifer forschte er weiter, um die restlichen Bruchstücke dieses Jupiters aufzutreiben. Er war auf jedem Bauplatz der Stadt. Als er schon die Flinte ins Korn werfen wollte, fielen ihm in der Sömmeringstraße wieder einige Metallbrocken in die Hände, darunter das Anschlußstück zu seinem Blitz. Doch damit gab er sich nicht zufrieden, weil er das dem Götterbild zugehörige Steinmonument heben wollte. Drei volle Wochen grub Lindenschmit mit seinen Leuten, bis er das archäologische Gold schürfen konnte: in fast fünf Metern Tiefe vergraben – in einer großen Grube – die Jupitersäule! Zerschlagen mit schweren Meißeln, Hämmern und stählernen Keilen bis in kleinste Splitter. Der bronzene Jupiter muß gleich an Ort und Stelle eingeschmolzen worden sein, Reste von Holzkohle lassen darauf schließen. Die wenigen verbliebenen Metallstücke hatten die Spur gewiesen.

Die rund zweitausend Bruchstücke zusammenzusetzen und Fehlendes zu ergänzen, war ein aufregendes Puzzlespiel und eine wissenschaftliche Leistung ersten Ranges. Aus fünf mit Götterdarstellungen geschmückten Säulentrommeln wuchs mit neun Metern Höhe das unvergleichbar schöne Denkmal – in seiner Art einmalig nördlich der Alpen. Einmalig, obwohl es in den gallischen und germanischen Gebieten genug dieser Denkmäler gibt, die man im italischen Raum nicht findet. »Samus et Severus Venicari f sculpserunt« – den beiden keltischen Bildhauern ist mit der Gestaltung der Reliefs dieses römisch-keltischen Götterhimmels ein Werk von hohem künstlerischen Niveau gelungen. Es ist keine provinzielle Arbeit, sondern ranggleich mit der hauptstädtischen Kunst. Sie zeigt die künstlerischen

Impulse, die aus dem viel stärker romanisierten Gallien kamen, und das Bestreben der Mainzer, am römischen Kulturleben teilzuhaben.

Die Deutung der Göttergestalten der Jupitersäule, die Frage nach den römischen Einflüssen, hat viele Wissenschaftler beschäftigt. So spricht Oxé vom »... echt römischen Charakter der großen Mainzer Säule und des dazu gehörigen Tempelbezirks«, und weiter: »... daß die beiden Geschenkgeber den Ehrgeiz hatten, mit ihrer ungewöhnlich prächtigen Stiftung in der emporblühenden Lagerstadt am Rheine einen geheiligten Mittelpunkt des öffentlichen Lebens zu schaffen, vergleichbar der *area capitolii* in Rom.« Und H. Schoppa schreibt: »Nach ihrem Ideengehalt sollte sie offensichtlich der religiöse Mittelpunkt der Siedlung werden, vergleichbar dem Kapitol in Rom mit dem Heiligtum der Staatsgottheiten, Jupiter, Juno und Minerva ... Die große Mainzer Jupitersäule ist das erste und bedeutendste Beispiel des neuen Stils, der nun vollkommen der offiziellen römischen Hofkunst folgt. Von der Abstraktion und der Freude an ornamentaler Zeichnung der claudischen Epoche ist jetzt nichts mehr zu spüren. Frei bewegen sich die Körper, der Umriß der Gestalt wird lebendig, das Gewand schwingt mit dem Spiel der Gliedmaßen. Sorgfältig werden die verschiedenen Stoffarten in ihrer Eigenart gegeneinander abgesetzt, durch geschickte Verwendung von Licht und Schatten wird die Körperform plastisch herausgearbeitet ...«

Die Säule trägt die Inschrift:

Dem Jupiter Optimus Maximus [haben geweiht] für das Heil des Nero Claudius Caesar Augustus Imperator die Bewohner der Canabae aufgrund eines öffentlich-rechtlichen Aktes [dieses Denkmal], als Publius Sulpicius Scribonius Proculus Oberbefehlshaber war. Diesen Auftrag durchgeführt und die Kosten hierfür übernommen haben Quintus Julius Priscus und Quintus Julius Auctus.«

Quintus Julius Priscus und Quintus Julius Auctus, die mit der Ausführung beauftragten Gemeindevertreter, bewiesen guten Geschmack und Kunstverständnis. Sie holten sich die besten Kunsthandwerker, die damals in Gallien saßen, nach Mainz. Sie und ihre Gemeinde konnten sich das Honorar leisten!

Die meisten Interpretationen der Mainzer Jupitersäule setzen bei religionsgeschichtlichen Fragen an. Hans Ulrich Instinsky richtet sein Augenmerk mehr auf die historischen Hintergründe, die äußerst ergiebig sind. Im Römischen Imperium bürgerte sich mehr und mehr ein, für das Heil des Kaisers Weihungen und Opfer darzubringen, Spiele zu veranstalten, aber auch Standbilder zu errichten und Tempel zu erbauen. Die Statthalter

waren angehalten, die Loyalität ihrer Provinz durch Dedikationen zu beweisen und darüber nach Rom zu berichten. Dabei zeigten sich Provinzstädte viel engagierter und freigebiger als der knauserige Senat in Rom.

Diese Haltung gründet auf der religiösen Sorge um das Wohl des Kaisers, »Sie erwächst aus der Einsicht, daß das Heil des einzelnen gesichert wird allein durch das Heil des Ganzen, dessen Glied er ist. Der einzelne kann sein Heil nicht wahren, wenn das der politischen Gemeinschaft im ganzen gefährdet ist. Das Heil des Staates bedingt das seiner Bürger . . .« [H. U. Instinsky]

Wir sehen also, wie sehr das republikanische Ideengut des freien Bürgers zugunsten des Kaiserkults zurücktritt. Von dem zum Gott erhobenen Kaiser hängt alles ab. Ihm zu Ehren feierte man auch in unserer Provinz seinen Geburtstag, seinen Regierungsantritt und betete an Neujahr zu den Göttern um das Heil des Kaisers – wie auch in Obergermanien »Protokolle« dieser Neujahrsvota bezeugen. Die Errichtung der teuren Jupitersäule aus einem solchen Routineanlaß aber ist unwahrscheinlich.

Das Volk brachte wohl nur dann ein solches Opfer, wenn der Kaiser ernstlich bedroht war, also bei Kriegsgefahr, Aufständen, Krankheit oder gar nach Anschlagsversuchen.

In jener Zeit, in der die Jupitersäule aufgestellt wurde, hätte das Volk zweimal Anlaß gehabt, ein solches Dankopfer darzubringen. Im Jahre 59 n. Chr. hatte Nero seine Mutter Agrippina ermorden lassen und es geschickt verstanden, die Tat als Notwehr hinzustellen und sich damit zu rechtfertigen, daß seine eigene Mutter ein Attentat auf ihn geplant habe. Tacitus berichtet darüber, wie Nero zu seiner Errettung die Glückwünsche nicht nur seiner nächsten Umgebung, sondern auch von Gesandten der Provinzen entgegennehmen konnte. Dies könnte das Ereignis sein, zu dem auch die Mainzer ihr Soll für die beschlossenen Dankopfer erfüllen wollten. Denn die Weihung der Jupitersäule fällt in die Zeit der Statthalterschaft des Publius Scribonius Proculus, die er zwischen den Jahren 58 und 67 n. Chr. inne hatte. Sein Bruder Rufus war zur gleichen Zeit Legat des untergermanischen Heeres, wie eine Inschrift aus Köln besagt. Den historischen Quellen nach müssen sich die beiden Brüder sehr ähnlich und äußerst tüchtig gewesen sein. So erfahren wir bei Tacitus, daß sie im Jahre 58 nach Puteoli (Pozzuoli bei Neapel) entsandt wurden, um in der von Unruhen erschütterten Stadt wieder Ordnung zu schaffen. »Da Mord und Bürgerkrieg drohten, wurde Gaius Cassius abgeschickt, um Maßregeln dagegen zu treffen. Weil er aber den Puteolanern zu streng war, wurden auf seine eigene Bitte hin die Brüder Scribonius mit der Angelegenheit betraut. Sie bekamen eine praetorische Kohorte mit, die die streitenden Parteien in Furcht setzte, so daß mit Hilfe einiger Hinrichtungen die Ruhe wieder hergestellt werden konnte.« (Annalen 13/48) Aber der steilen Karriere der Brüder folgte ein jäher Sturz. Kaiser Nero verdächtigte die beiden – wie viele andere Adlige auch – daß sie an der Verschwörung teilgenommen hätten, die Calpurnius Piso 65 gegen ihn angezettelt hatte. Dieses Komplott wäre der zweite mögliche Anlaß für Dankesbezeugungen an den Kaiser. Nero beorderte die Brüder Scribonius 67 nach Griechenland, wo ihnen der Prozeß gemacht werden sollte. Wie wir bei Cassius Dio lesen, begingen sie Selbstmord, bevor es dazu kam. Später wurde im Senat C. Paccius Africanus beschuldigt, die beiden Brüder denunziert zu haben.

Ein anderes Opfer dieses aufgedeckten Attentats des Piso scheint der Centurio Papirius gewesen zu sein. Zosimus, sein Freigelassener, hat für das Andenken seines Patrons dem Jupiter zu Ehren eine Kupfertafel mit der Inschrift geweiht: »Papirius, Centurio, mit gefährlichem Auftrag vom vespasianischen Feldmarschall Mucianus in Afrika gesandt, dortigen Statthalter L. Piso umzubringen, verlor aber selbst seinen Kopf dabei.«

Daß die Erhaltung Neros durch den vorzeitigen Verrat des Mordanschlags die Mainzer veranlaßt hat, die Jupitersäule in Auftrag zu geben, hält H. U. Instinsky für weniger wahrscheinlich. Die umfangreichen Bildhauerarbeiten hätten zu lange Zeit in Anspruch genommen. Deshalb glaubt H. U. Instinsky, der fingierte Anschlag von 59 sei der Anlaß für die Weihung gewesen.

Wichtig ist in diesem Zusammenhang auch, was K. H. Esser zu den Fragen um die Mainzer Jupitersäule schreibt: »Da jedoch der Aufwand des Werkes über das Maß einer pflichtgemäßen Kaiserhuldigung weit hinaus geht, erhebt sich die Frage, ob die Geldgeber hierdurch nur dem vielleicht wirklich belasteten Oberbefehlshaber zu einer Sicherung der kaiserlichen Huld verhelfen wollten, oder ob nicht eher die Gemeinde durch ein solches in Rom gewiß beachtetes Monument ein wichtiges eigenes Anliegen zu fördern hoffte. Wenige Jahre vorher waren Trier und Köln, der damalige Standort des niedergermanischen Oberbefehlshabers, zu ›Coloniae‹ – zu Städten römischen Rechtscharakters – erhoben worden. Dadurch hatten die Bewohner das entscheidende Privileg der römischen Bürgerschaft erhalten. Sollten vielleicht die Stifter der Jupitersäule auch dieses Ziel verfolgt haben, das eigenartigerweise für Mogontiacum unerreichbar blieb, so lange es erstrebenswert war?«

Über dreihundert Jahre lang stand die Jupitersäule, bis mit der Erhebung des Christentums zur Staatsreligion die Christenverfolgungen in Heidenverfolgungen umschlugen. Der Schutzpatron von Mainz, der Heilige Martin, 375 n. Chr. Bischof von Tours, hat damals sämtliche heidnischen Bildwerke niederreißen und vernichten lassen. Eine Katakombenzeichnung des vierten Jahrhunderts illustriert, wie Christen Skulpturen der alten Götter steinigen und mit dicken Seilen von ihren Postamenten stürzen.

Bilderstürmer wüteten überall. In zwei römischen Brunnen in Finthen bei Mainz lagen nicht weniger als fünf Merkuraltäre und der Bronzekopf eines Gottes. In Alzey wurden in frühchristlicher Zeit beim Bau des Kastells sämtliche Tempel und Kultstätten zerstört: sechs Jupitersäulen, ein thronender Jupiter, Weihesteine für Apollo, drei Merkursteine, ein Doppelrelief mit Vulkan und Venus, zwei Herkulessteine, Weihungen an Fortuna, Mithras, Nymphen und noch andere.

Samus und Severus hätten sich nicht träumen lassen, daß eine Nachbildung ihres Werkes zweitausend Jahre später vor dem Parlamentsgebäude von Rheinland-Pfalz allabendlich im Scheinwerferlicht erstrahlen würde. Das Original dieses Mainzer Wahrzeichens ist im Steinsaal des Mittelrheinischen Landesmuseums zu sehen. Ein Abguß davon befindet sich im Museum del Impero in Rom und ein anderer im Gallorömischen Museum in Saint-German en-Laye. Ganz in der Nähe der Saalburg bei Bad Homburg vor der Höhe steht eine Kopie mit der Figur des Jupiters ergänzt. Wer sich beim Verlassen der Saalburg nach rechts wendet, wird sie in zwei Minuten auf einer kleinen Waldlichtung finden.

Römischer Götterhimmel

Eine große Zahl römischer, gallischer und germanischer Götter bevölkerte das Mainzer Pantheon. Die vielen Weihe-Inschriften und Altäre müssen aus Tempeln stammen, die ihnen fromme Bürger errichtet haben. Kultischer Zentralpunkt war vielleicht ein Apollotempel im heutigen Dombereich, wo zwei Apollo-Altäre gefunden wurden.

In Apollo beteten die Mainzer den Beschützer ihrer Stadt, den Hüter ihres Gemeinwesens, den keltischen Gott Mogon an. Eine weibliche Göttin Dea Mogontia ist in Metz bekannt. Sonst erscheint Mogon nur noch an der Nordgrenze des Römerreiches, in Britannien. Antike Mainzer, Angehörige der Cohors I Vangionum, die zwischen 103 und 124 n. Chr. am Hadrianswall in Garnison lagen, haben ihren Gott dorthin mitgenommen. Diese Truppe rekrutierte sich aus den Vangionen, die hauptsächlich um Worms und bis Mainz hinauf siedelten. Der schon erwähnte Legionslegat Quintus Aurelius Polus Terentianus und sein Sohn opferten Apollo. Terentianus hat aber auch den Hauptgott der Daker, Liber, der ihm während seines Aufenthaltes in Dakien göttlichen Beistand gewährte, nicht vergessen und ihn dankbar in die Weihung eingeschlossen: »Liber und Apoll zum Heil des Kaisers . . .«

Keine Frage, in dieser Garnisonsstadt haben die Legionäre ihrem Kriegsgott Mars Tempel erbaut; ein Altar für Mars und Victoria und eine sehr interessante Schenkungsurkunde an den Gott selbst bezeugen dies. »Dem Mars Leucetius hat Lucius Julius B . . . und . . . ulla die Benutzung der Quelle und des Weges zum Tempel, nebst dem Recht des Fahrens und Treibens durch seine Besitzung eingeräumt. Die Gemeindegenossen Aresaces haben von Gemeinde wegen diesen Stein gesetzt.«

Aus diesem Text geht hervor, wie penibel die Römer in Rechtsfragen waren. Hier wird doch tatsächlich dem Gott ausdrücklich der Durchgang durch ein Privatgrundstück zu seinem Tempel gestattet. Sicher hat man damit auch den Gläubigen, die den Tempel besuchten, das Wegerecht und die Erlaubnis erteilt, sich an der von der Quelle des Lucius Julius B... zum Tempel führenden Wasserleitung zu erfrischen. Die erwähnten Aresaces, ein Teilstamm der Treverer, saßen in der Gegend von Klein-Winternheim.

Der kleine Händler und der große Kaufherr flehten zu Merkur, dem Gott der Kaufleute und Diebe, um gute Profite. Titus Indutius Victor hatte gelobt, Merkur einen Tempel zu schenken, und nach erfolgreicher geschäftlicher Transaktion dieses »Gelübde gerne und freudig nach Gebühr« eingelöst.

Von Rosmerta, der gallischen Gefährtin des Gottes aus seinem Heiligtum bei Finthen, besitzt das Mittelrheinische Landesmuseum den besonders schönen Bronzekopf eines Kultbildes, das um 100 n. Chr. in Südgallien entstanden ist.

Wenn die Untertanen ihrem göttlichen Kaiser huldigten, ließ römische Klugheit und Toleranz neben Diana, Fortuna, Herkules, Minerva, Mars, Victoria und Luna auch die einheimischen Götter gelten, ja setzte sie ihren eigenen Göttern gleich und vermählte sie, um die Bande noch enger zu knüpfen, mit einheimischen Göttinnen. Die keltische Rosmerta begleitet oft Merkur, Heilgöttin Sirona erscheint als Gefährtin des Apoll, und Nemetona folgt getreulich ihrem Mars. Aber die lokalen Götter wurden nicht nur von Einheimischen verehrt, auch waschechte Römer, selbst Statthalter und Kaiser, stellten sich gut mit ihnen und versicherten sich ihres Wohlwollens.

Der gallischen Pferdegöttin Epona haben der Tribun der Legio XXII, Pomponius Secundus, und Kriegstribun der XXII., Titus Flavius Claudianus aus Antiochia in Syrien, eine Weihung dargebracht. A. Didius Gallus Fabricius Veiento, bereits zum dritten Mal Konsul, pilgert mit seiner Gattin Attica zum Heiligtum der Gefährtin des Mars, zu Nemetona, östlich des Legionslagers bei Klein-Winternheim. Das Ehepaar bittet die Göttin um Beistand, wie aus der Inschrift der dedizierten Bleitafel hervorgeht. Es ist das Jahr 83 n. Chr. Der furchtbare Chattenkrieg hat begonnen! Didius Veiento – einer der hervorragendsten Köpfe der römischen Reichspolitik – war ein Talleyrand der Antike! Zuerst ein enger Vertrauter Neros, errang er auch die Gunst seines Nachfolgers Vespasian. Domitian schätzte Veientos Rat ebenfalls so hoch, daß er sich im Sommer/Herbst des Kriegsjahres 83 von ihm nach Mainz begleiten ließ.

Die Galerie hoher Persönlichkeiten und die vielen Kaiserbesuche lassen erkennen, welche außerordentliche Rolle die Rheinprovinz in der römischen Geschichte gespielt hat. Vor der suggestiven Größe der Hauptstadt Rom wird das allzu leicht vergessen.

Der Wallfahrtsort der germanischen Muttergottheiten, der Deae Aufaniae, war Bonn, bekannt vor allem durch das Monument der »Aufanischen Matronen« des Kölner Stadtkämmerers: drei sitzende Frauen, in lange Gewänder gehüllt, mit den typischen Hauben, Attribute der Fruchtbarkeit in Händen haltend. Sie hatten auch in Mainz ihre Gläubigen, ebenso wie die germanische Hlucena, in Mainz »Lucene«, die mit der keltischen Virodactis identisch ist.

Wohin der antike Mensch sich wenden mochte, er war behaust und geborgen in seiner Religion. Jeder Baum, jeder Quell war Heimstatt göttlicher Wesen. Beugte der Wanderer sich nach langer Reise zum Brunnen, wußte er ihn von Nymphen beseelt und bewacht. Schöpfte der Landmann Wasser und legte sich müde in den Schatten des Baumes, tränkte der Hirte die Tiere, dankte er den Nymphen für das alles Leben nährende Wasser. Bukolische Heiterkeit Arkadiens, die die Natur als geheiligtes Geschenk begriff, sie nicht zu zerstören wagte!

Die Straßenbrunnen in Mainz waren – wie überall in den Städten – mit Statuetten für die Nymphen geschmückt. Und natürlich fühlte sich ein Aufseher der Wasserleitung besonders verpflichtet, dem Schutzgeist seiner Anlage einen Altar zu weihen.

An den Kreuzungen begegnete der Wanderer Altären der altrömischen Kreuzweggottheiten, den Lares compitales. Dorthin zogen die Sklaven und Armen, die keinen eigenen Larenschrein besaßen, und beteten, die Reisenden hielten ihre Andacht und brachten Opfer dar. In den Kapellen der Kreuzweggottheiten wurde im Januar das Fest der einfachen Leute gefeiert.

Die Legionäre opferten der Kriegsgöttin Minerva, Herkules, dem Repräsentanten der Körperkraft; Victoria, der Siegesgöttin; Fortuna redux, der Glücksgöttin, die den Krieger gesund aus der Schlacht zurückführte; Fortuna salutaris, der Göttin des Heils.

Aber dies war ihnen offenbar noch nicht genug. Die Stabsabteilung des Hauptquartiers des Provinzialheeres ging mit gutem Beispiel voran und errichtete ihre eigene Kultstätte. Beim Legionslager auf dem Kästrich wurden Spuren eines Heiligtums für Apollo und Diana gefunden, denen die Soldaten der XXII. Legion ihre Anliegen vorbrachten, so auch der Aufseher der Exerzierhalle im Jahre 196 n. Chr.

Eine besondere Verehrung bei den Legionären genossen die Genien, die Schutzgeister des persönlichen Lebens. Aber nicht nur einzelnen, auch

Gruppen und Verbänden, wie den Centurien, und Orten, wie dem Legionslager, gewährten die Genien Schutz. Diesen Glauben bezeugt die Inschrift an einem Altar, den der Ingenieur Aelius Verinus und der Waffenwart Geminius dem Genius ihrer Centurie weihten.

Dann aber begannen Macht und Ansehen der römischen Götter zu verblassen. Neue religiöse Vorstellungen und Formen des Glaubens, die die Sehnsucht nach einer weltumfassenden Gotteskraft ahnen lassen, brachen sich Bahn. Mit dem Heer kamen Mithras, Attis und Sol an den Rhein.

Wann das Christentum zuerst in Mainz auftrat, ist schwer zu sagen. Denn die Lehren des Erlösers Jesus Christus breiteten sich zuerst unter der ärmeren Bevölkerung aus, schlugen Wurzeln bei Leuten, die kein Geld für Grabsteine erübrigen konnten und unter einer einfachen Steinrolle ohne Inschrift ruhten. Deshalb sind erste christliche Spuren selten. Ein einziger frühchristlicher Kultraum ist am Albansberg entdeckt worden. Dort wurde auf dem römischen Gräberfeld der Stadtbevölkerung von Mogontiacum – also der Zivil-Nekropole unterhalb des Albansbergs – nach 406 die Friedhofskirche St. Alban errichtet und hallte das erste Kyrie eleison.

Gräberstraßen und Totenfelder

Vom Leben der antiken Menschen, ihrem Alltag, ihren Gewohnheiten, ihren Spielen, erzählen vor allem die Grabbeigaben, Gegenstände, die den Toten lieb geworden waren und die man ihnen mitgab auf die letzte Reise: Lampen, mehr oder weniger kostbare Gefäße für die Wegzehrung – und ihr Persönlichstes: Spiegel, Parfümflaschen, Ringe, Fibeln, Glasperlen, Löffel, auch kleine Holzkästchen, vielleicht mit Nähzeug, Toilettegerät oder Schmuck. Auf keinen Fall war das Fährgeld für die Überfahrt über den Styx in den Hades vergessen.

Die Alten glaubten, der Tote lebe dort weiter, wo er beerdigt lag. Deshalb die Grabstelen, die Säulen und bei größeren Grabmonumenten das angedeutete Dach, die das Haus versinnbildlichen. Selbst an Innenwänden von Sarkophagen hat man die Wohnung des Lebenden als Relief abgebildet, das Bett im Triclinum, den Schrank, das Atrium oder die Säulen des Peristyls, wie ein Sarkophag im Römisch-Germanischen Zentralmuseum in Mainz veranschaulicht.

Es war Brauch, die toten Legionäre und die Verstorbenen der Lagervorstadt gemeinsam am Rande der Canabae legionis zu bestatten, die Toten der Bürgersiedlungen aber in eigenen Gräberfeldern beizusetzen.

In den ältesten Gräbern aus augusteischer und tiberischer Zeit liegen die Angehörigen der XIV. und XVI. Legion im bekannten großen Militärfriedhof 200 Meter von der Südecke des Lagers entfernt bei Fort Stahlberg. Der andere größere römische Militärfriedhof erstreckt sich zwischen Fort Stahlberg und Zahlbach, wo von Mitte bis Ende des ersten Jahrhunderts bestattet wurde. Auch im Gebiet des heutigen Friedhofs und entlang der Römersteine am Aquädukt wurden Legionssoldaten, Auxiliare sowie Sklaven und Freigelassene begraben.

Die Nekropole (das Gräberfeld) der XXII. Legion, die seit Ende des ersten Jahrhunderts bis zum Ende der Römerherrschaft in Mainz stationiert war, lag am Albansberg. Zivile Bürger des antiken Mainz fanden im Gebiet der heutigen Wallstraße und auf einem Gräberfeld zu beiden Seiten der Kurfürstenstraße ihre letzte Ruhestätte.

Mehr noch sagen die Inschriften und Reliefs auf den hunderten von Grabsteinen der Mainzer Nekropolen aus. Sie bringen uns die Schemen dieser Toten aus dem Schattenreich zurück, bringen uns ihr Leben wieder nahe, erzählen im knappen Code römischer Grabinschriften Romane und Schicksale.

Die Soldatengrabsteine tragen stets die Vor- und Nachnamen, bei Freigeborenen den Namen des Vaters, den Stimmbezirk, in dem sie Wahlrecht hatten, Dienstgrad und Dienstzeit. Vermerkt wird auch der Stifter des Steins, entweder ein naher Angehöriger oder der vom Verstorbenen eingesetzte Erbe, manchmal aber auch die ganze Lebensgeschichte, die Klage um den Toten, wie auf diesem Grabstein aus Bretzenheim bei Mainz: »Gaius Julius Niger, des Gaius Sohn, aus der Voltinischen Tribus [Stimmbezirk] von Carcaso [Carcasonne, Provinz Languedoc, in Frankreich] Soldat der II. Legion, 45 Jahre alt, im Dienst 17 Jahre, liegt hier. Fremdling, weile und lies, was in wenigen Zeilen gesagt ist: für die ewige Zeit ist hier mein heimisches Haus. Hier wird Julius selbst sein, hier in dem Grabhügel verschlossen, hier aus dem teuern Leib wieder zu Asche geworden. Als ich nach den Jugendjahren mich des reifen Alters erfreute, ebenda kam meinem Geschicke das Ziel. Zum letzten ist mir geworden das fünfundvierzigste Jahr: da nahte mir der verhängnisvolle, bittere Tag. Hier nun bin ich gezwungen, jenseits der Stygischen Sümpfe zu wandeln; an ewigen Stätten hält mich mein Schicksal gebannt. Wohl erinnere ich mich, von Caelia geboren zu sein und meinem Vater Carus, und als Soldat habe ich mit mutiger Ausdauer die Waffen getragen. Die harte Jugendzeit hat mir keine Genüsse gewährt, und nun liegen die entstellten Glieder in Staub und Asche. Gaius Julius, sein Verwandter,

Soldat der II. Legion, welcher sein Erbe ... [ließ ihm den Grabstein setzen].«

Und dieser: »Gerade hatte er ein Alter von zweimal zwölf Jahren erreicht, da entriß ihn der feindselige Tod seinem Geschick. Als das seine Mutter erfuhr, wehklagte sie um ihn, es beweinten ihn die Gefährten; es hätte ihn sein Erzeuger beweint, aber dieser war selbst schon vorzeitig gestorben; seine eigenen Verwandten hatte er in weiter Ferne zurückgelassen; sie hätten zur Genüge das Gepränge meiner Bestattung besorgt. Proculus, welcher den Grabstein setzen ließ, grub schmerzvoll Grabschrift und Namen seines Gefährten ein. Dies der Liebe zu Ehren! Du [o Leser] sei glücklich, lebe wohl, lange noch möge dich dein Ursprung bewahren, dem Clarus aber rufe ich zu: leicht sei dir die Erde! Sein Kamerad Lucius Valerius Proculus ließ ihm aus eigenen Mitteln diesen Grabstein setzen.«

Wer war der parthische Reiter, ein wilder, stolzer Nomade, der mit seinem Bruder – wie die meisten Bogenschützen des römischen Heeres – im arabisch-syrischen Raum ausgehoben und ans andere Ende des Reiches nach Mogontiacum verschlagen worden war, hier kämpfte und starb? »Maris, Sohn des Casitus, 50 Jahre [alt] [mit] 30 Dienstjahren, von der Ala der Parther und Araber, aus der Turma des Variagnis Masicates, sein Bruder und Tigranus haben [den Grabstein] gesetzt.«

Dieser Grabstein ist ein interessanter Fund der letzten Jahre und ergänzt die Reihe der bekannten Mainzer Reitergrabsteine des Romanius, des Silius, Andes und so fort.

Nebeneinander begraben lagen Markus Dipponius Icco, 26 Jahre alt, 6 Dienstjahre, aus Salzburg, der dreißigjährige Gaius Coelius Passus aus Toulouse und Gaius Helvius Sabinus, ebenfalls 30 Jahre alt, aus Viana in Rätien stammend. Ihre Grabsteine sind in der Zeit zwischen 43 bis 70/71 n. Chr. gesetzt. Vielleicht sind die drei Soldaten der IV. Legion Macedonica bei einem Kampf gegen die einfallenden Germanen umgekommen und gemeinsam bestattet worden.

83 bis 85 n. Chr., Chattenkrieg. Für die Römer so entscheidend, daß in diesen Jahren Kaiser Domitian selbst die Operationen, die von Mainz ausgingen, leitet und sich bei seinen Soldaten an der Front aufhält. Einer seiner »berittenen kaiserlichen Leibwächter, Flavius Proclus aus ... odelpia«, (vielleicht aus Philadelphia in Ostjordanien) ist hier mit 21 Jahren gefallen.

Bei diesem Feldzug kam in Wiesbaden wahrscheinlich auch »Caius Valerius Crispus, des Caius Sohn, aus Berta [einer Stadt in Macedonien] und der Menenischen Tribus angehörig, Soldat der VIII. Legion [mit dem Beinamen Augusta], 40 Jahre alt, mit 21 Dienstjahren ums Leben. Sein Sohn hat [das Denkmal] herstellen lassen.« Die VIII. Legion Augusta war damals in Straßburg stationiert, wurde mit der I. und XXI. Legion nach Mainz geworfen und mit der dort liegenden XIV. Gemina vereinigt. Es war dies die größte Zusammenballung von Truppen, die aus der römischen Militärgeschichte bekannt ist.

Blutjung zog Caius Octavius Octavius, der Sohn des Caius, mit der Vierzehnten ins Feld. Er stammte aus dem Verwaltungsbezirk Voturia, Piacenza in Norditalien, und hatte sechs Jahre gedient, als er mit 26 Jahren sterben mußte.

Nach dem Sieg der Römer kommt endlich die lang ersehnte Befriedung. Die XXII. Legion Primigenia, die für ihre bewährte kaisertreue Haltung beim Saturninus-Aufstand 89/90 n. Chr. und dafür, daß sie ihn niedergeschlagen hat, die Ehrenbezeichnung »Pia Fidelis« [die rechtschaffene, getreue], erhalten hatte, wird um 92 n. Chr. von Xanten nach Mainz verlegt, bleibt »Hauslegion« der Mainzer und untrennbar mit den Geschicken der Stadt verbunden bis zum Untergang des Römischen Reiches.

Mit vielen anderen Angehörigen dieser Legion liegt hier begraben: »Marius Cornelius Optatus, Sohn des Marcus, aus der Voltinischen Tribus, aus Aquae Sextiae, von der Centurie des Quintus Statius Proxumus, 11 Dienstjahre, laut Testament wurde der Stein gesetzt.« Auch der Centurio Aelius Maximus von der Zweiundzwanzigsten ließ seinem Sklaven Epigonus, der mit 25 Jahren hier starb, einen Grabstein setzen.

In Friedenszeiten ließ es sich als Legionär anscheinend recht gut leben. Einige fanden so sehr Gefallen daran, daß sie über ihre Zeit hinaus Soldat blieben; so auch der 48 Jahre alte Veteran Tallius Priscus, Sohn des Gaius, aus der Tribus Fabia, der 27 Jahre in der Spezialeinheit des Publius Atilius Crispus der XIV. Gemina tätig war. Auch Theander, der Sohn des Aristomenes aus Kreta, hatte im Verlauf seiner 26jährigen Dienstzeit in Mainz Wurzeln geschlagen. Mit 19 Jahren war er zum Heer gekommen und Unteroffizier in der I. norischen Kohorte geworden. 23 Jahre diente der Primus Aebutius, Sohn des Lucius, aus der Tribus Neturia [Piacentia] und starb fünfundfünfzigjährig in Mainz.

Eine lange militärische Laufbahn hatte auch »Ritter Titus Flavius Salvianus, gewesener Praefect der Divitiensischen Späher, vom vierten Dienstgrade«, hinter sich, als er hier starb und sein Freund, Legionszugführer Baebius Isidorus, ihm den letzten Freundesdienst erwies und den Grabstein setzte.

Mancher Soldat brachte seine Familie mit oder ließ sie nachkommen, wenn er in der Legion und im Standort eine gesicherte Position erworben hatte. So der Syrer Faustinius Faustinus, den seine Mutter Gemellinia Faustina und seine Schwester Faustinia Potentina begleiteten. Als sie ihn in Mainz zu Grabe trugen, war Faustinius erst 25 Jahre alt, und die beiden Frauen mußten sich allein durchs Leben schlagen. Ob sie wohl hier geblieben oder in ihre alte Heimat zurückgekehrt sind?

In einem Sarkophag mit Inschrift ließ die Römerin Valeria Rufina ihren Sohn, den Ritter Markus Aurelius Rufinus, auf dem Gelände ihrer Villa in Hechtsheim, beisetzen. Neben ihm war ein inschriftloser Sarkophag versenkt, der vielleicht die Gebeine der Mutter barg.

Ein andermal lautet die Grabschrift: »Allia, . . . Jahre alt, die Mutter des Ruto, Sohn des Mattiacus, ein Cairacese aus der Curia Flacci, hat für sich und den Sohn den Grabstein gesetzt.« Hier hat die Mutter bereits zu Lebzeiten ihren Namen mit eingravieren lassen, da aber die Eintragung ihres Alters fehlt, ist nicht zu sagen, ob sie dann auch hier begraben wurde. Dieser Text gibt aber noch mehr Rätsel auf. Ruto besaß noch nicht das römische Bürgerrecht, denn er hatte keinen Beinamen. Er war Zivilist und hat nie in der Legion gedient. Was war er von Beruf? Woher kam er? Der Vatername Mattiacus weist auf ein näheres Verhältnis zum Stamm der Mattiaker hin; nicht selten werden Stammesnamen als Eigennamen gebraucht. Problematisch aber ist der Name des Stammes, dem der Tote angehörte: es muß sich um einen Stamm handeln, der in der Nähe von Mainz siedelte. H. U. Instinsky denkt an die Caeracaten. Auch die Bedeutung der Curia Flacci ist den Gelehrten noch nicht ganz klar.

Ein wahrer Methusalem war der Privatmann Pusa, ein Kelte, dessen Grabstein in Weisenau an der ehemaligen Römerstraße zutage kam und die lapidare Inschrift trägt:

»Pusa, Sohn des Trougillus, 120 Jahre alt, liegt hier

Prisca, des Pusa Tochter, 30 Jahre alt, liegt hier

Vinda, des Ategniomaris Tochter, wird hier liegen – 80 Jahre alt.«

Tiefer Schmerz spricht aus den Worten des Legionszugführers Primulus, die er seiner Gattin auf ihren Steinsarg mitgab:

»Den Schattengöttern, Primanius Primulus, Centurio der XXII. Legion Primigenia pia fidelis, ließ seiner süßesten Gattin Augustalinia Afra, die 21 Jahre, 4 Monate und 28 Tage lebte, und Lucana Summula, die Mutter, für ihre Tochter und Augustalinius Afer, ihr Bruder und Primania Primala, ihre Tochter, [diesen Sarg] machen.« Fast wie in einer heutigen Todesanzeige finden wir hier mit dem trauernden Gatten die ganze Familie im Nachruf vereinigt.

Auf einem altarförmigen Grabstein, den ein Sklavenpaar seinem Sohn setzen ließ, lesen wir:

»Diesen Altar [weihten] den Schattengöttern und der Unschuld des Hipponikus, des Sklaven der Dignilla [der Gemahlin] des Junius Pastor, des Legaten der XXII. Legion Primigenia pia fidelis, seine Eltern Hedypes und Genesia. Sobald er das Jünglingsalter erreicht hatte, stark an Kräften, von schöner Gestalt, dem Cupido an Antlitz und Haltung vergleichbar, ja ich scheue mich nicht zu sagen, schön wie Apollo; da mißgönnten ihm die Parzen, nachdem er dreimal hundert und dreimal zehn Tage erfüllt hatte, den Geburtstag feierlich zu begehen, und so lieb er auch war den Freunden, durch den Neid der Himmlischen hörte er auf, ein Gegenstand der Liebe zu sein.«

In der Inschrift wird betrauert, daß Hipponikus 35 Tage vor Vollendung seines wohl fünfzehnten oder sechzehnten Lebensjahres sterben mußte. Er scheint der Liebling der Herrschaft und des ganzen Hauses gewesen zu sein. Sicher hat seine Herrin Dignilla, deren Gatten, den Staatsbeamten A. Junius Pastor L. Caesennus Sospes, den wir bei unserem Weg durch das antike Mainz kennengelernt haben, mit dazu beigetragen, daß Hipponikus ein aufwendiges Grabmal bekam.

Auch diese Sklaveneltern ließen es sich etwas kosten, ihr halbjähriges Kind zu bestatten. Sie wählten Reliefs mit Totensymbolen für den Grabstein und bestellten die Inschrift: »Den Schattengöttern, Telesphoris und ihr Gemahl, die Eltern, ließen ihrer süßesten Tochter diesen Grabstein setzen. Klagen muß man über das süße Mädchen! O daß Du nie gewesen wärest, wenn Du so lieb werden solltest und doch bei Deiner Geburt Dir bestimmt war, in kurzem dahin zurückzukehren, wo du uns gegeben, seinen Eltern zum Harme! Die Hälfte eines Jahres lebte es und der Tage acht. Aufblühte die Rose zugleich und verwelkte alsbald.«

Ein inniges gegenseitiges Verhältnis zwischen Herr und Sklave spricht aus den Zeilen so manchen Nachrufs. Man spürt, daß nicht nur eine Arbeitskraft gegangen war, sondern ein Mensch, den man schätzte und liebte: »Treu und ohne Schuld lebtest du, Gavius! Dies deinen Verdiensten! Leicht sei dir die Erde!« Eine andere Inschrift lautet: »Gaius Seccius Lesbius, des Gaius Freigelassener, liegt hier. Als mir die erste Jugendzeit kaum frische Blumen streute, ach! da hatte ich Armer keinen Genuß meines Alters, als ich zweimal zehn Jahre alt war, nahte sich mir das feindliche Todesgeschick, und es seufzt jener Seccius über den schweren Verlust. O ihr Götter! möge er, ich bitte darum, für meinen Heimgang entschädigt werden und der Seinigen mehr behalten können! Er widmete Grabmal und Inschrift mir zur Ehre und macht seinen eigenen Namen zum Gegenstande der Tränen. Dem Wohlverdienten!«

Auch die Sklaven gedenken nach ihrer Freilassung ihrer ehemaligen Herren: »Den Schattengöttern. Der Oclatia Masuonia, seiner liebevollsten Patronin, und auch für sich ließ ihr Freigelassener Oclatius ... ncario, bei seinen Lebzeiten auf seine Kosten diesen Grabstein setzen.«

Einen Fall aus der Kriminalgeschichte des antiken Mainz schildert der Patron des Freigelassenen Jucundus auf dessen Grabmal:

»Jucundus, des Marcus Terentius Freigelassener, Viehzüchter.

Vorübergehender Wanderer, wer auch immer es liest, bleib stehen und sieh,

wie unwürdig dahingerafft ich vergebliche Klage erhebe.

Leben konnte ich nicht länger als 30 Jahre,

dann entriß ein Sklave mir das Leben

und er selbst stürzte sich kopfüber in den Strom.

Es raubte diesem der Main, was er seinem Herrn entriß.

Sein Patron ließ auf seine Kosten [diesen Grabstein] setzen.«

Das Ehrenmal des großen Feldherrn

Das Grabmal für den größten Römer, dessen Schicksal mit dem Germaniens aufs engste verbunden ist, und der in Germanien starb, ist das Monument für den Feldherrn Drusus in der Zitadelle von Mainz. Wo heute nur noch eine zerfressene Ruine steht, ragte einst an der römischen Fernstraße nach Straßburg und Basel 25 Meter hoch das »Monumentum apud Mogontiacum«, wie Eutrop niederschrieb. Nicht nur er, der jahrzehntelang in der kaiserlichen Kanzlei tätig war, auch Sueton und Cassius Dio berichten vom Ehrengrab des Drusus am Rhein.

Jeder Mainzer kennt den Grabturm als »Drusus«- oder »Eigelstein«. So wird er schon in Quellen aus dem dreizehnten Jahrhundert genannt. Wahrscheinlich ist das Wort von römisch »Aquila« (Adler) abgeleitet, was bedeuten könnte, daß ihn damals noch ein Adler krönte oder zumindest die Überlieferung davon lebendig war. Der Adler, Jupiters heiliges Tier, auf einem Grabmal, symbolisierte bei den Römern die Hoffnung, daß der Tote in den Himmel aufsteigen werde. Im 16. Jahrhundert kam die Bezeichnung »Eichelstein« auf. Dieses Wort könnte vom mittelalterlichen »Agila« (Obelisk oder hochragendes Denkmal) stammen und besagen, daß der Adler schon zerstört oder heruntergenommen war.

1 Legionäre auf Wache vor dem Legionslager. 2. Jahrzehnt des 2. Jahrhunderts.
Relief der Trajanssäule, Rom

2—4 Säulensockel, wahrscheinlich aus dem Praetorium des Lagers auf dem Kästrich, Mainz
Legionäre auf dem Marsch und beim Angriff; gefesselte Germanen, Spät. 1. Jh. n. Chr. Mittel
rheinisches Landesmuseum, Mainz

5 — 6 Keltische Silbermünze, 3. — 2. Jh. v. Chr. Röm.-Germ. Zentralmuseum, Mainz

Unten: 7 Armbandbörsen aus Heddernheim (Nida)

8 Relief eines Grabmals aus Neumagen. Die Hausfrau bei großer Toilette. Landesmuseum Trier

9 Bruchstück eines Reliefs vom Negotiatoren-Monument aus Mainz: Ein Schiff wird beladen
Mittelrheinisches Landesmuseum, Mainz

Grabstein des Reeders Blussus aus Mainz-
eisenau mit Rheinschiff auf der Rückseite.
Viertel 1. Jh. n. Chr. (Bild- und Schrift-
te).

eeder Blussus, Sohn des Atusirus, fünfund-
bzig Jahre alt, liegt hier begraben. Seine Frau
enimani, die Tochter des Grigio, hat das Denk-
l zu ihren Lebzeiten gestiftet. Ihr Sohn Primus
t es den Eltern gesetzt aus Frömmigkeit."
ttelrheinisches Landesmuseum, Mainz

11 Kopf einer Marmorstatue des Augustus oder des Gaius Caesar. Mainz.
Mittelrheinisches Landesmuseum, Mainz

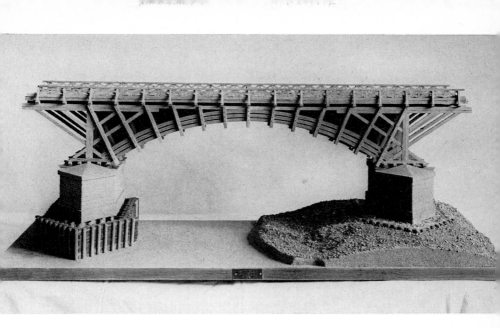

12 Modell der römischen Rheinbrücke, Mainz.
Mittelrheinisches Landesmuseum, Mainz

13 Helm eines Fußsoldaten. Museum für Vor-
und Frühgeschichte, Frankfurt/M.

14 Aus der Waffenschmiede des Militärdepots,
wo er sich wohl zur Reparatur befand, stammt
der reichverzierte Paradehelm (2. Jh. n. Chr.).
Museum für Vor- und Frühgeschichte, Frank-
furt/M.

15 Lebensgroßer Bronzekopf der Göttin Rosmerta aus dem Merkurheiligtum von Finthen (Rheinhessen). Mitte 2. Jh. n. Chr., Mittelrhein. Landesmuseum, Mainz

16 Bronzeschminkkästchen mit Linienziselierung. Darin waren Reste von Fettschminkestäbchen. Aus einem Grab des 3. Jahrh. n. Chr. in Nida. Museum für Vor- und Frühgeschichte, Frankfurt

Drehbares Kult-
d des Mithrasaltars
dem sogenannten
ten Mithraeum
n Nida (Frankfurt-
ddernheim)
dtisches Museum,
esbaden

Römischer Silens-
f aus Bronze als
sserspeier.
edernberg.
seum Aschaffen-
g

Nachbildung des
hwertes des
erius" aus Mainz.
m. Germ. Zentral-
seum, Mainz

20 Reste der Pfeiler
des Aquaedukts im
Zahlbachtal, Mainz

21 Drusus- oder Eichel-
stein in der Zitadelle
von Mainz, 22 m hoch
erhalten

2. Rekonstruktion der großen Mainzer Jupitersäule, mit der Figur des Jupiters ergänzt, i der Saalburg

23 Vorhalle des Verwaltungsgebäudes, der Principia des Saalburgkastells

24 Wehrmauer der Saalburg

25 Mannschaftsunterkünfte an einer Lagerstraße, Saalburg

26 Gladiatorenkrug, Sigillata in Barbotinetechnik aus Rheinzabern. 2. Hälfte 2. Jh. n. Chr. Histor. Museum der Pfalz, Speyer

27 „Feldflasche", Terra Sigillata. Mainz. Mittelrheinisches Landesmuseum, Mainz

Kranich-Kelch
Ateius, Terra
llata, aus dem
nzer Legions-
.r.
telrheinisches
desmuseum,
nz

29 Gesamtansicht einer bemalten Wand im Kastell Echzell, teilweise rekonstruiert. Bildsoc
ergänzt. Saalburgmuseum

30 Ausschnitt der Wandmalerei im Kastell Echz
Fortuna und Hercules. Kopie nach dem Original. S;
burgmuseum

Kreuznacher Gladiatoren-Mosaik. Um 250 n. Chr. Heimatmuseum, Bad Kreuznach

32 Ausschnitt eines Mosaikbodens „Meeresreigen" aus den römischen Heilthermen in Bad Vilbel. 2. Hälfte 2. Jh. n. Chr. Landesmuseum Darmstadt

NVMPHIS
SAGRVM
COHERA
CRCVII
PREEST
LSEXTI
VSVICTR
PPRAEFCT
ILN

33 Altar an die Nymphen, vom Praefekten der II. Raeterkohorte L. Sextius Victor gewe
Original im Fahnenheiligtum der Saalburg, Nachbildung neben dem Mithraeum bei der Saalb
Eineinhalb Kilometer von der Saalburg entfernt an der Quelle des Kirdorfer Baches gefun(

Gehen wir zurück ins Jahr 9 vor Christus, als Drusus auf seinem Vormarsch in Germanien bis zur Elbe vordrang, bei der Rückkehr aber dann verunglückte. Dreißig Tage rang er mit dem Tod. Sein Bruder Tiberius eilte in einem Gewaltritt von Ticinum (Pavia) über die Alpen nach Mainz. Von da reitet er, allein von dem Germanen Abadag begleitet, die letzten dreihundert Kilometer Tag und Nacht. Doch er kann vom sterbenden Drusus nur noch den Oberbefehl über das Heer entgegennehmen. Die Truppen haben auf dem Rückmarsch den Rhein noch nicht erreicht, als Drusus am 14. September des Jahres 9 v. Chr. stirbt.

Nun tragen die Tribunen und Centurionen ihren toten Feldherrn zurück zum Winterlager, von dem der Feldzug ausgegangen war. Dies kann nur das Legionslager in Mogontiacum gewesen sein, das Drusus um 12 v. Chr. für die Offensive gegen die Germanen gegründet hatte.

Es heißt, die Soldaten hätten ihren Drusus gern in Mainz begraben. Doch der Leichnam wurde nach Rom gebracht, um auf dem Marsfeld verbrannt zu werden. Das Heer mußte im Winterlager an seiner Bahre Abschied von dem verehrten und geliebten Feldherrn nehmen.

Gäbe es nur Bilder von diesen Trauerfeierlichkeiten! Welch ein ergreifendes Schauspiel muß es gewesen sein: das gesamte obergermanische Heer in Mainz versammelt, um das Totenritual zu zelebrieren! Nach altem Brauch erhoben die Soldaten die Totenklage, und die Kohorten begannen, wie es ihr Vorrecht war, zu Fuß und zu Pferde die Decursio, das heißt den Umlauf um den aufgebahrten Heerführer. Dabei warfen sie als Totenopfer Auszeichnungen, die der Tote ihnen verliehen hatte, in den Scheiterhaufen. Mit welcher Faszination und bewundernden Furcht mögen die ansässigen Kelten und Germanen auf die darauffolgenden Waffen- und Reiterspiele gestarrt haben . . .

An der Stelle, wo den antiken Quellen zufolge das Heer seinem Feldherrn Drusus einen symbolischen *tumulus* (Grabhügel) aufgeschichtet hat, ist später der Kenotaph errichtet worden. Dort haben die Legionäre alljährlich an Drusus' Todestag mit kultischen Spielen den Manen (Schattengöttern) des Verstorbenen gehuldigt – neben einem Altar den Scheiterhaufen entzündet und nach vorgeschriebenen Zeremonien den Toten geehrt.

Der junge, strahlende Drusus war die Hoffnung des Reiches gewesen. Sein früher Tod verklärte noch das Bild dieses Lieblings des Volkes. Anfang des Jahres 9 v. Chr. war er zum Konsul ernannt worden. Als Statthalter Galliens hatte er sich große Verdienste erworben, so daß sein Sohn, Germanicus, als Befehlshaber der Rheinlegionen, stolz die Zuneigung der Gallier für seinen Vater rühmt. Als Germanicus bei den Kämpfen im Jahre 16 n. Chr. einen von den Germanen zerstörten Altar vorfand, ließ er ihn wieder aufrichten und ehrte seinen Vater an der Spitze seiner Legionen in einer Totenfeier mit einer Decursio, dem Umlauf der Soldaten um den Scheiterhaufen.

Wie lange sich das Andenken an Drusus gehalten hat, geht aus den Schriften der antiken Historiker hervor. Neben Florus, Sueton, Cassius Dio, Eutrop, rühmen ihn auch der ältere Plinius und Tacitus. Velleius Paterculus lobt ihn begeistert und preist seine Leistungen in Germanien. Selbst im Osten des Reiches, im fernen Athen, gab man lange Zeit der Verehrung in einem besonderen Kult Ausdruck, den ein eigener Priester ausübte. Noch der jüngere Plinius schreibt im zweiten Jahrhundert n. Chr., daß ihm das Bild des Feldherrn im Traum erschienen sei und Drusus ihn gebeten habe, dafür zu sorgen, daß er nicht vergessen werde.

Nach einer Nachricht von Cassius Dio fanden zu seiner Zeit beim Kenotaph Supplicationen der Civitates Galliarum, der drei Gallien, statt. K. H. Esser führt darüber aus: »Da das Drususmal später alljährlich Mittelpunkt militärischer Veranstaltungen und Opferstätte gallischer »Civitates« – Stammesgruppen – war, können Baufund und Quellen zusammengefaßt vielleicht dahin ausgewertet werden: das anläßlich der Leichenspiele errichtete Drususmal scheint – wohl nach einer Zerstörung im ersten Jahrhundert n. Chr. – in Fortführung und Steigerung seiner ursprünglichen Bedeutung als das für den neuen Provinzmittelpunkt erforderliche politisch-kultische Provinzmal in monumentaler Form erneuert worden zu sein, aufgabenmäßig entsprechend etwa der *ara ubiorum* in Köln oder der *ara lugdunensis* in Lyon. Die für ein solches Provinzmal vielleicht ungewöhnliche Denkmalform weist aber noch auf einen anderen aufschlußreichen Zusammenhang hin. Sie gleicht nämlich so sehr der Form des *tropäum augusti* in La Turbie oberhalb von Monaco, dem Siegesmal des Augustus anläßlich seiner Eroberung des westlichen Alpenlandes, daß dieses *tropaeum* am besten die durch Verschüttung, Beraubung der Außenverkleidung und unglückliche Sicherungsmaßnahmen schwer entstellte ursprüngliche Gestalt des Drusussteines veranschaulichen kann: einen hohen quadratischen Sockel mit einem wohl von Säulen umgebenen Zylinder und einem kegelförmigen Abschluß. Da einer solchen formalen Übereinstimmung auch eine inhaltliche Verwandtschaft entsprechen dürfte, könnte es sein, daß der Neubau des Drusussteins zugleich auch als Siegesmal für die Eroberung des Dekumatenlandes aufgefaßt worden ist.

In der Vereinigung solcher möglicherweise vielschichtig ineinandergreifender Bedeutungen eines Gründerdenkmals, des einzigen überhaupt noch erhaltenen römischen Provinzmals und des einzigen Denkmals einer römischen Eroberung germanischen Landes wäre der Drususstein das ehrwürdigste Zeugnis der ersten überregionalen Bedeutung von Mainz.«

Das Schwert des Tiberius

Als unter Drusus und Tiberius nach der Eroberung des Alpenvorlandes die Offensive am Rhein begann, hat ein Offizier des Mainzer Legionslagers als Auszeichnung für seine Tapferkeit von seinem Kommandeur das sogenannte Tiberiusschwert erhalten. Heinrich Klumbach gibt eine ausführliche Beschreibung dieses einzigartigen Fundstücks: »Die reiche Verzierung der Schwertscheide läßt erkennen, daß es sich nicht um eine gewöhnliche Waffe handelt. Am oberen Ende als Beschlag des Scheidenmunds ist eine Figurengruppe dargestellt, in deren Mitte der Kaiser Augustus mit heroisch entblößtem Oberkörper thront, umgeben von zwei göttlichen Wesen, dem Kriegsgott Mars und der Siegesgöttin Victoria, deren enge persönliche Beziehung zu dem Kaiser durch eine Inschrift auf ihrem Schild – VIC[toria] AUG[usti] – besonders betont ist. Von links her naht ein Mann in Offizierstracht, der dem Kaiser eine kleine Siegesgöttin und einen Rundschild mit der Aufschrift FELICITAS TIBERI (Glück des Tiberius) überreicht hat. Es ist des Kaisers Stiefsohn und späterer Nachfolger Tiberius als siegreicher Feldherr. Die Szene drückt in der symbolträchtigen Art römischer Staatskunst aus, daß Augustus durch die glückhafte Kriegsführung des Tiberius einen Sieg errungen hat. Um welches politische Ereignis es sich handelt, wird durch eine Figur am unteren Ende der Schwertscheide deutlich, eine weibliche Gestalt mit Lanze und Amazonendoppelaxt. Es ist die Verkörperung des Stammes der Vindelicier, die in der Gegend von Augsburg wohnten und im Jahre 15 v. Chr. in einem über die Alpen und vom Bodensee her geführten Feldzug von den Stiefsöhnen des Augustus Drusus und Tiberius unterworfen wurden. In einer zur Feier des Sieges gedichteten Ode, die uns erhalten ist, sagt der Dichter Horaz ausdrücklich, daß die Vindelicier seit alters her mit der Amazonenaxt bewaffnet dargestellt wurden.

Die Mitte der Scheide nimmt ein Medaillon ein, in dem die bekränzte Büste des Kaisers Augustus wiedergegeben ist. Über der Figur der Vindelicia schließlich erscheint ein Tempelchen, in dem ein Legionsadler und militärische Feldzeichen aufgestellt sind, wohl die Wiedergabe des Fahnenheiligtums, das in jedem römischen Militärlager den religiösen Mittelpunkt bildete.«

Dieses herrliche Römerschwert, von dem eine Kopie im Römisch-Germa-
nischen-Zentralmuseum in Mainz zu besichtigen ist, fanden 1848 Arbeiter
beim Ausheben einer Fundamentgrube für eine Eisenbahnbrücke. Sie witterten das große Geschäft ihres Lebens, meldeten den Fund nicht an,
sondern verkauften das wertvolle Stück an den Kunsthändler Josef Gold.
Der Mainzer Altertumsverein setzte zwar alles daran, das Schwert für
die Stadt zu erwerben, doch die horrende Summe von 12 000 Gulden
überstieg seine Mittel, und so ging es an einen anderen unbekannten Käufer. Im Jahre 1866 vermachte dann ein Mr. Slade das Schwert dem Briti-
schen Museum.

Die Römerbrücke über den Rhein

An dem alten Rheinübergang – dort, wo die große Emmeranstraße,
die Hauptstraße vom Legionslager auf dem Kästrich zum Rheinufer führt,
gelangte man in der frühen römischen Zeit über eine Schiffsbrücke ans
rechte Ufer des Stroms. Hier setzten die Truppen beim Vormarsch ins
Germanenland von Mainz aus über den Rhein. Die Brücke gewann immer
mehr an Bedeutung, auch als die Grenze an den Limes vorverlegt und
befestigt wurde und Mainz der zentrale Stützpunkt für die operative
Reserve in der Hauptkampflinie blieb. Vom Brückenkopf Mainz-Kastel,
(Castellum Mattiacorum) auf der rechtsrheinischen Seite der Römerbrücke
aus führte die große Limesstraße über Hofheim nach Nida bis Friedberg,
und auf einer Abzweigung rheinaufwärts gelangte man nach Wiesbaden.
Dieser Beanspruchung durch den wachsenden Verkehr genügte das Provi-
sorium nicht mehr, und der Vorteil des schnellen Abbruchs einer Schiffsbrücke bei Feindgefahr war nichtig geworden. So erbaute die XIV. Legion
in den Jahren 71 bis 92 n. Chr. eine feste Brücke. Ihre Bauinschrift, eingemauert in einem Pfeiler am Mainzer Ufer, ist erhalten. Dieser Landpfeiler
war 15 m breit und bestand aus eisenhartem Gußmauerwerk. Von den
Flußpfeilern konnte man 18 Pfahlroste ausgraben, von denen Pfähle und
Pfahlschuhe im Treppenhaus des Städtischen Museums in Wiesbaden stehen. Mit diesen Pfahlrosten aus Eichenstämmen waren die fünfeckigen
Steinpfeiler im Fluß verankert. Darüber wölbte sich die hölzerne Bogen-
konstruktion mit der Fahrbahn.
Die Brücken zeugen vom hohen Stand technischer und organisatorischer
Überlegenheit der Römer. Die Donaubrücke Trajans zum Beispiel war
eine Höchstleistung antiker Ingenieurkunst. Zwischen zwanzig steinernen

Brückenpfeilern mit bis zu 50 Meter Abstand! trugen hölzerne Bögen mit einem komplizierten Sprengewerk die Fahrbahn. Es ist nicht ausgeschlossen, daß die Römer beim Brückenbau alte keltische Erfahrungen verwendeten. Rom hat ohne weiteres fremde Techniken und die Ausrüstung dafür übernommen und fortentwickelt. Bauten von diesem Ausmaß waren nur möglich, weil die Römer schon Baukräne besaßen, die schwerste Lasten heben konnten. Ein mit mehreren Seilen und Flaschenzügen ausgestatteter Kran, *polyspastos* (Vielroller) genannt, arbeitete wegen des günstigen Drehmoments mit einem Tretrad und konnte bis zu 6 to heben.

Die Mainzer Brücke bestand über 150 Jahre, wurde dann beschädigt und mußte am Ende des dritten Jahrhunderts wieder instandgesetzt werden. Um 350 ist sie anscheinend wieder zerstört worden, Kaiser Julian hat 357 nach seinem Sieg über die Alamannen eine neue Brücke schlagen lassen, die aber auch nicht sehr lange bestand.

Brückenkopf Castellum Mattiacorum

Als Sicherung des Brückenkopfes legten die Römer auf der rechten Rheinseite ein Kastell an: Castellum Mattiacorum. Bereits im ersten Jahrhundert n. Chr. entstand um diese militärische Anlage eine Zivilsiedlung von nicht

Bleimedaillon aus der Saône bei Lyon, 4. Jahrh. n. Chr. Im oberen Teil eine Schenkungsszene, wohl Valentinian I. mit Sohn Gratian. Im unteren Teil der Darstellung kehren römische Truppen von einem Feldzug über die Rheinbrücke ins Mainzer Lager zurück.

geringer Ausdehnung, wie viele Inschriften aus dem alten Vicus, *vicus vetus* und dem neuen Vicus, *vicus novus* sowie mehrere Gräberfelder bezeugen. Die Nekropolen bargen reiche Grabbeigaben und große Steinsärge aus der zweiten Hälfte des vierten Jahrhunderts und lassen erkennen, daß hier eine wohlhabende Bevölkerung gelebt hat.

Von Castellum Mattiacorum und dem antiken Mogontiacum existiert ein einziges »Foto«: der Bleiabschlag eines spätrömischen Medaillons aus Lyon. Zwar ist die Abbildung nicht realistisch, sondern eine typisierte Darstellung, gibt aber eindrucksvoll die Mächtigkeit der Wehranlagen des auf der linken Rheinseite liegenden Mainz und des durch die Brücke damit verbundenen und ebenso befestigten Mainz-Kastel wieder.

Wie die Römer die Provinz Obergermanien verwalteten

DEN UNTERSCHIED zwischen der Regierungsweise Caesars in den von ihm eroberten Ländern, und der des Kaisers Augustus, hat der französische Geschichtsschreiber Camille Jullian formuliert: »Gehorchen bedeutet unter Augustus und Agrippa nicht mehr wie unter Caesar und Plancus Stellung von Geiseln, Ablegung von Treueiden, Lieferung von Soldaten, Heeresfolge, vornehmlich also die Pflichterfüllung eines getreuen Vasallen. Die neuen Oberhäupter verlangen unscheinbarere Dienste, Leistungen jedes Augenblicks und jeder Art, Steuern, Fronden, Requisitionslasten, Rechnungslegung und Schreibereien, Quartier und Unterhalt für Truppen, Gebietswechsel, Gewohnheitsänderungen, unverzüglichen Gehorsam, der sich den tausenderlei Bindungen eines wohlgeordneten Staatswesens fügt.« (IV, 57)

Links des Rheins saßen die alten gallischen Stämme mit ihren großen, reichen Gebieten; da hatten es die Römer leicht, ihre Colonien, Municipien und Civitates zu gründen. Sie machten das sehr geschickt, indem sie den alteingesessenen Adel favorisierten und in seinen Privilegien und seinem Besitz bestätigten. Den Vertretern der einheimischen Oberschicht, die willens waren, die neuen Machthaber anzuerkennen und mitzuwirken beim Aufbau der Provinzen, wurde bevorzugt das römische Bürgerrecht zuteil, ja, man nahm einige Auserwählte sogar in den Stand des römischen Ritteradels auf. Diese gallische Aristokratie profitierte von der aufblühenden römischen Wirtschaft und mehrte ihren Reichtum, etablierte sich in prächtigen Villen und gab sich bald römischer als die Römer.

Die Kelten in ihren Zivilisationsapparat einzugliedern, machte den Römern keine Schwierigkeiten, denn seit Jahrhunderten war von den griechischen Städten Südfrankreichs aus – Massilia (Marseille) wurde 600 v. Chr. von den ionischen Phokäern gegründet – stetig mittelmeerisches Kulturgut nach Gallien eingeströmt.

Die Gallier kannten lange vor Caesar Geld und Steuerwesen und besaßen eine differenzierte Verwaltung und Rechtsprechung. Caesar brauchte die keltischen Behörden nur zu übernehmen und die bewährte Organisation einige Jahrzehnte weiterlaufen zu lassen, wobei er sie langsam aber sicher auf »römisch« um- und gleichschaltete. Das bedeutete, daß die römischen Regierungsbezirke *(civitates)* praktisch den ehemaligen Stammesgebieten entsprachen. Selbst die alten Stammesnamen wurden beibehalten. Und bald gehörte Gallien zu den volkreichsten und steuerkräftigsten, also reichsten Provinzen Roms. Seine Steuerleistung übertraf, nach Velleius, selbst die der Provinz Ägypten.

Rechts des Rheins gab es zunächst keinerlei Ansatzpunkte für eine gleichlaufende Entwicklung. Das Land war durch die Kriege zwischen Römern und Germanen ausgeblutet. Die spärliche, ausgehungerte Restbevölkerung fristete ein armseliges Dasein. Archäologische Funde lassen erkennen, daß rechts des Rheins auch Germanen siedelten: Chatten, Mattiaker, Aresacen, Sueben, Vangionen. Sie hatten nach der Okkupation dieser Gebiete die eingesessene keltische Bevölkerung nicht einfach umgebracht, sondern die Oberschicht, soweit sie nicht in den Kämpfen gefallen war, verjagt. Dann setzte sich der germanische Freie über die Bauern und machte sie zu seinen Hintersassen. Im Lauf der Zeit wurden die Unterschiede verwischt. Diese Bauern und Hirten aber waren weit entfernt von jeder städtischen Kultur und modernen Zivilisation. Jedes urbane, merkantile Denken war ihnen fremd. Sie mußten erst lernen, Begriffe wie Geld, Steuern, bürokratische Verwaltungsstrukturen, Personenregister oder Kataster, zu verstehen und damit umzugehen. Die zivilisatorische Rückständigkeit dieser Stämme ist sicher mit eine der Ursachen, weshalb Kaiser Tiberius den Plan fallen ließ, das Gebiet bis zur Elbe zu erobern und dem Römischen Reich einzuverleiben. Er kannte die Germanen und ihr Land aus eigener Anschauung, und seine Entscheidung, 16 n. Chr., Germanicus zurückzurufen, ist die eines erfahrenen, klugen Verwaltungspraktikers. Er wußte, daß man die Germanen zwar niederzwingen konnte, wenn auch nur durch geldverschlingende Feldzüge und unter größten Verlusten; was aber sollte man mit einem Gebiet, das zu achtzig Prozent aus Wald bestand, wo in irgendwelchen Winkeln Barbaren hausten, die sich jedem kultivierenden Zugriff entzogen, die man nicht erfassen und also auch nicht besteuern konnte. Aus dem gleichen Grund haben die Römer auf das wilde, unzugängliche Schottland verzichtet, und Agricola, der Schwiegervater des Tacitus, wurde zurückgerufen, als militärisch das Gebiet bereits gewonnen war, während die Romanisierung der zivilisierteren keltischen Gebiete in Britannien genau so reibungslos vor sich ging wie in Gallien.

Dieses fast entvölkerte Grenzgebiet, das die Römer aus strategischen und ökonomischen Gründen okkupiert hatten, füllte sich nach und nach mit gallischen Zuwanderern. Das waren sicherlich zunächst keine »soliden bürgerlichen Existenzen«, sondern Abenteurer, die nichts zu verlieren, aber alles zu gewinnen hatten –, darunter vielleicht entlaufene Sklaven, Gesetzlose und Hasardeure, die eine Chance suchten, etwas riskierten. Tacitus schildert sie: »Allerlei haltloses Volk aus Gallien, von der Not kühn gemacht, eigneten sich in diesem Land des zweifelhaften Besitzes Grund und Boden an. Seit nun der Grenzwall angelegt ist und die Besatzungen weiter vorgeschoben sind, wird das Gebiet als Vorland unseres Reiches und als Teil unserer Provinz erachtet . . .«

Sicherlich gab es viele unter den Zuwanderern, die gewillt waren, hart anzupacken, um endlich auf einen grünen Zweig zu kommen. Und das kurbelt bekanntlich die Wirtschaft an. Diese Gallier förderten selbstverständlich die Annahme und Verbreitung des Lateinischen als Verkehrssprache. Trotz der buntscheckigen »Wildwestatmosphäre« gibt es aus dieser Zeit nicht das geringste Anzeichen dafür, daß es hier zu Unruhen oder gar Aufständen gekommen wäre. Man siedelt, arbeitet hart und baut auf. Und nach einer Zeit von etwa fünfzig Jahren zeigt sich bereits der erste, wenn auch bescheidene Wohlstand in diesem stets bedrohten Grenzland.

Zunächst mußten sich die Römer eine Oberschicht heranziehen, mit der sie arbeiten konnten. Und sie machten Männer zu Dekurionen, zu Ratsherren der zivilen Selbstverwaltung, die es durch Arbeit, Fleiß, Umsicht zu entsprechendem Grundbesitz, Wohlstand und Ansehen gebracht hatten. Die Ratsherren mußten in der Stadt ansässig sein und sich dort ein Haus bauen, wenn sie auf dem Lande wohnten.

Germania superior – Die ersten Statthalter und ihr Stab

Nach der Niederlage im Teutoburger Wald hatte Kaiser Augustus das Rheinheer reorganisiert und das einheitliche Sechs-Legionen-Heer in zwei Vier-Legionen-Heere umgewandelt. Ihre obersten Heerführer wurden die späteren Statthalter der beiden germanischen Provinzen. Im Jahre 85 n. Chr. begründete Domitian die Untergermanische Provinz, *Germania inferior*, mit Köln *(Colonia Claudia Ara Agrippinensis)* als Hauptstadt, und die Obergermanische Provinz, *Germania superior*, mit Mainz *(Mogontiacum)* als Hauptstadt und Sitz des Statthalters.

Obergermanien war bedeutend größer als Untergermanien. Der Vinxtbach, der zwischen Andernach und Remagen in den Rhein mündet, bildete die Grenze zwischen den beiden Provinzen. Eine Reihe von Stammesresten und Splittergruppen keltischen, germanischen oder kelto-germanischen Ursprungs – die Helvetier, Rauricer, Lingonen, Sequaner, Vangionen, Sueben, Mattiaker – hatten in Obergermanien ihren Wohnsitz.

»Alle Provinzen, von denen Teile auf dem Boden des heutigen Deutschland lagen, waren kaiserliche, das heißt solche, in denen nicht der Kaiser mit dem Senat gemeinsam, sondern der Kaiser allein kraft seiner prokonsularischen Gewalt die Souveränitätsrechte ausübte. Er tat dies durch eine Anzahl von ihm damit beauftragter Personen samt deren Hilfspersonal, unter denen der Statthalter . . . die vornehmste und wichtigste war.« heißt es bei Stein-Ritterling.

Das Amt des Statthalters war nicht im ganzen Imperium gleichrangig, sondern in Rang- und Gehaltsklassen eingestuft, je nach Bedeutung und Größe einer Provinz. Der Statthalter wurde vom Kaiser nach seinem Ermessen ernannt und abberufen und bezog ein festes Jahresgehalt. Vom ranghöheren Prokonsul der Provinz Afrika ist bekannt, daß er eine Million Sesterzen bezog, was nach dem Geldwert um 1900 etwa 250 000 Mark entspricht. Dem Statthalter standen mitverantwortliche Berater, von denen einer auch vom Staat besoldet wurde, zur Seite.

Um die Korruption einzudämmen, hat Nero den Statthaltern ausdrücklich verboten, Geschenke anzunehmen, selbst wenn eine Provinz sie machen wollte, um ihre Dankbarkeit zu bezeigen.

Der Statthalter veranlaßte auf kaiserlichen Befehl auch die Aushebungen in seiner Provinz. Er war oberster Gerichtsherr in der Kriminal- und Zivilgerichtsbarkeit über sämtliche Provinzbewohner mit Ausnahme der Notabeln, die in Rom am kaiserlichen Gerichtshof verhandelt wurden. Das war einerseits ein Privileg, aber auch eine Kontrolle zur Objektivierung der Machtbefugnisse des Statthalters, der seine Freunde aus der Oberschicht nicht begünstigen, aber auch nicht verurteilen konnte, wenn er sich – aus welchen Gründen auch immer – an jemandem rächen wollte.

Die hervorragende Rolle der Rheinlande für die gesamte Reichspolitik wird daraus ersichtlich, daß der Kaiser in den beiden germanischen Provinzen, in denen jeweils mindestens zwei Legionen lagen, nur Leute aus der höchsten Rangklasse des Senats, also ehemalige Konsuln, benannte. Sie waren den Statthaltern Innergalliens und der Provinz Gallia Belgica, die fast vollständig von Truppen entblößt waren, rangmäßig übergeordnet. Notfalls mußten die rheinischen Truppen bei Unruhen dort eingesetzt werden.

Die Inschrift eines Votivaltars aus Mainz beweist, daß der Kaiser in den wichtigsten und schwierigsten Provinzen Männer mit großer Erfahrung, Weitblick und Bildung einsetzte. Sie zählt sämtliche Statthalterschaften eines kaiserlichen Legaten mit Oberfeldherrnrang, des ».. . Caerellius« auf: »Tracien, Obermoesien, Raetien, Obergermanien und Britannien.« Wahrlich eine Laufbahn, die das halbe Römische Reich umspannte! Vielleicht war die Tochter des Ehepaars Caerellius und Modestiana in Obergermanien geboren, denn sie trug den Namen Caerellia Germanilla.

Die Bedeutung der beiden Germanien läßt sich an der Hofhaltung der Statthalter in ihren Residenzen in Köln und Mainz ermessen.

»Der Stab eines Statthalters gliederte sich in drei Abteilungen, die jeweils einem Centurio ›erster Ordnung‹ unterstanden:

1. dem Kommandeur der berittenen Garde von 480 Mann,
2. dem der wohl gleich starken Garde zu Fuß, zu dem auch das Fußpersonal der Reiterei gerechnet wurde, weshalb er *centurio strator* hieß, und
3. dem *[centurio] princeps praetorii.*

Diesem letzteren unterstand das eigentliche Büro mit seinen wohl über 200 Kräften, den Principales und ihren Hilfskräften. Das Büro hatte wiederum drei Kanzleidirektoren (*cornicularii*, Stabsfeldwebel) und für die Gerichtsabteilung drei *principales a commentariis,* die das Heer der Schreiber und der vielen sonstigen Bürokräfte aller Art beaufsichtigten. Der Stab eines nicht konsularischen Statthalters hatte die Hälfte des genannten Personalstandes.« (O. Doppelfeld)

Mit all diesen Schreibern, Dolmetschern, Priestern, Opferschauern, Leibärzten, dazu einer zahlreichen Dienerschaft – Kammerdienern, Köchen, Boten, Heizern und Personal für die Bäder und vielen anderen – bestand das Gefolge des Statthalters summa summarum schon in der frühen Kaiserzeit aus etwa eintausend Leuten, ohne deren Frauen und Familien. Wahrlich fürstliche Residenzen in Köln und Mainz!

Aus dem Stab des Statthalters ist ein wichtiger Mann nicht wegzudenken, der mit vielen Aufgaben betraut war: der Beneficiarier. Ein Beneficiarius war oft ein vom Dienst freigestellter Soldat, der für zivile Verwaltungsaufgaben wie Straßenaufsicht, Bewachung von Brücken und Flußübergängen, eingesetzt wurde. Für dieses Amt wählte man häufig Leute aus, die kurz vor einer Beförderung standen. So lernten sie, selbständig eine Mannschaft zu führen und eigene Verantwortung zu tragen. Für den Legionär bedeutete es eine Auszeichnung, wenn er Beneficiarier wurde, denn solche Ämter waren mit einer Solderhöhung und gewissen Vorrechten verbunden. Deshalb nannten sie sich stolz Beneficiarier = Begünstigte. Am meisten begehrt war der Posten eines konsularischen Beneficiariers, eines Begünstigten des Statthalters. Diese Stellung bot eine ganze Scala von Möglichkeiten zwischen der Tätigkeit eines Offiziersburschen bis hinauf zu den vertraulichen Aufgaben eines Adjutanten. Manche von ihnen waren dauernd auf Achse. Tiberius Justinius Titianus wurde 210 n. Chr. aus Augsburg nach Mainz berufen, wohin ihn seine Gattin Servandia Augusta begleitete. Nach glücklicher Ankunft bedankten sie sich beim Gott der Wege.

Für den Posten des Vorstands der kaiserlichen Beneficiarier ernannte man einen besonders verdienten Offizier des Heeres. Die Mainzer Beneficiarier haben diesem, »ihrem tadellosesten Vorstand, Claudius Aelius Pollio, kaiserlicher Legat und Proprätor von Obergermanien« ein Ehrendenkmal gesetzt!

Doch dem Land war noch keine Ruhe beschieden. Saturninus, dem ersten Statthalter dieser Provinz, stieg die gewaltige Truppenmacht von vier Legionen zu Kopf und er erhob sich gegen den Kaiser. Die Chatten, die zwar erst Prügel bezogen hatten, witterten Morgenluft und beteiligten sich an dem Aufstand. Saturninus hatte aber die Rechnung ohne den Wirt, das heißt, ohne die untergermanischen Legionen, gemacht. Sie blieben kaisertreu und schlugen den Aufstand rasch nieder. Danach wurden die Truppen in Mainz auf zwei Legionen verringert. Die schlechten Erfahrungen mit dem rebellischen Saturninus hatten den Kaiser gelehrt, in Zukunft eine solche – auch für ihn gefährliche – Zusammenballung von Truppen zu vermeiden. Wegen der Schwierigkeit, die neue staatliche Ordnung auch auf dieses Gebiet zu übertragen, berief Kaiser Domitian bezeichnenderweise keinen erfahrenen Feldherrn mehr zum Statthalter in Obergermanien, sondern den berühmten Juristen und angesehenen Rechtsgelehrten L. Javolenus Priscus, der geschickt und klug die ihm anvertrauten Aufgaben meisterte, solange er in Mogontiacum residierte.

Römische Stadtstaaten in Germanien und ihre Beamten

»Die Maßnahmen bei Beginn der Verwaltungsneuordnung, mit denen die zunächst nach der Eroberung bestehende reine Militärverwaltung abgelöst wurde, mögen je nach der Gegend und Bevölkerungsart verschieden gewesen sein. Wir kennen sie in einem Fall. Eine Inschrift aus dem Ort Sumelocenna (Rottenburg am Neckar) nennt eine kaiserliche Domäne, den Saltus Sumelocennensis, dessen Mittelpunkt demnach Rottenburg war. Neu eroberte Gebiete wurden oft zunächst in kaiserliche Domänen verwandelt, besonders wenn in ihnen keine alten Städte bestanden. Diese Domänen hatten meist eine recht große Ausdehnung. Sie wurden von Pächtern bewirtschaftet, oder, anders ausgedrückt, die nach der Eroberung im Land verbliebene Bevölkerung wurde, soweit sie Landwirtschaft betrieb, zu Pächtern; dies galt auch für später Zugewanderte, die sich landwirtschaftlich betätigten. Privateigentum am Boden gab es im Bereich der Domäne nicht.« (D. Baatz) Die kaiserliche Domäne verwaltete ein Prokurator, der dem römischen Ritterstand angehörte. Er hatte die Rechte eines römischen Beamten und konnte die Gerichtsbarkeit über die Pächter ausüben. Vor allem aber war es seine Aufgabe, den Pachtzins einzuziehen.

Die Pächter organisierten sich in einer eigenen Pächtergenossenschaft, einer Berufsorganisation, deren Vorsitz zwei *magistri* führten. Dies war der erste Schritt zur eigenen Selbstverwaltung in der kaiserlichen Domäne. Baatz weist daraufhin, daß die Organisation der Pächter diese erst an die üblichen Formen römischen Gemeinschaftslebens gewöhnte. Gerade für wenig romanisierte Länder war dies von großer Bedeutung, da nur eine Bevölkerung, die den »Lernprozeß« römischer Selbstverwaltung auf diese Weise erfahren hatte, aus der Verwaltung kaiserlicher Prokuratoren entlassen werden konnte, um eine Gemeinde nach römischem Muster – eine Civitas – zu bilden.

Das gesamte Römische Imperium bestand aus unzähligen *civitates*, also Stadtstaaten, und dieses System wurde auf unser Gebiet übertragen. In den Grenzprovinzen gab es nur wenige Städte im eigentlichen Sinn. Als ranghöchste Stadt galt die *colonia*. Eine *colonia* war eine vom Reich geplante Stadt oder ging aus einer geschlossenen militärischen Ansiedlung römischer Bürger, einer Veteranensiedlung, hervor. Die Bezeichnung *municipium* bekam eine Stadt, die vor der Eroberung schon in der Provinz existiert hatte, und die nun unter diesem Titel das römische Stadtrecht erhielt. Als im dritten Jahrhundert n. Chr. das römische Bürgerrecht allgemein verliehen wurde, verloren auch die Unterschiede der Stadtrechte ihre Bedeutung.

Der für uns wichtigste Begriff ist der der *civitas*. Die ersten *civitates* in Obergermanien wurden unter Kaiser Trajan (98 bis 117 n. Chr.) gegründet. Vielleicht sind manche Landstriche und Gebiete in Limesnähe aber immer kaiserliche Domänen geblieben. Darüber hinaus bestanden, wie beim Legionslager in Mainz, ausschließlich vom Militär verwaltete Territorien um die Limesanlagen, die Kastelle und Wachttürme. Eine *civitas* war eine Stadt oder ein größerer Ort mit einem Magistrat für ein bestimmtes Verwaltungsgebiet, das, wenn irgend möglich, einen ganzen Stamm oder Stammesrest umfaßte.

Die keltischen und germanischen Volksgemeinden waren dem römischen Recht nach zunächst Gemeinwesen von Peregrinen, das heißt von »Fremden«. Ihre *civitates* waren ursprünglich rechtlich ungleich. Drei verschiedene Rechtsstellungen sind bekannt: es gab »freie«, »verbündete« und schließlich die *civitates stipendiariae* – die »tributpflichtigen«. Sie, die durch Waffengewalt bezwungen worden waren, wurden mit den drückendsten Abgaben belegt und genossen die geringste Freiheit. Mochte der Hauptort einer *civitas* sich auch ausgezeichnet wirtschaftlich entwickeln und städtisches Format gewinnen, so war damit nicht gesichert, daß er auch das römische Stadtrecht erhielt. Er war also Stadt ohne Stadtrecht. Die Behandlung, die diese Stadtstaaten durch die Römer erfuhren, würde man heute als »repressive Manipulation« bezeichnen, das heißt, durch die unterschiedliche Rechtsordnung hielten die Römer weiterhin den Daumen drauf.

Je römerfreundlicher sich die Einwohner bei der Eroberung verhalten hatten, desto günstiger schnitten sie ab, vor allem in steuerlicher Hinsicht. Auch renitente Untertanen, die sich später besserten, machte kaiserliche Gnade von Steuerbürden frei, wie man umgekehrt eine rebellische *civitas* wieder degradieren und die Steuerschraube anziehen konnte. Ein ebenso einfaches wie sicheres Mittel, Herrschaft auszuüben und konkurrierende Gruppen gegeneinander auszuspielen, die sich mühten, die bessere und damit bevorzugtere Gemeinde zu sein.

So schwankten also die rechtlichen Vorzugsstellungen je nach Wohlverhalten der Einwohner. Doch die Unterschiede hoben sich auch hier mit der Zeit auf, weil die reichsangehörigen Kelten und Germanen, gleich aus welcher *civitas* sie stammten, immer häufiger das römische Bürgerrecht erhielten, und zwar zunächst das lateinische, dann das eigentliche römische Bürgerrecht. Spätestens seit der Constitutio Antoniniana 212 n. Chr. wurde allen Vollfreien im gesamten Reich automatisch das römische Bürgerrecht zuteil.

Die Ratsherren *(decuriones)* einer *civitas*, die stets der großgrundbesitzenden Oberschicht angehörten, zuerst nicht unbedingt ortsansässig waren, wurden von den Bürgern der Stadt und ihres Umkreises gewählt. Auf zehn freie Bürger kam etwa ein Ratsmitglied. Aus diesen Ratsherren wurden zwei oder vier jährlich wechselnde Bürgermeister gewählt. In der

Colonia waren es *duoviri* (zwei Männer), in den Municipien *quattuorviri* (vier Männer). Der Magistrat hatte aber auch noch andere Ämter zu vergeben, so das der Quaestoren (Kämmerer), ein Amt für polizeiliche Aufgaben, das der Aedil innehatte, und alle übrigen Ressorts, die eine moderne Stadtverwaltung kennzeichnen.

Solche städtischen Beamten ließen in Mainz einen Altar auf ihre Kosten errichten: »Der hehren Fortuna geweiht. Gaius Nemonius Senecio, Weginspektor, und Titus Tertius Felix, Quaestor und Gaius Atius Verecundus, Actor (öffentlicher Sachwalter).«

Auch Ämterhäufungen gab es damals schon, wie wir aus der Inschrift eines Votivaltars von Finthen bei Mainz ersehen: »Zur Ehre des göttlichen Kaiserhauses. Dem Gotte Mercurius löste Lucius Senilius Decmanus, Quaestor, Curator der römischen Bürger zu Mogontiacu, Großhändler zu Mogontiacu, taunensischer Bürger, sein Gelübde gerne und freudig nach Gebühr unter dem Consulat des Saturninus und Gallus ein.« (198 n. Chr.)

Lucius Senilius Decmanus war taunensischer Bürger. Als solcher hat er wohl zunächst im Hauptort dieser Civitas, in Nida (Heddernheim) einen Handel betrieben und sich danach in Mainz, das größere Chancen bot, als Großhändler niedergelassen. Dort verband er Geschäft und Politik in kluger Weise, gewann das Vertrauen der Bürger, die ihn zum Stadtkämmerer und *curator* (Vorstand) der römischen Bürger zu Mainz wählten. Er hatte also allen Grund, Merkur für seinen Erfolg zu danken!

Die vertrauenvollste Pflicht der Bürgermeister bestand darin, alle fünf Jahre den sogenannten Kommunalcensus zu erheben, das heißt, die Steuerveranlagung jedes Bürgers vorzunehmen. Dabei wurde der bewegliche und unbewegliche Besitz des Bürgers einschließlich seiner Sklaven listenmäßig aufgenommen. Nur derjenige galt als Bürger der Stadt oder Civitas, der im Kataster geführt wurde.

Größere *civitates* waren, der leichteren Ordnung halber, in *pagi,* in untergeordnete Verwaltungseinheiten, aufgegliedert. Geschlossene größere Orte, die kein Stadtrecht hatten, galten als *vici.* Das konnten kleine Dörfer, aber auch stadtartige Siedlungen sein. Auch sie hatten Ansätze zur Selbstverwaltung, doch waren sie dem Verwaltungsapparat ihrer Civitas, in deren Gebiet sie lagen, unterstellt. »Das seit Vespasian allmählich, in der Hauptsache durch Domitian, dem Reiche einverleibte sogenannte Limesgebiet ist in seinem größeren Teile, westlich einer vom Limes bei Lorch, das noch zu Obergermanien gehört, zwischen Rauher Alb und oberem Neckar an den Ausfluß des Rheins aus dem Bodensee führenden

Linie, zur Provinz Germania superior geschlagen worden. Seit Trajan und Hadrian waren die Verhältnisse in diesem neu erworbenen Gebiet hinreichend konsolidiert, um auch hier die Einrichtung mit munizipaler Autonomie ausgestatteter Civitates zu ermöglichen« schreibt dazu Stein-Ritterling.

Nach D. Baatz sind folgende *civitates* bekannt (Hauptort in Klammern): Civitas Mattiacorum (Aquae Mattiacorum, heute Wiesbaden); Civitas Taunensium (Nida) Heddernheim, heute Frankfurt am Main; Civitas Auderiensium (Vicus V. V., der vielleicht den Namen Auderia führte, heute Dieburg); Civitas Ulpia Sueborum Nicretum (Lopodunum, heute Ladenburg); Civitas Alisinensium (Hauptort heute Wimpfen im Tal, antiker Name unbekannt); Civitas Port... (Port..., heute Pforzheim); Civitas Aquensium (Aquae, heute Baden-Baden); Civitas Sumelocennensium (Sumelocenna, heute Rottenburg); eine weitere Civitas ist südlich der Civitas Alisinensium am mittleren Neckarlauf zu suchen, die inschriftlich genannte Civitas S. T.

Noch eine Institution verdient wegen ihres demokratischen Ansatzes unser Interesse. Die Römer hatten in ihren Provinzen auch eine Einrichtung, die sich mit dem Begriff Landtag umschreiben ließe. Als Landtagspräsident amtierte ein Provinzialpriester, der dem Kaiserkult vorstand. Dieser Landtag war als Gegengewicht gegen den allgewaltigen Statthalter gedacht und hatte die Aufgabe, die Anliegen der von ihm vertretenen Gebiete vorzutragen. Er konnte auch Anklage gegen den Statthalter und andere Bevollmächtigte des Kaisers erheben. Fest steht, daß *civitates* mit vorwiegend keltischer Bevölkerung, auch die in Obergermanien, also die Helvetier, Lingonen, Rauricer, Sequaner durch ihren Landtag in Lyon vertreten wurden. Stein-Ritterling nimmt an, daß die germanischen Bewohner unserer Provinz – etwa die Mattiaker um Wiesbaden, die Aresacen und Vangionen bei Mainz und Worms oder die Neckarsueben – ihren Landtag in Köln hatten. Allerdings fehlt ein schlüssiger Beweis. Sicherlich ist der Einfluß dieser Institution nicht überzubewerten, sie gibt aber doch Aufschluß über das staatspolitisch kluge Verhalten der Römer.

Die leidigen Steuern

»... daß jedermann sich schätzen ließe, ein jeglicher in seiner Stadt ...« heißt es in der biblischen Weihnachtsgeschichte. Das war unter Augustus. Diesen gelegentlichen Volkszählungen der frühen Kaiserzeit folgten – spätestens seit Trajan – ständige Personenstandsaufnahmen. Seit Marc Aurel war es Pflicht, daß der Vater innerhalb von dreißig Tagen die Geburt eines Kindes anmeldete – in den Provinzen bei den Tabularii publici, wo die Eintragung in das amtliche Geburtsregister erfolgte. Der Beamte stellte die Urkunde doppelt aus: ein Original für das Archiv und eine Ausfertigung für den Angemeldeten. Apulejus, der Verfasser des »Goldenen Esels« geht in Afrika aufs Einwohnermeldeamt Oea, um sich eintragen zu lassen. Demnach mußte man sich auch damals bei einem Ortswechsel ummelden. Aus Lyon ist eine Anzahl Katasterkarten mit exakten Angaben erhalten. Kein Zweifel also, daß auch in den obergermanischen Städten, wie in Rom, ein genaues Kataster geführt wurde.

Auch in jener Zeit war – wie hätte es anders sein können – der Chef der kaiserlichen Finanzverwaltung, der Provinzialprokurator, der wichtigste Mann neben dem Statthalter. Er gehörte grundsätzlich dem Ritterstand an, und nur ganz selten stieg ein kaiserlicher Freigelassener zu dieser hohen Position auf. Die Prokuratorenstellen der einzelnen Provinzen waren in vier Rang- und Gehaltsklassen eingestuft. »Unser Finanzminister« hatte seinen Sitz in Trier. Ihm unterstanden die Provinzen Gallia Belgica und die beiden Germanien. Er gehörte der obersten Rangklasse an und bezog ein Gehalt von 200 000 Sesterzen. Seine unmittelbaren Vorgesetzten waren die senatorischen Finanzminister in Rom, von denen die Staatskasse *(fiscus)* verwaltet wurde.

Als Geldverwalter hatte der Prokurator ein Mitspracherecht bei der Anordnung und Durchführung von öffentlichen Arbeiten, Neubauten, bei der Instandsetzung von Straßen, auch bei der Festlegung von Grenzen zu Nachbargemeinden. Er besoldete die Staatsbeamten und hatte seit Claudius Fiskalprozesse zu entscheiden. Dabei wurde das kaiserliche oder öffentliche Interesse von eigens bestellten *advocati fisci* vertreten, die seit Hadrian ein festes Gehalt bezogen.

Der oberste Finanzbeamte der Provinz arbeitete mit den städtischen Behörden zusammen, bei denen er die direkten Steuern kassierte. Durch kaiserliche Sklaven, die *exactores tributorum,* ließ er bei den einzelnen Civitates die Steuerrückstände eintreiben. Auch einen Teil der indirekten Steuern, die in der ersten Zeit an Steuereinnehmer verpachtet waren, hat der Prokurator eingezogen. Zweifellos war das ein Fortschritt und verringerte Korruption und Willkür.

Die Haupteinnahmen des Imperiums kamen durch direkte Steuern aus den Provinzen, und zwar als Grund- und Gewerbesteuern von den städtischen Selbstverwaltungen. Die Grundsteuer war die wichtigste, weil lukrativste Provinzialsteuer und entsprach einem Zehntel des Ernteertrags. Die Einkommensteuern setzten sich zusammen aus der Gewerbesteuer, die – in Ägypten nachgewiesenermaßen von achtzig Berufen – gezahlt wurde, und einer einprozentigen Umsatzsteuer. Wo es keine Selbstverwaltungen gab, setzte man Bodensteuern, Lizenzsteuern, Monopol- und Kopfsteuern fest (zum Beispiel in Ägypten).

In Pannonien (dem heutigen Ungarn) wartete der Steuereinnehmer auf dem Marktplatz, bis die Steuerpflichtigen, die in ihren Wäldern und Sümpfen nicht zu erfassen waren, zum Markt kamen und kassierte seine Marktsteuern. Es gab eine Sklavenverkaufssteuer von vier Prozent und eine Sklaven-Freilassungssteuer von fünf Prozent. Sie zahlten aber nur römische Bürger.

Der Beweis dafür, daß auch in unserer Gegend diese Steuerbestimmungen galten, ist ein Votivaltar aus dem Merkurheiligtum zu Finthen bei Mainz mit dem Text: »Dem Mercurius geweiht. Donatus, Verwalter, bei der Abgabe des Zwanzigsten [vom Wert] der Freilassung [eines Sklaven], löste sein Gelübde gern und freudig nach Gebühr ein«.

Der Provinziale, der noch nicht das römische Bürgerrecht hatte, mußte auch eine Vermögenssteuer berappen. Eine Erbschaftssteuer von fünf Prozent wurde direkt an eine besondere Kasse in Rom abgeführt und nahm nicht den normalen Weg über die Finanzbehörde. Aus der Vielfalt der Steuern darf man keine falschen Schlüsse ziehen; die Besteuerung war wesentlich niedriger als heute.

Als Sondersteuer galt die *annona militaris,* ein regelmäßiger Beitrag für den Nachschub und die Versorgung der Truppe, welche die Provinz verteidigte. Diese Steuerlast wurde in Krisen und Kriegszeiten entsprechend erhöht und war nicht in allen Provinzen gleich. Sie wechselte auch nach Rechtsstand und geographischer Lage; das heißt, man verlangte in Germanien keine Datteln und Feigen, sondern was im Lande wuchs. Überall standen für diesen Zweck die kaiserlichen Speicher *(horrea)* an den Straßen. Gerade diese Abgaben waren in Krisenzeiten ein Mittel, widerspenstige Provinzen durch besondere Auflagen zu zähmen.

Das römische Steuerjahr begann am 1. September, nachdem die Ernte eingebracht und verkauft, also Geld flüssig war. Jeder Steuerpflichtige mußte eine von der Behörde kontrollierbare Steuer-Erklärung abgeben, aufgrund derer die Steuern festgelegt wurden und führte sie, wie verlangt, in Geld, Naturalien oder Dienstleistungen beim Amt seiner Civitas ab. Die Stadtkämmerer (Quaestoren) im Magistrat hafteten persönlich für den Eingang der festgesetzten Leistungen. Auf diese Weise kam der Steuerzahler kaum mit den kaiserlichen Dienststellen in Berührung. Dies hatte einen finanziellen und einen psychologischen Vorteil: der Staat sparte Personal, und der keltische oder germanische Steuerzahler hatte nicht den Eindruck, er werde von Fremden ausgebeutet. Es war der von ihm gewählte Quaestor, dem er die Abgaben brachte.

Alles war geregelt – auch Steuerrückzahlungen wurden so ordnungsgemäß vorgenommen wie heute auch. Es soll zwar selten vorgekommen sein, doch in den Fällen, in denen zuviel einbehalten worden war, wurde der Betrag zurückerstattet oder mit dem nächsten Jahr verrechnet. In Notfällen gab man auf Antrag auch Steuerermäßigungen statt. Die Steuerunterlagen der Provinzen, die Grundbucheintragungen und Censuslisten, waren im Finanzamt (Tabularium) am Amtssitz des Prokurators niedergelegt. Aus Mainz liegt eine Inschrift vor, nach der »Gaius Aurelius Festimus, *centurio* und *strator* (Stabsoffizier) des Legaten Gaius Julius Ignatianus« das *tabularium* erneuern ließ.

Im Finanzamt der Antike

Für unsere obergermanische Provinz war die übergeordnete Dienststelle der kaiserlichen Finanz- und Wirtschaftsverwaltung in Trier. Dort wie in Mainz saßen im Finanzamt die Kassenbeamten, quittierten, verrechneten und führten über Steuereingänge Buch. Andere Beamte bearbeiteten recht-

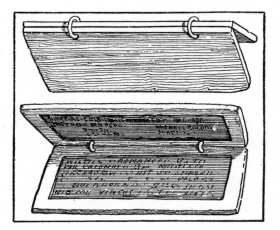

In Holzrähmchen gefaßte Wachstafeln für Notizen, manchmal mehrere zusammengebunden.

liche Fragen in Steuerangelegenheiten, und Kanzleischreiber protokollierten bei Amtshandlungen, während Archivbeamte die Urkunden und Censuslisten verwahrten. Von diesem immensen Schriftverkehr – Katasterkarten, Urkunden und langfristige Verträge wurden in Metall geritzt, kurze Notizen auf Wachstafeln festgehalten und alles übrige auf Papyri niedergeschrieben – hat sich in unseren Breitengraden des Klimas wegen kaum etwas erhalten. Die Angestellten des Tabulariums, durchweg Sklaven oder Freigelassene, gehörten fast immer zum Gesinde des Kaisers und wurden auch von ihm eingesetzt. Sie durften nicht aus der Provinz stammen, in der sie angestellt waren. So hielten sich Bestechung und Unterschleif in Grenzen.

Von der außerordentlichen Stellung eines beamteten Sklaven im Finanzamt, der ja im Rechtssinn keine Person darstellte, vermittelt uns eine in Rom gefundene Grabinschrift einen Begriff. Da war ein Kassenbeamter *(dispensator)* aus Lyon während einer Dienstreise in Rom gestorben. Er hatte, sage und schreibe, nicht weniger als 16 Bedienstete, darunter zwei Köche, mehrere Kammerdiener und Boten sowie einen eigenen Leibarzt um sich. *Tempora mutantur* – die Zeiten ändern sich – wird mancher Finanzbeamte von heute beim Gedanken an seine versklavten römischen Kollegen seufzen.

Post – Zoll – Polizei

In diesem durchorganisierten Staatswesen dürfen wir auch die zehn Zolldistrikte nicht vergessen, in die das Imperium aufgeteilt war. An ihren Grenzen gab es tausende von Hebestellen, die allerdings zuerst nicht von Beamten verwaltet, sondern an Privatleute verpachtet wurden. Der Zollsatz betrug zweieinhalb Prozent. Natürlich konnte man schwer kontrollieren, wenn sie etwas mehr einbehielten oder den ihnen zustehenden Anteil nicht reell abrechneten. Aber im großen und ganzen gab es nur wenige Fälle, in denen man einem Eseltreiber ein paar Groschen mehr abgenommen hat, und es ging dabei um kleine Summen.

Für die Aufrechterhaltung der Ordnung im Gemeinwesen sorgten die Beneficiarier, eine Art Militärpolizei. Meist waren es ehemalige Legionäre, die sich nach ihrer Dienstzeit noch nicht zur Ruhe setzen wollten, sondern gern einen solchen Posten bekleideten. Beste Voraussetzungen dazu brachten sie ja vom Heer mit. Aber jetzt ging es viel gemütlicher und ziviler zu. Zu tun gab es genug, ohne daß man sich dabei übernehmen mußte. Die

Benificiarier kümmerten sich nicht nur um die Sicherheit und den Schutz der Bürger, sie sorgten auch dafür, daß auf den Plätzen und Märkten, am Forum, im Hafen, und sicher auch bei den Tempeln und in den Theatern alles mit rechten Dingen zuging; sie bewachten nachts Häuser und Straßen und schlugen Alarm, wenn irgendwo ein Brand ausbrach. Leichtbewaffnete Wachtposten patrouillierten auf den Landstraßen und bezogen an den wichtigen Verkehrsknotenpunkten, Flußübergängen und Brücken ihre festen Posten und Unterkünfte, häufig in der Nähe der Mansiones, der Rasthäuser, wo sich die Reisenden erfrischten, die vorüberziehenden Kaufleute und Händler in der Schmiede daneben ihre Pferde beschlagen ließen und vielleicht dem Gott der Wege, Merkur, ein Opfer darbrachten. Wo das römische Straßennetz das Land überspannte, war die Provinz übersät mit Benficiarier-Stationen. Eine ganze Reihe ist auch in Obergermanien nachgewiesen: linksrheinisch am Vinxtbach, in Mainz, Nierstein, Altrip, Germersheim, Straßburg, Solothurn und anderen Orten.

Rechts des Rheins: Mainz-Kastel, Bischofsheim, Lorsch, Heidelberg, Stettfeld, Pforzheim, Friedberg, Heddernheim, Groß-Gerau, Stockstadt, Obernburg, Gundelsheim am Neckar, Böckingen, Cannstatt, Köngen, Miltenberg, Amorbach, Osterburken, Jagsthausen und viele mehr.

Zur zivilisatorischen Ordnung gehörte auch die damals wie heute selbstverständliche Einrichtung der Post. Sie war zwar eine kaiserliche Institution, aber ihre Stationen wurden von den Gemeinden unterhalten. Die berittenen Boten und Postwagen beförderten nur amtliche Schreiben und – gegen einen vom Statthalter ausgestellten Erlaubnisschein für einmalige Benutzung – auch Personen, die sich auf Dienstreise befanden. Private Briefe mußten durch private Boten zugestellt werden. Bei brandeiligen Angelegenheiten hat die Post tatsächlich 250 Kilometer pro Tag zurückgelegt. Alles war wohlorganisiert, Pferdewechsel und Austausch der Boten funktionierten. Depeschenträger und Kuriere, meist kaiserliche Sklaven, seltener Freigelassene, waren einheitlich organisiert und in kleinen Gruppen auf die Provinzbehörden verteilt.

Ein solcher Kurier lebte nicht immer ungefährlich. Einer Grabinschrift aus Trier zufolge wurde einer dieser Depeschenboten von Räubern überfallen und erschlagen. Ein andermal beklagt sich ein Kollege, der über die Alpen muß, über den schlimmen Weg und fleht die Götter an, sie mögen ihn gesund wieder heimkehren lassen.

Munera honesta – die Pflichten der Honorationen

Für die Römer der Oberschicht war es selbstverständlich, daß sie ihre Zeit, ihr Geld, ja die eigene Person in den Dienst der Allgemeinheit stellten, und ihre Söhne mußten sich auf die öffentlichen Ämter vorbereiten. Aber auch vom einfachen Volk erwartete man, daß es nach seinen Kräften mit beitrug zum Allgemeinwohl und gewisse soziale Aufgaben erfüllte. In Städten und Gemeinden mußte jeder an fünf Tagen im Jahr unentgeltlich städtische Arbeiten verrichten, wie das Reinigen, Pflastern und Ausbessern von Straßen oder Kanalisationsarbeiten und das Säubern von Kloaken. – Munera sordida – die schmutzigen Pflichten der Plebs. Wenn Not am Mann war, konnte der einfache Bürger jederzeit von staatlichen und städtischen Behörden oder vom Militär zu irgendeiner Dienstleistung herangezogen werden. Jeder zufällig Vorübergehende oder Durchreisende mußte helfen und zupacken, außer er war als Angehöriger der Notabelnschicht erkennbar.

Römische Verwaltung – die beste der Welt

»Es ist durchaus berechtigt, wenn gerade die Stimmen der Provinzialen, die zu uns dringen, Philon von Alexandria, Epiktet und Aelius Aristides, des Lobes voll sind über die Verwaltung und genau zu scheiden wissen zwischen vereinzelten Fällen einer unzulänglichen Persönlichkeit und dem System, das das sauberste und anständigste war, das bis dahin in der Regierung großer Gebiete verwirklicht worden war ... Die Verwaltung wird auch auf anderen Gebieten als dem der Finanzen genauer und präziser ... Die Ausführlichkeit und Präzision amtlicher Berichte nimmt zu. Arrian meldet seinem Kaiser von einer Inspektionsreise am Schwarzen Meer sogar, wie das Wetter gewesen ist ... Die Prinzipien, die einer Verwaltung zugrunde liegen oder liegen sollten, zeigen sich in der Gesetzgebung mehr noch als in den etwa bei festlichen Anlässen verkündeten Idealen. Immerhin sind auch die letzteren nicht unwesentlich.« (U. Kahrstedt)

Heilige Quellen

DIE ALTEN GLAUBTEN an die Heilkraft des Wassers durch göttliches Wirken. Die Quelle war die Wohnung der Gottheit, der man opferte und Tempel baute. Die Griechen verehrten ihren Heilgott Asklepios in Schlangengestalt. Es hieß, der Gott heile die Kranken im Schlaf, erscheine im Traum und erteile seine Weisungen.

Nach den Griechen waren es die Römer, die der heilenden Kraft des Wassers vertrauten. Die römische Bäderkultur blühte in den Provinzen Nordafrika, Gallien und Britannien. Kaum hatten die Legionäre ihren Fuß auf germanischen Boden gesetzt, kurierten sie sich überall, wo Heilquellen sprudelten – in Schlangenbad, Ems, Soden, Nierstein, Kreuznach, Alzey, Bad Dürkheim und vielen anderen Plätzen. Ein besonderes Geschenk der Götter bedeuteten Thermalquellen, gar in den nördlichen Provinzen! Hier konnten die Südländer rheumatische Beschwerden und andere Leiden loswerden, die sie sich im ungewohnten, feuchtkalten Klima geholt hatten. Und alles ohne die mühsame Prozedur, Wasser zu erwärmen und eine Hypokaustenheizung zu installieren!

Selzer Wasser – dieses erfrischende, prickelnde Quellwasser tranken bereits die Römer. Und vielleicht haben geschäftstüchtige Wiesbadener ihren Gesundbrunnen in Amphoren gefüllt und für Trinkkuren in die umliegenden Orte und ländlichen Villen versandt. Geschätzt waren die Salzquellen von Bad Kreuznach, auch Schwefelquellen hatten großen Zulauf. Heilgöttin Sirona und Apollo-Grannus beschützten die Schwefelquelle von Alzey, über der vielleicht eine *aedicula,* ein Zweisäulenbau, errichtet war, wie Reste von Säulentrommeln vermuten lassen. Im Tempel der Niersteiner Schwefelquelle wurde den Göttern Herkules, Merkur, Vulkan und Venus geopfert. Nach einer erfolgreichen Kur hat hier »Julia Frontina ihr Gelübde gern, freudig und nach Gebühr eingelöst«.

Vor mehr als 20 000 Jahren pilgerten schon Menschen der älteren Steinzeit zu den Heilquellen Wiesbadens und versenkten Werkzeuge als Opfer-
gaben in die Adlerquelle. »Sunt et mattiaci in germania fontes calidi trans
rhenum quorum haustus triduo fervet, circa margines vero pu-
micem faciunt aquae«. = «Es gibt aber in dem Gebiet der Mattiaker
jenseits des Rheins heiße Quellen, deren Wasser im Abstand von drei
Tagen sprudelt. An den Rändern setzen sie einen rötlichen Sinter ab.« So
schreibt Plinius der Ältere im ersten Jahrhundert n. Christi Geburt. Er,
einer der berühmtesten Männer der römischen Geschichte, erwähnt das
Heilbad Wiesbaden (Aquae Mattiacorum) zum ersten Mal in der Literatur. Seine vielbändige »Naturalis historia«, von der 37 Bände erhalten
sind, übermittelt uns viele wesentliche Nachrichten über das antike Leben,
die ohne seinen immensen literarischen Fleiß für immer verloren wären.
Mit seinen intellektuellen Sklaven und Freigelassenen hat Plinius an die
zweitausend Bände antiker Schriftsteller studiert und alles darin enthal-
tene Wissen verarbeitet und ergänzt. Weil er Aquae Mattiacorum nicht
nur vom Hörensagen kannte, sondern sicher während seines Aufenthalts
in Germanien dort Bäder nahm, soll er – weil er so häufig zitiert wird –
genauer vorgestellt werden.
Dieser hochgebildete Schriftsteller und Offizier, kluge Naturphilosoph
Ritter Gaius Plinius Secundus – Verfasser grammatikalischer, historischer,
biographischer, militärischer, rhetorischer Schriften; er schrieb allein
zwanzig Bücher über die Kriege der Römer gegen die Germanen, die leider
nicht mehr erhalten sind – war um 50 n. Chr. in Untergermanien Praefekt,
also Oberst einer Reiterschwadron *(ala)*. Im Jahre 57 wurde er zum Le-
gionstribun befördert und nach Obergermanien versetzt. In dieser Position kann er eigentlich nur in Mainz auf dem Kästrich als einer der sechs
Tribunen, die als höchste Stabsoffiziere eine Legion befehligten, in einem
komfortablen Peristylhaus residiert haben. Der wohlbeleibte Plinius hat
sich kaum entgehen lassen, das benachbarte Wiesbaden und seine heilenden Thermalquellen aufzusuchen.
Plinius erfüllte seine militärische Laufbahn, wie es heißt, anständig und
hervorragend; er war human, unbestechlich und zuverlässig. Der nächste
Schritt seiner Karriere brachte ihn wieder nach Untergermanien, wahrscheinlich nach Vetera bei Xanten, wo er neben dem Legionskomman-
deur als Lagerkommandant *(praefectus castrorum)* für ein Legionslager
und die Versorgung und medizinische Betreuung der Truppe die Verant-

wortung trug. 74 n. Chr. betraute ihn Kaiser Vespasian mit einem der höchsten Ämter: der Statthalterschaft (Prokuratur) der Provinz Gallia Belgica.

Das Vertrauen in die Fähigkeit und Rechtschaffenheit dieses Mannes war so groß, daß ihm auf der nächsten Stufe seines Aufstiegs das Kommando über die gesamte westliche Mittelmeerflotte übertragen wurde. Als ihr Admiral hatte er eine der wichtigsten strategischen Positionen inne, denn ihre Aufgabe war es auch, den Zugang zum Hafen von Ostia zu sichern und damit Rom zu schützen. Beim Ausbruch des Vesuvs war Plinius am 23. August 79 n. Chr. vom Flottenstützpunkt Misenum sofort ins Katastrophengebiet aufgebrochen, um zu helfen. Tags darauf fand er dabei den Tod.

Auch für den Dichter Martial war Wiesbaden kein abstrakter Begriff. Als er seinen kaiserlichen Gönner Domitian während des Feldzuges gegen die Chatten begleitete, hat er das Bad sicher kennengelernt.

Jenes schäumende Haarfärbemittel, das findige Kaufleute aus dem von Plinius erwähnten Sinter herstellten und das bei den schwarzhaarigen Römern und ihren Frauen guten Absatz fand, brachte den Namen *aquae mattiacorum* weit über die germanischen Provinzen hinaus unter die Leute. Der Text Martials aus zweien seiner Epigramme klingt denn auch wie aus einem Werbeprospekt von heute:

»Der chattische Schaum verleiht den feurigen Glanz teutonischer Haare, läßt gepflegter dein Haar sein, als das der Gefangenen.«

Das rotblonde Haar der gefangenen Germanen erregte die Bewunderung und den Neid der Römer, und sie versuchten es durch Färben nachzuahmen. Die zweite Empfehlung Martials lautet:

»Wenn du die Farbe der Haare, die durch das Alter ergraut sind, willst ändern,

reiß' sie nicht aus, denn was soll dir der Kahlkopf?

Nimm mattiakische Kugeln.«

Aquae Mattiacorum – um 16 n. Chr. gegründet und schon damals eine ansehnliche Wehranlage – wurde gegen Mitte des ersten Jahrhunderts befestigt und mit einer ständigen Besatzung belegt. Ziegelstempel beweisen, daß die Soldaten ihr erstes Kastellbad schon um 50 n. Chr. errichtet hatten. Einige Wasserleitungsrohre, die den Stempel der XIV. Legion tragen, wurden neben der Schützenhofquelle geborgen. Beim Germanensturm während des Aufstandes der Bataver 69 n. Chr. erlitt Wiesbaden das gleiche Schicksal wie das Land und die Kastelle ringsum: alles wurde zerstört und verbrannt. Doch für die Römer blieb dieser Ort strategisch wichtig, weil er den Mainzer Brückenkopf vom Taunus her sicherte, so daß sie eine neue Befestigung auf dem Heidenberg anlegten. Im Tal breitete sich die Zivilsiedlung aus.

Nach dem Chattenkrieg ließ Kaiser Domitian das Kastell in Stein umbauen. In der gleichen Zeit, etwa 90 n. Chr., muß auch eine große Thermenanlage am Kochbrunnen fertiggestellt gewesen sein, die schon unter Claudius und Nero bestanden und allerhand hinter sich hatte: mehrere Zerstörungen bei den Kämpfen mit den Germanen, zuletzt beim Saturninus-Aufstand 89, und zwischendurch mehrere An- und Umbauten. Anscheinend waren daran alle vier Legionen, die den Chattenfeldzug mitgemacht hatten, beteiligt, denn es fanden sich die Ziegelstempel der Legio I Adiutrix, der VIII. Augusta, XIIII. Gemina und der XXI. Rapax.

Bäderkultur und Luxus ohnegleichen

Die ältesten erhaltenen Thermen, die schon in samnitischer Zeit, also im zweiten vorchristlichen Jahrhundert errichteten Stabianer Thermen in Pompeji, waren in ihrer technischen und architektonischen Anlage bereits so gut durchdacht, daß ihre Grundstruktur auch in der Kaiserzeit Gültigkeit behielt. Als Agrippa 34 v. Chr. die ersten Thermen in Rom erbauen ließ und dem Volk kostenlosen Eintritt gewährte, wollte auch die kleinste Provinzstadt den Luxus der Bäder haben. Nun schossen im ganzen Imperium die Thermenbauten wie Pilze aus dem Boden.

Würde ein Architekt des 20. Jahrhunderts eine solche Anlage planen, müßte er ein Hallenbad mit Schwimmbecken und Aufenthaltsräumen, Warm- und Kaltbädern, Massageräumen, dazu Sport- und Gymnastikhallen, sowie Sportplätze im Freien, die Palästren, zu einem harmonischen Gesamtkomplex vereinen. Dies alles war damals in vollkommener Technik gestaltet. Tonnengewölbe überspannten die Badesäle, eine Kuppel wölbte sich über dem Schwitzbad. Praktische und gut funktionierende Heizanlagen waren selbstverständlich: mit Heizkammern und einem Netz von verzweigten Rohrleitungen, die Fußböden und Wände durchzogen, versorgten sie die Räume mit heißem Wasser und Heißluft. Aus bronzenen Wasserspeiern – Löwenköpfen, Tiermäulern – sprudelte ständig heißes Wasser in die Becken, auf deren Marmorrand sitzend sich die Badenden überschütten ließen. In größeren Thermen gab es die Wahl, im *caldarium* in eine Wanne zu steigen oder in ein angenehm erwärmtes Schwimmbecken einzutauchen.

Wollte ein Römer die Thermen besuchen, packten er oder sein Sklave die Bade-Utensilien zusammen, *strigilis* (ein Schabeisen zum Abschaben des Körpers), Salbfläschchen und wohlriechende Essenzen, die Handtücher für die einzelnen Körperteile und nicht zu vergessen die Holzpantinen, damit er auf dem heißen Fußboden sich nicht die Füße versengte – schließlich einen Lendenschurz und den für die Übungen in der Palästra vorgeschriebenen Umhang. In der Garderobe *(apodytorium)*, gleich neben dem Eingang, legte der Badegast die Kleider ab. Sein Sklave verwahrte sie in einem der Fächer, die über den marmornen Bänken in die Mauern eingelassen waren und blieb, vielleicht im kleinen Wartezimmer nebenan, zur Bewachung zurück. Leute, die sich keine Sklaven leisten konnten, ließen ihre Sachen gegen ein geringes Entgelt aufbewahren. Dann nahm man das Dreistufenbad: vom Schwitzbad *(sudatorium)* ging es ins Warmbad *(caldarium)*, um sich vom Schweiß zu reinigen und ihn abzuspülen. Anschließend hielt man sich zum Übergang im Warmluftbad *(tepidarium)* auf, erholte sich gemütlich plaudernd auf einer Marmorbank oder ließ sich massieren, salben und parfümieren, ehe ein Sprung ins Wasserbecken des Kaltbades *(frigidarium)* die Prozedur abschloß.

Plinius der Ältere hat, wie er erzählt, auch versucht, in der Palästra durch Gymnastik, Ballspiele oder Ringkämpfe ins Schwitzen zu kommen. Um diesen Effekt noch zu steigern, folgte ein Schwitzbad im Sudatorium. In diesem kleinen, heiß dampfenden Raum unter einer Kuppel, deren Öffnung sich durch eine Bronzeplatte mit einer Kette öffnen und schließen ließ, um den Dampfabzug und die Temperatur zu regulieren, hielt man sich auf, bis der Schweiß aus allen Poren brach. Im *tepidarium* stand der Sklave schon mit der *strigilis* bereit, den Körper abzuschrabben. Wie Martial berichtet, schwitzte man nicht nur im Dampfbad, sondern auch in trockener Heißluft, also in einer regelrechten Sauna, die man mit einem Kaltguß abschloß. Jedem Bedürfnis war Rechnung getragen, jeder Individualist konnte seiner speziellen Methode frönen.

Schon im Eingang und in den Auskleideräumen empfingen den Besucher Fresken in warmen, freundlichen Farbtönen. Das *tepidarium* aber war als Aufenthaltsraum besonders reich ausgestaltet. Der Gast schritt über Marmorfußböden mit ornamentalen Mustern oder über Mosaiken, auf denen sich Meeresgetier, Fische und Delphine tummelten oder das Pferdegespann einer Quadriga sich aufbäumte. Erlesene Wandmalereien – Gärten, Landschaften vermittelten dem Gast die Illusion, er weile im Freien, die gemalte Scheinarchitektur täuschte vor, man ginge auf einer Straße, zwischen Säulenhallen oder in einem Tempel. In manchen Thermen schmückten kostbare Stuckarbeiten die Decke. Die Künstler spielten mit raffinierten Effekten: in Herculaneum befand sich ein in leuchtenden Farben gehaltenes Mosaik an der Decke über dem blaugestrichenen Wasserbecken, so daß sich die Fische, Krebse und Wasserpflanzen des Mosaiks auf dem blauen Grund des Wassers spiegelten.

Luxus bis in die Toiletten! Nebeneinander reihten sich die marmornen Sitze mit verzierten Armlehnen. Selbst diesen Ort suchten die Römer in Gesellschaft auf, thronten unbefangen nebeneinander, schimpften über zu hohe Sklavenpreise und die Gladiatoren der letzten Spiele, prophezeiten den Sieg ihres Kandidaten bei den nächsten Wahlen, diskutierten Erfolg und Bankrott neureicher Kaufleute und gaben sich Geschäftstips.

Heilthermen am Fuße des Taunus

In Wiesbaden hat E. Ritterling die Bruchstücke eines imposanten Badegebäudes geborgen, als das Palasthotel am Kranzplatz gebaut wurde. Unter einem Dach vereint lagen Heilthermen und normale Thermen, ausgestattet mit allen hier beschriebenen Baderäumen mit ihren üblichen Apsiden und den darin eingelassenen Wannen. Eine starke Mauer trennte diesen Trakt vom eigentlichen Heilbad, das, seiner Bedeutung entsprechend, viel größer war.

Betrat der Kurgast die Heilthermen von der heutigen Langgasse aus durch den Vorraum, gelangte er zunächst in die Auskleideräume *(apodyteria)*. Ehe er die Badesäle erreichte, mußte er ein flaches Reinigungsbecken für die Füße durchschreiten. An beiden Seiten eines Korridors schlossen sich je zwei Piscinensäle an, also vier getrennte Räume mit großen Wasserbecken, in denen man bequem gehen oder schwimmen konnte. Die Piscinen waren von unterschiedlicher Größe; die beiden vollständig rekonstruierbaren Bassins hatten die Maße 14,0 mal 7,2 Meter und 12,5 mal 8,7 Meter. Keines glich dem anderen, nicht die Einstiegstufen – an den Schmalseiten oder in den Ecken angebracht – und auch nicht die Sitzstufen an den Längsseiten. Um alle Bassins in den Heilthermen führte, wie in unseren Schwimmbädern, ein mit Platten belegter Umgang.

Die römischen Architekten meisterten die Schwierigkeiten, die in Wiesbaden der moorige Untergrund am Kochbrunnen bereitete. Sie legten zunächst über den Morast einen Rost aus gekreuzten Eichenbalken, stampften darüber eine dicke Lehmschicht und verlegten darauf die Ziegelplatten. Damit waren Boden und Becken absolut wasserdicht.

Neben diesen Gemeinschaftsbädern gab es in den römischen Heilthermen auch Einzelbäder. In Wiesbaden lagen sie an beiden Längsseiten des einen Badesaales: auf der einen Seite zwei, auf der anderen fünf gemauerte, durch Rohre mit dem Hauptbecken verbundene, eingetiefte Nischenwannen. Vielleicht ließen sich diese Einzelbäder durch Vorhänge vom Hauptraum trennen. Bemerkenswert ist eine mit Kalkplatten ausgelegte Einzelzelle. Der stark zerfressene Kalkstein läßt vermuten, daß das Wiesbadener Kochbrunnenwasser in Verbindung mit dem Kalkstein Kohlensäure freisetzte und so ein kohlensaures Bad ergab. Wie dem auch sei, es diente jedenfalls einer bestimmten Spezialanwendung. Allerdings fehlt in Wiesbaden der für Badenweiler anscheinend einmalige Komfort von Duschkabinen.

Wahrscheinlich überspannten mächtige Tonnengewölbe die Badesäle der Wiesbadener Heilthermen, die vielleicht durch ein Satteldach geschützt waren, wie man es auch für Badenweiler annimmt. Auch in Wiesbaden hatten es die Römer sicher nicht an einer aufwendigen Ausgestaltung der Innenräume fehlen lassen, denn neben einer eindrucksvollen Fassade schätzten sie besonders eine verschwenderische Innenarchitektur. Wenn selbst Auxiliareinheiten in den kleinsten Kastellbädern mit bemalten Wänden prunkten, so waren bestimmt die Räume hier mit kunstvollen Wandmalereien geschmückt und die Wandsockel, wenn nicht aus Marmor, so doch Marmor vortäuschend inkrustiert. Durch helle Fenster fiel das Licht und spielte mit den satten Farben, die die *tectores* aufgetragen hatten.

Die Perle unter den Heilbädern Germaniens, das schon damals weltbekannte römische Badenweiler, war in einer symmetrischen, architektonisch geglückten und harmonischen Komposition gestaltet. Der Wiesbadener Komplex, wie übrigens auch der von Baden-Baden, schien weniger nach ästhetischen als nach praktischen Erwägungen zusammengefügt und gegliedert. In der Größe stand Wiesbaden den Badenweiler Anlagen nicht nach und bot anscheinend sogar mehr Möglichkeiten für Spezialbehandlungen.

Ob Kaiser Domitian sich in Aquae Mattiacorum erholte und etwas für die Thermen stiftete, wie Caracalla in Baden-Baden, darüber ist nichts bekannt. Caracalla erwies sich, nachdem er sich nach den Strapazen des Alamannenkrieges in Baden-Baden erholte, als sehr großzügig, wie aus einer Schenkungsurkunde hervorgeht: »Dem Imperator Caesar Marcus Aurelius Antoninus. Der Fromme, der Glückliche, der unbesiegbare Kaiser, der größte Besieger der Parther, der Britannier, der Germanen, der Oberpontifex, im 17. Jahr der tribunicischen Gewalt, im 4. Konsulat,

Prokonsul, Vater des Vaterlandes, hat gemäß seiner Freigebigkeit nach Entfernung der Felsen das Badegebäude ausgebaut, die Warmbäder wiederhergestellt und mit Marmorplatten ausgeschmückt. Die von ihm so beschenkte und ausgezeichnete Civitas Aquensis nennt sich seitdem durch kaiserliche Verleihung Civitas Aurelia Aquensis.«

Auch aus Mainz existiert eine Urkunde, nach der Caracalla anscheinend dort einen Bäderbau der XXII. Legion hat restaurieren lassen.

Bei der Adlerquelle, einer der anderen wichtigen Quellen Wiesbadens, ragte damals der mächtige Kuppelbau eines Schwitzbades auf, der zu einer Gruppe von Baderäumen gehört haben muß. In seiner Nachbarschaft lagen langgestreckte Häuser mit Ziegelböden und zum Teil heizbaren Zimmern: Gästehäuser und Sanatorien für die auswärtigen Kurgäste.

Römische Badesitten

Die Bäder wurden morgens geheizt, gegen Mittag geöffnet und bei Sonnenuntergang geschlossen. Doch die Leute vergnügten sich auch beim Luxus aufwendiger Beleuchtung bis in die Nacht hinein. Juvenal spottet darüber und meint, die Römer verbrächten dort am Tag schon genug Zeit! Aber es war nicht immer nur Vergnügungssucht, denn oft hat der Tag einfach nicht ausgereicht, bis alle Besucher zu ihrem Recht kamen. Vor allem in kleineren Provinzthermen war dies der Fall. Die Forumsthermen von Pompeji zum Beispiel konnten nur ungefähr dreißig Personen zugleich bedienen. Die 1 328 dort gefundenen Lampen beweisen die nächtlich illuminierten Badefreuden.

Es wird auch für Aquae Mattiacorum zutreffen, daß man zumindest die diesigen, trüben Nachmittage der langen Herbst- und Wintermonate beim flackernden Licht der Öllampen verlängerte. Bronzene Lampenständer, die auf verzweigten Ästen ein halbes, ein Dutzend oder noch mehr Öllämpchen trugen, mögen dabei eine wohlig-behagliche Atmosphäre verbreitet haben.

In der sittenstrengen Republik war es für Vater und Sohn, Schwiegersohn oder Schwiegervater noch verboten, gemeinsam zu baden. Und es galt als höchst anstößig, wenn eine Frau sich in den Bädern zeigte. In der Kaiserzeit wagten einige Frauen, dieses Tabu zu brechen, vor allem solche, deren Ruf sowieso nicht mehr zu lädieren war. Die Damen der besseren Gesellschaft blieben auch weiterhin den öffentlichen Bädern fern und benutzten ihr Balneum zuhause.

In den größeren Thermen schloß man eine besondere Abteilung für die Frauen mit separatem Eingang an, vielleicht etwas kleiner, dafür manchmal luxuriöser ausgestaltet. Frauen- und Männerbad waren den Heizkammern so zugeordnet, daß beide Warmbäder zugleich mit Wasser und die Tepidarien mit warmer Luft versorgt werden konnten. Bei kleineren Lokalen behalf man sich durch die Einführung getrennter Zeiten für die Geschlechter. Die Frauen gingen in den ersten Stunden nach der Öffnung. Den Männern blieb selbstverständlich die Zeit bis zur Schließung der Thermen vorbehalten.

Diese Regelung wird auch in Wiesbaden für die normalen Thermen gegolten haben. In den Heilthermen mag der Trakt mit den größeren Becken die Männerabteilung gewesen sein, während die etwas schmaleren, kleineren auf der anderen Seite des Korridors den Frauen reserviert blieben. Die zwei verschiedenen Becken in jeder Abteilung des Thermalbades könnten mit unterschiedlich temperiertem Thermalwasser gefüllt gewesen sein.

Sport und Spiel in den Palästren

An die meisten Thermen schlossen sich Palästren, also offene Sportplätze im Freien, an. Großen Badeanlagen waren Gymnasien zugeordnet. Dort lagen hinter einem Wandelgang, der das Spielfeld umgab, Gymnastiksäle, so daß alle möglichen Sportarten bei jedem Wetter, auch im Winter, betrieben werden konnten. Auch in den Palästren von Aquae Mattiacorum waren Ringkampf und Fechten sehr beliebt. Man stemmte mit Sand gefüllte Ledersäcke oder traktierte sie mit Faustschlägen wie heutzutage einen Punchingball. In Wiesbaden, Mainz und den anderen Römerstädten Germaniens sowie in den Limeskastellen ergötzten sich Bürger und Soldaten an den in Rom üblichen Spielen wie Schlagball, Sprungball, Mauerball. Beim *harpastum* – einer Art Raufball – mußte man »inmitten der Gegenspieler, trotz Gedränge, trotz Sprüngen und Finten« den Ball erhaschen. Dieses Spiel wirbelte viel Staub auf und ermüdete sehr. Petronius berichtet von einem Ballsport zu dreien – *trigon* genannt – und von einem »glatzköpfigen Alten in orangefarbener Tunika und Sandalen, der mit grünen Bällen warf, die die Erde nicht berühren durften. Ein Sklave begleitete ihn mit einem Sack, der weitere Bälle enthielt.«

Die Thermen haben im Römerreich die Hygiene selbstverständlich gemacht und die Sitten von Grund auf geändert. Körperpflege und sportliche Übungen wurden Lebensbedürfnis aller Schichten. Die Leute verbrachten von nun an ihre freien Nachmittage mit Baden und Spielen, um sich zu entspannen und Körper und Geist zu stärken. So wurden die Thermen zum Mittelpunkt des gesellschaftlichen Lebens. Sie waren für alle da, und gerade das ärmere Volk fand dort, was das Herz begehrte: Gesundheit, Wärme, Wohltat, Vergnügen und Gespräch. Wer in einem Pferch hauste, fand einen angenehmen Aufenthalt – wer niemanden zu sich einladen konnte, traf dort seine Freunde. Die krassen sozialen Unterschiede waren wenigstens auf Zeit aufgehoben.

Das Leben und Treiben in einem Bad, das wohl in einem Mietshaus eingerichtet war, schildert uns Seneca besonders plastisch: »Ich wohne gerade über einem Bad. Stell dir das Stimmengewirr, das Geschrei in allen Tonarten vor, am liebsten möchte man taub sein! Ich höre das Ächzen der Leute, die mit Hanteln turnen; sie stoßen kurze Pfiffe aus und keuchen angestrengt. Wenn jemand ganz still daliegt und sich massieren läßt, höre ich das Klatschen der Hand auf seinem Rücken; jeweils einen anderen Laut, wenn der Schlag mit der flachen oder mit der hohlen Hand gegeben wird. Wenn dann noch jemand kommt, der nicht mit dem Ball spielen kann, ohne zu schreien, und die Schläge mit lauter Stimme zu zählen beginnt, ist es ganz aus. Dazu kommen dann die Streitsüchtigen, der Dieb, den man auf frischer Tat ertappt hat, der Schwätzer, der sich an seiner eigenen Stimme berauscht; und dann die Taucher, die sich ins Schwimmbecken stürzen, daß das Wasser nach allen Seiten klatschend aufspritzt. Aber diese Leute lassen wenigstens ihre natürliche Stimme ertönen. Doch vergiß nicht den Haarauszieher, der jeden Augenblick im Falsett seine Dienste anpreist und nur still ist, wenn er jemandem die Haare ausreißt; dann aber beginnt sein Opfer zu zetern. Ganz zu schweigen von dem Geschrei der Getränke-, Wurst- und Pastetenhändler sowie der Laufburschen der Kneipen, die umherziehen und ihre Ware anbieten, jeder in einer anderen Tonart.«

Seneca war eben ein Dichter, der die Ruhe liebte.

Kurbetrieb in Wiesbaden vor zwei Jahrtausenden

Aquae Mattiacorum war das Heilbad für die Mainzer Legionen, so wie Baden-Baden für die Besatzung von Straßburg und Bath für das britannische Heer. Die Legionäre wurden von ihren Militärärzten regelrecht in Kur geschickt, nicht nur im Falle einer Krankheit, sondern auch nach Verwundungen, wo Thermalanwendungen – vielleicht mit Methoden ähnlich unserer Unterwassermassagen – die ausgerenkten Glieder, verletzten Sehnen, Muskeln und Knochen wieder regenerieren halfen. Die Truppenärzte wußten, was Milieuwechsel für die Gesundheit bedeutet. Deswegen gab es für Rekonvaleszenten den ersehnten Genesungsurlaub; fern von Drill, Enge und Härte der Lagerroutine. Kluge *medici* erkannten, daß gerade im Norden manch heimwehkranker, verstörter Italiker, Afrikaner oder Orientale, dem die Anpassung schwer fiel, sein seelisches Gleichgewicht im Heilbad wieder erlangte, nachdem er ein bißchen verwöhnt und bemuttert worden war.

Es kann wohl nicht anders gewesen sein: die Legion hatte ihre eigenen Sanatorien, die für Unterkunft und Verpflegung der kurenden Legionäre sorgten. Mancher Soldatengrabstein in Wiesbaden wurde nicht für einen Gefallenen gesetzt, sondern für einen Legionär, der dort während seines Kuraufenthaltes gestorben ist.

Doch Wiesbaden war mehr als nur Militärbad. Seine überregionale Bedeutung steht außer Frage. Nicht nur der Statthalter und sein Gefolge, die Beamten, die Mainzer Bürgerschaft, die *vicani* der umliegenden Landstädte Nida, Heidelberg, Ladenburg, Bingen, Worms, auch die Bewohner der Marktflecken wie Friedberg, Nauheim, Seligenstadt und der überall verstreuten kleinen Ansiedlungen und schließlich die Gutsbesitzer und Villenbewohner mit Verwalter und Gesinde, sie alle gingen gern zur Kur nach Aquae Mattiacorum.

Die ein- oder mehrtägige Reise über die guten, sicher bewachten Straßen und Brücken mit den gastfreundlichen Mansiones unterbrach den Alltagstrott aufs angenehmste. Mancher Patient kam sicher von weiter her, denn Ruf, Heilerfolge und die bezaubernde Taunuslandschaft mit der Aussicht vom Neroberg, waren Attraktion genug.

Wenn im griechisch-römischen Kulturbereich lange vor Christus so »mondäne« Bäder wie die von Pergamon, Epidaurus und Kos existierten, dann dürfen wir Jahrhunderte danach in Aquae Mattiacorum mit entsprechenden Kuranlagen rechnen; mit Wandelhallen, Spielsälen, Palästren, Parks und Brunnen, vielleicht einem Nymphaeum, so daß Ulrich Kahrstedt sagen kann: ». . . im zweiten Jahrhundert haben die Badeanlagen einen Umfang und eine Ausstattung, die erst spät im 19. Jahrhundert wieder erreicht worden sind.«

In einer dieser Säulenhallen stand einst die Marmorstatue eines julischen Prinzen, wie sie zu Beginn der Kaiserzeit in den kaiserlichen Werkstätten in Rom geschaffen und in den Provinzen aufgestellt wurden. Der Kopf der Statue fand sich im Schutt der Kochbrunnenthermen.

Dank an die Quellgöttin

In den Alleen von Aquae Mattiacorum ging im Jahre 120 n. Chr. die Frau des Mainzer Legionslegaten Titus Porcius Rufianus, Antonia M . . . ia mit ihrer Freundin spazieren. An diesem schwülheißen Tag wollte sie das Nymphaeum im Park besuchen. Der Springbrunnen dort versprach die ersehnte Kühlung, und auf der Steinbank daneben ließ sich das wichtige Ereignis besprechen, das Fest für ihre Tochter Porcia Rufiana. Mutter und Tochter hatten bei der Morgentoilette lange überlegt, welche Stola die Mutter zu der hellgrauen Tunica mit dem dunklen Saum tragen sollte – die mit dem purpurnen Schimmer oder die orange-farbene? Schließlich wählten sie Lila. Tochter Porcia Rufiana entschied sich für Safrangelb zu ihrer zartgrünen Tunica. Während die Sklavinnen die Locken aufsteckten, suchten sie aus, welche der Fibeln aus dem elfenbeinbeschlagenen Schmuckkästchen besonders geschmackvoll wirkte. Denn heute war es nicht nur wichtig, daß man besser angezogen war, wenn man der Frau des Adjutanten begegnete – heute schmückten sich die Damen aus einem besonderen Anlaß.

Porcia Rufiana, nach wochenlanger Kur endlich genesen, fühlte sich wie neugeboren. Die Mutter hatte aus Dankbarkeit der Quellgöttin Diana Mattiaca eine Statue mit Inschrift setzen lassen, die morgen geweiht werden sollte. Zu diesem Festakt im Tempel war der glückliche Vater – Legionslegat Titus Porcius Rufianus – aus Mainz herübergekommen und hatte nolens volens viele Gäste zu einem Bankett geladen. Auch eine Überraschung hatte er mitgebracht: zarte goldene Ohrgehänge als Geschenk für seine Tochter. Nach der Weihung sollte im kleinen Kreis ein eigens engagierter Pantomime auftreten. Der Dankinschrift auf dem Sockel nach, der heute im Wiesbadener Museum steht, könnte es so gewesen sein.

Schmuck aus der Zeit des ersten bis dritten Jahrhunderts n. Chr. ist in einer Vitrine ausgestellt, wozu es im Museumsführer heißt: »Aufgereiht Goldringe, großenteils mit Gemmen verziert. Darunter Ohrringe verschiedener Form. Bemerkenswert ist der Goldring in der Mitte mit Inschrift: Q. Vinius Martine und das feingearbeitete Ohrgehänge, an dem eine Keule herabhängt . . . ferner weitere Ohrgehänge und Ringe, dabei ein achteckiger. Hervorzuheben ist das Goldarmband in Spiralform, das in zwei Widderköpfe ausläuft. Die kleine Goldstatuette gehörte auch zu einem Ohrgehänge. Neben der goldenen Halskette sind solche aus Halbedelsteinen und Glasperlen zu erwähnen.«

Auch die Opfergabe eines Schauspielers – eine Tonmaske, den Masken nachgebildet, wie sie in Burlesken und Pantomimen getragen wurden – hängt im Städtischen Museum in Wiesbaden. Ähnliche Tonmasken sind noch aus Köln und Worms bekannt. Zwei Firmalampen, die auf dem Lampenspiegel Schauspielermasken der klassischen Komödie zeigen, könnten aus der Garderobe eines Mimen stammen.

Ein heiliger Bezirk

Sicher erstreckte sich auch in Aquae Mattiacorum in der Nähe der Bäder wie bei anderen Heilthermen ein von der profanen Umwelt abgegrenzter Heiliger Bezirk. In der Parklandschaft dieses sakralen Hains stand der Tempel der Quellgöttin des Kochbrunnens, der Diana Mattiaca. Vielleicht gehörte in diesen Bereich auch der Tempel der Heilgöttin Sirona, der nahe der Schützenhofquelle nachgewiesen ist. Ihr hatte der Tempelpfleger Caius Julius Restitius aus eigenen Mitteln einen Stein setzen lassen. Von einem Heiligtum des einheimischen Heilgottes Apollo Toutiorix ist ebenfalls ein Altar erhalten, eine Stiftung des Lucius Marinius Marinianus, Centurio der VII. Legion.

Der lebhafte Kurbetrieb förderte das Wachsen der Zivilsiedlung, die bereits Ende des ersten Jahrhunderts n. Chr. aus Steinbauten errichtet, städtischen Charakter hatte und deren Hauptstraße ungefähr wie die heutige Langgasse verlief. In den schmalen Langhäusern, die mit ihrer Giebelseite zur Straße lagen, gab es wohl Läden mit Auslagen und Waren von einer Qualität, die auch den Geschmack anspruchsvoller Kunden befriedigte. Dazwischen Restaurants und Imbißstuben, auch Pensionen und Logierhäuser für Kurgäste, die Abwechslung und Trubel liebten. In den weiter zurückliegenden Häusern wohnten Gäste, die Ruhe und Stille suchten. Manch hoher Beamter, mancher Gutsbesitzer mag mit Frau, Kindern und Bediensteten ein Appartement bezogen haben. Ein Lebensstil, der an das 19. Jahrhundert erinnert.

Im ungestörten Frieden des zweiten Jahrhunderts entwickelte sich im Schutz des Limes Aquae Mattiacorum zu einer ausgesprochenen Kur- und Geschäftsstadt. Selbst die Besatzung des Kastells, die Cohors III Dalmatarum, konnte unter Trajan (98 bis 117 n. Chr.) abgezogen und auf die Saalburg verlegt werden. Damit war das Lager aufgelassen, wie die Archäologen die Aufgabe eines Lagers nennen, und Aquae Mattiacorum erhielt den Status der Selbstverwaltung. Es wurde Hauptort des Gemeinwesens der Civitas Mattiacorum, dessen Grenze zur benachbarten Civitas Taunensium mit Hauptort Nida (Heddernheim) der Schwarzbach bildete. Schriftlich erwähnt wird die Civitas Aquae Mattiacorum zum ersten Mal 122 n. Chr. auf einem Meilenstein in Kastel.

Aufblühende Kurstadt

In den Läden dieser blühenden Kurstadt konnten Kurgäste ihre Souveniers, Hoteliers und Besucher besonders feine Terra Sigillata-Service erstehen. Secundius Agricola, »ein Händler mit kunstvollen Töpferwaren«, der in Wiesbaden sein Geschäft betrieb, hatte einen guten Namen. Mit charmantem Lächeln verstand es seine hübsche Tochter Agricola Agrippina, die Keramiken anzupreisen, die ihr Vater vielleicht aus Italien, Gallien oder aus den besten Werkstätten der umliegenden Orte, vor allem aus Nida – einem Zentrum dieser Kunst – ausgesucht und aufgekauft hatte. Denn in Aquae Mattiacorum selbst arbeiteten, wie es einem geruhsamen Kurort ansteht, wenig Werkstätten. Hier ist nur eine einzige Formschüssel zur Sigillataherstellung gefunden worden.

Secundius Agricola gehörte, wie die anderen Kaufleute auch, einer Gilde an, die, einer Inschrift zufolge, im Jahre 212 n. Chr. ein Versammlungshaus *(schola)* in der Stadtmitte errichteten. Es lag sicher in der Nähe eines Forums oder Marktplatzes mit Rathaus und anderen öffentlichen Gebäuden, denn daß in Aquae Mattiacorum Märkte stattfanden, überliefert eine Weihetafel für den Schutzgott der Märkte, Merkur. Ihm fühlten sich in dieser Geschäftsstadt die Einwohner besonders verbunden und sagten in vielen Weihungen Dank für merkantilen Erfolg und Gewinn.

Die Wiesbadener Bürger griffen auch tief in die Tasche, wenn es galt, öffentliche Gebäude, Palästren und Tempel zu bauen oder zu erneuern. So haben sie 194 n. Chr. den baufälligen Tempel für Jupiter Dolichenus, den syrischen Himmelsgott, unter dem Konsulat des Kaisers Severus und des Albinus auf ihre Kosten wiederherstellen lassen. Careius Saturninus und Pinarius Verus, sicher Wiesbadener Prominenz, hatten die »Aufsicht«, wie die Inschrift vermerkt. Die allgemeine Zufriedenheit in dieser Stadt spiegelt auch ein Relief, auf dem Fortuna mit ihrem Füllhorn thront, das von einem Amor gehalten wird. Neben der Göttin des Glücks leert ein freundlicher Merkur einen prallgefüllten Geldbeutel in eine Schale. Der Wohlstand dieser Bevölkerung, die an den Kurgästen verdiente, der Pensionsinhaber mit renommierten Häusern und der Ärzte, die den vermögenden Patienten eine gepfefferte Rechnung präsentierten, fand seinen Niederschlag in dem reicheren Inventar aus den Wiesbadener Häusern.

Zum Lebensstandard solcher Haushalte gehörte die prachtvolle Weinkanne aus der campanischen Fabrik des C. Appius Fuscus (erstes Jahrhundert) und die Bronzebecken mit einem Halbdeckel und einem Sieb in der Ausgußtülle – für gewürzten Wein zum Erhitzen bestimmt – die Anfang des dritten Jahrhunderts von der Pfalz her in Mode kamen. Auch der bronzene Wasserhahn im Städtischen Museum mag aus einem Privathaus stammen, das eine Wasserleitung besaß. Vielleicht benutzte man hier sogar »Mischbatterien« für heißes und kaltes Wasser, wie andernorts gefunden, wo das Wasser in der gewünschten Temperatur aus verzierten Bronzehähnen floß.

Die Statuette aus Bronze – »der Wagenlenker«, mag im Peristyl eines behaglichen Wohnhauses gestanden haben, im Hause einer Familie mit Kultur und Geschmack. »Sie gehört zu den schönsten Kleinbronzen, die nördlich der Alpen gefunden wurden. Dargestellt ist ein nackter Jüngling, der gerade im Begriff ist, den Wagen zu besteigen. Aus der Nacktheit und nach dem Diadem ergibt sich, daß ein Gott, wahrscheinlich ein Halbgott gemeint ist. Die Statuette ist hohlgegossen und nachträglich auf das sorgfältigste nachgearbeitet. Die Augen sind mit Silber eingelegt, die Pupille durch Bronzestifte gekennzeichnet. Das Diadem ist aus Kupfer- und Silberdraht zusammengedreht. Lippen und Brustwarzen scheinen Kupferauflagen zu haben. Der Sorgfalt der Technik entspricht die künstlerische Qualität: der herrliche Kopf geht auf frühhellenistische Vorbilder aus dem Kreis des Lysipp zurück, der muskulöse Körper zeigt dagegen Stilmerkmale, die nicht vor dem reifen Hellenismus aus dem späten dritten vorchristlichen Jahrhundert möglich sind. Die Statuette gehört zu einer Reihe ähnlicher Schöpfungen, bei denen, wohl in Südgallien, Anregungen der griechischen Kunst selbständig verarbeitet wurden. Unser Stück, das in Kastel gefunden wurde, dürfte Pelops, den Gründer der olympischen Spiele, oder Alexander den Großen darstellen.« (H. Schoppa).

Die geschätzten Kurpensionäre

Manche Bürger, die sich aus dem Berufsleben zurückzogen und nur noch ihrer Gesundheit leben und die angenehmen Zerstreuungen der Kurstadt genießen wollten, wählten Wiesbaden als Alterssitz. Doch auch den Legionären hatte es diese Stadt angetan. Nach Beendigung ihrer Dienstzeit

kauften sich manche Veteranen mit ihrer Abfindung in Aquae Mattiacorum oder Castel Mattiacorum (Kastel) ein kleines Grundstück, wie viele
Altäre, von Veteranen geweiht »auf ihrem eigenen Grund und Boden« beweisen, und lebten dort als bescheidene, aber glückliche »Kurpensionäre«.
Nachdem sie nach Herzenslust gebadet hatten, trafen sich die »alten Kameraden«, saßen in den Thermipolien herum, tranken ihren Wein und
wärmten Kriegserinnerungen aus den Germanenkriegen auf. Sie beugten
sich über Brettspiele und handhabten geschickt die Würfelbecher, wie sie
heute im Museum ausgestellt sind. Die Veteranen pflegten auch in Wiesbaden ihren gewohnten religiösen Kult, der dem Gott Mithras galt. Ihm
haben Caius Silvinius Materninus, Lucius Adiutorius Attillus und Caius
Vettinius Paternus von der XXII. Legion einen Altar geweiht für ein Heiligtum auf dem Privatgrundstück des Gaius Varonius Lupulus, das teilweise in den Felsen gehauen war.

Schwere Zeiten für Wiesbaden

Dieses Friedens konnten sich die Wiesbadener bis zu den Jahren 259/260
erfreuen. Dann zerstörten die Alamannen auch diese Stadt bis auf die
Grundmauern. Schwere Tage brachen über die verbliebene Bevölkerung
herein. Aber irgendwie ging das Leben weiter. Anscheinend wechselte die
Stadt in dieser turbulenten Zeit einige Male ihren Besitzer.
Noch einmal konnten die Römer Wiesbaden zurückerobern: Valentinian
sicherte den Brückenkopf Castellum Mattiacorum aufs neue, ließ den
Rhein gegen die immer stärker andringenden Germanen schützen und
errichtete wieder ein Kastell. Das war in den Jahren 356 bis 360. Anscheinend wurde der Bau nicht ganz beendet. Teil dieser Verteidigungsanlage
ist die »Heidenmauer«, der einzige sichtbare Zeuge jahrhundertelanger römischer Herrschaft und Kultur auf Wiesbadener Boden.
Eine der letzten Episoden aus Aquae Mattiacorum ist uns überliefert:
371 n. Christus kurierte der Alamannenfürst Macrian sein Rheuma in den
Thermalquellen. Valentinian wollte sich den Fürsten schnappen und
setzte von Mainz aus eine starke Abteilung in Marsch. Doch das römische
Heer war anscheinend nicht mehr das, was es einmal war. Der undisziplinierte Haufen machte unterwegs einen solchen Lärm, daß die Germanen,
rechtzeitig gewarnt, ihren rheumatischen Fürsten in eine Sänfte packen
und mit ihm in den Taunuswäldern verschwinden konnten.
Spätestens in den ersten Jahren des fünften Jahrhunderts wurde Aquae

Mattiacorum ganz aufgegeben. Auch den Germanen hatten es die Heilbäder Wiesbadens angetan, und es entstand gleich nach 400 eine ansehnliche germanische Siedlung. Erst um 800 gibt es wieder ein schriftliches Dokument über die Existenz Wiesbadens. Einhard – Berater, Vertrauter und Biograph Karls des Großen, zeichnete in seinem Tagebuch auf, daß er auf dem Weg zu seiner Abtei in Seligenstadt dort übernachtet habe: »et castrum, quod moderno tempore Wisibada vocatur« »ein befestigter Ort, den man heutzutage Wiesbaden nennt.«

Die Wiege der Heilkunst

Über das römische Gesundheitswesen sind wir durch die antike »Fachliteratur« gut unterrichtet und können eine Entwicklung der Medizin verfolgen, die mit dem zur Kaiserzeit erreichten Stand im wesentlichen für das ganze Imperium gilt. So kann ein kurzer allgemeiner Überblick uns Aufschlüsse über die ärztliche Praxis und Versorgung in den germanischen Provinzen geben und zum Verständnis der hiesigen Funde beitragen.

Die Griechen waren die ersten, deren Heilmethoden, Diagnosen, Therapien man als wissenschaftlich bezeichnen kann, doch kam es in der Antike nie zu einer eindeutigen Trennung zwischen empirischer Heilkunst, magischen Praktiken und der neuen griechischen medizinischen Wissenschaft, die im Zuge der römischen Besetzung den Westen eroberte. Die Ärzte, die in Rom ihre Praxis ausübten, waren fast immer Ausländer, hauptsächlich Griechen, Ägypter und Juden. Obwohl diese Berufsärzte – voran die weltberühmten Gelehrten Asklepiades und Galen – eine für damals ausgezeichnete wissenschaftliche Ausbildung in den anerkannten griechischen Ärzteschulen erfahren hatten und in der antiken Welt den besten Ruf genossen, blieb die Einstellung der Römer diesen ausländischen Ärzten gegenüber skeptisch.

Bis in die späteste Zeit betätigten sich vor allem Sklaven und Freigelassene als Mediziner. Für Sklaven mit medizinischen Kenntnissen erzielte ein Sklavenhändler Spitzenpreise bis zu sechzig Goldstücken. Das brachte immerhin zehn Goldstücke mehr ein als ein kostspieliger Eunuch, dessen Marktwert bei etwa fünfzig Goldstücken lag. Sklavinnen und Sklaven, welche die ärztliche Kunst beherrschten, durften allerdings nur dann außerhalb des Hauses praktizieren, wenn ihr Herr selber Arzt war. Daß von ihnen viele freigelassen wurden, zeigen ihre griechischen Beinamen, da nur Freigelassenen das Tragen eines Beinamens gestattet war. –

Über keinen Beruf in der Antike sind wir so gründlich informiert, wie über den des Arztes. Dies verdanken wir vor allem einem der größten dieses Metiers, der gleichzeitig – auch eine in der Moderne nicht seltene Verbindung – ein hervorragender und fleißiger Schriftsteller war: Galen. »Clarissimus« Galenus war 130 oder 131 n. Chr. in Pergamon geboren und wandte sich als junger Mann zunächst der Philosophie zu. Dann studierte er in Smyrna, Korinth und Alexandria Medizin, wurde Gladiatorenarzt in seiner Vaterstadt und ging dann für drei Jahre nach Rom. Er stand mit den großen Geistern seiner Zeit in regem Gedankenaustausch, wurde aber auch stark angefeindet wegen seiner Rechthaberei, Streitsucht und großsprecherischen Anmaßung. Schließlich avancierte Galen zum Leibarzt des Philosophen-Kaisers Marc Aurel.

Galen selbst nennt 125 von ihm verfaßte Schriften, die philosophische, juristische und mathematische Fragen behandeln, sowie 150 medizinische Lehrbücher und 15 Kommentare. Der tatsächliche Umfang seines Werkes dürfte noch größer gewesen sein. Die wissenschaftliche Leistung dieses Mannes besteht darin, daß er das gesamte medizinische Wissen seiner Zeit zusammenfaßte und systematisch zu ordnen suchte. Mit der Sektion von Tieren begründete er seine Anatomie. Mit anderen Tierexperimenten seine Physiologie. Kreislauf, Verdauung, Nervensystem, waren Gegenstand theoretischer Erörterungen. Er wandte gerne natürliche Heilmethoden an und schrieb eine exakte Dosierung der Medikamente vor. Das Lehrgebäude, das dieser Wissenschaftler aufbaute, hat spätere Jahrhunderte bis in unsere Zeit hinein befruchtet.

Im allgemeinen erteilten Ärzte privat Unterricht für Aspiranten, indem sie sich bei ihren Handlungen durch Handreichungen helfen ließen. Ihre Gehilfen bereiteten die Medizinen, legten Umschläge auf, machten Klistiere und ließen zur Ader. Stets folgte den *doctores* ein Schwarm von Schülern. Martial beklagt sich bitter, der Arzt Symmachus habe ihn mit hundert Schülern besucht, und erst durch die Berührung von hundert eiskalten Händen habe sich das Fieber eingestellt, von dem er vorher noch verschont geblieben war. Viele Lehrbücher, auch pharmazeutische Schriften, wurden verfaßt. Unter Tiberius schrieb Cornelius Celsus bedeutende medizinische Handbücher, speziell über Chirurgie. Kaiser Vespasian gründete in Rom das Athenäum und ließ vom Staat bezahlte Professoren medizinische Vorlesungen halten. Unter Alexander Severus wurde der öffentliche Unterricht noch weiter ausgebaut und wahrscheinlich Medizin in den Scolae universitariae neben Rhetorik, Philosophie und Rechtswissenschaft gelehrt.

Vom gebildeten Arzt erwartete man in der Kaiserzeit Kenntnis der Gesetze, der Rhetorik, Dialektik und Philosophie. Aus den verschiedenen Schulen kamen Spezialisten: Augen- und Ohrenärzte, Ärzte für Brüche und Fisteln, Ärztinnen für Geburtshilfe und Frauenkrankheiten. Vor allem aber waren die Römer ausgezeichnete Chirurgen und Operateure, was schließlich nicht verwundert, hatten sie doch in den Gladiatorenschulen reichlich Gelegenheit, Wunden zu nähen und Knochen zu flicken. Man wagte sich sogar an Gallen- und Blasenstein-Operationen.

Hunderte von ärztlichen Instrumenten, vorwiegend Operationsbestecke, Skalpelle, Venenklammern, Zahnzangen wurden in Pompeji und in den Provinzen gefunden. Viele davon gleichen fast aufs Haar denen, die unsere Ärzte heute handhaben. Vom Chirurgen Alcon heißt es bei Martial: er »schnitt unbarmherzig eingeklemmte Brüche und bearbeitete Knochen mit kunstfertiger Hand.«

Auch Betäubungsmittel waren bekannt. Unter anderem nutzte man die Wirkung der alkaloidhaltigen Mandragora, die die Alkaloide Hyoszyamin und Skopolamin enthält. Entweder wurde der Saft der Mandragora in genau bestimmten Dosen eingenommen oder man atmete die Dämpfe eines Decoctums ein wie heute Chloroform. Man verstand es auch, Staroperationen bei medikamentös erweiterter Pupille auszuführen.

Sehr alt ist die Zahnheilkunde, und Zahnersatz kannte man schon Jahrhunderte vor Christus. Mit Gold befestigte Zähne werden bereits im Zwölftafelgesetz erwähnt. Zivilisationskrankheit Karies vor zweitausend Jahren! Sie kam auch in Germanien vor, wie Untersuchungen ergaben. Ein Zeichen des Wohllebens und der guten Ernährung in der Antike.

In großen Zügen dürfen wir aus diesem Bild vom Stand der Medizin im Römischen Imperium auf die Verhältnisse in den germanischen Provinzen schließen. Sie waren ja nicht provinziell im heutigen Sinn des Wortes. Hier hielten sich Prominente aus allen Teilen des Reiches auf als Staatsbeamte, Truppenkommandeure, als Reisende. Von überall her kamen Legionäre, Händler, Künstler und selbstverständlich auch Ärzte.

Gesundheitswesen in Obergermanien

Seit Beginn der Kaiserzeit wurden Ärzte mit festem Gehalt angestellt. Es waren dies die Leibärzte des Kaisers, die Ärzte in den Gladiatorenschulen, die Truppenärzte in den Garnisonen und Ärzte in den Kommunen. Auf diese Weise wurde das römische Gesundheitswesen offiziell auf die Provinzen ausgedehnt und das von den Griechen erworbene medizinische Wissen und Können überall verbreitet. Vespasian und Hadrian befreiten beamtete Ärzte in Rom und in den Provinzstädten von Steuern und räumten ihnen besondere Vergünstigungen ein. Diese von Staats wegen eingesetzten *medici* hatten die Aufgabe, die Armen unentgeltlich zu behandeln, waren also »Sozialärzte«, wie es sie schon in der griechischen Polis gab. Sie genossen allgemein hohes Ansehen und durften neben ihrer amtlichen Tätigkeit auch eine Privatpraxis ausüben.

Strabo erwähnt zum ersten Mal, daß außerhalb Roms, nämlich in Marseille (Massilia) und anderen gallischen Städten Ärzte bestallt und »von drückenden öffentlichen Leistungen« befreit wurden. Antoninus Pius (131 bis 168 n. Chr.) legte die Zahl dieser angestellten Sozialärzte genau fest und gestand jeder Stadt ihrer Größe entsprechend fünf, sieben oder zehn Mediziner zu. Daneben ließen sich seit dem zweiten Jahrhundert in den meisten römischen Städten des Imperiums auch Privatärzte nieder. Die Heilkunst hatte auch in unserer Provinz ein beachtliches Niveau, wie das Binger Ärztegrab aus dem zweiten Jahrhundert n. Chr. beweist.

Das reiche Instrumentarium bestand aus Bronzebecken, Schröpfköpfen, Skalpellen, Pinzetten, Spateln und vielen anderen medizinischen Werk-

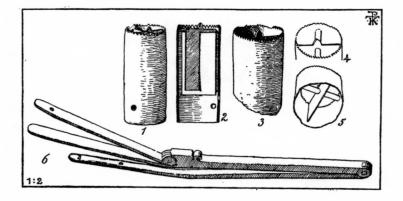

Operationsbesteck aus dem Binger Ärztegrab

zeugen. Vor allem ein Instrument des Binger Doktors erregt unser Interesse, und zwar zwei Bronzeröhren mit einseitig gezahntem Rand und ein zusammenklappbarer Bronzestab. Die Wissenschaft hat lange an der Bedeutung dieser Geräte herumgerätselt, bis sie herausfand, daß dieser Bronzestab aufgeklappt als Fidelbogen zu gebrauchen ist, mit dessen

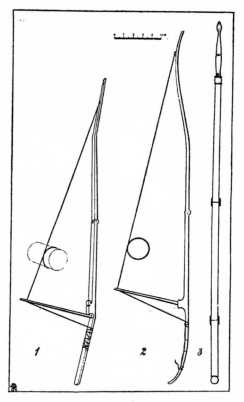

Trepanierbogen

Hilfe man die gezahnte Röhre in Drehung versetzen kann. Auf diese Weise wurden Schädel trepaniert, das heißt, die Schädelkapsel operativ geöffnet. Der Arzt preßte die gezackte Röhre auf die Schädeldecke und setzte sie mit dem Trepanierbogen in schnelle, rotierende Bewegung, so daß ein Loch in der Schädeldecke entstand.

Die dem Binger Arzt mit ins Grab gelegte Bronzestatuette eines Nil-pferdes mit Uräusschlange ist vielleicht eine Erinnerung an seine Studien-zeit in Alexandria. Dies wäre auch ein Hinweis auf seine mögliche orien-talische Abstammung. War er ein Ägypter, ein Grieche oder Jude, der in Ägypten studiert hatte? War er ein Freigelassener, der in Bingen seine eigene Praxis gründete? Oder war er als freier Bürger eingewandert? Viel-leicht stammte er aus einer römischen oder keltischen Familie, die ihrem Sohn die beste »klassische« Ausbildung im Osten des Reiches hatte angedeihen lassen?

Überall schlossen sich die Medici zu Kollegien zusammen und übten in ihren eigenen Versammlungshäusern einen gemeinsamen Kult des Heilgottes Aeskulap und der Göttin der Reinheit, Hygia, aus. Und seit dem zweiten Jahrhundert n. Chr. gab es in den meisten römischen Provinzstädten auch öffentliche Krankenhäuser. Nach Galen sollten diese mit geräumigen Sälen und großen, reichlich Licht einlassenden Türöffnungen ausgestattet sein. Ihre Vorläufer waren die Militärlazarette und Krankenstationen der großen Landgüter und Manufakturen.

Die ersten Krankenhäuser

Oekonomische Bedingungen diktieren häufig soziales Verhalten. Sklaven bedeuteten dem Besitzer nicht nur Kapital und Prestige, sondern die Aufrechterhaltung seiner wirtschaftlichen Existenz, deshalb mußte ihre Arbeitskraft erhalten werden. In den größeren Gewerbe- und Produktionsbetrieben, die viele Sklaven beschäftigten, und bei Großgrundbesitzern, die ihre Güter mit hunderten oder gar tausenden von Sklaven bewirtschafteten, arbeiteten und hausten sie auf engstem Raum zusammen. Hygiene und der Schutz bei Krankheiten waren Grundbedingung. Besonders bei Ansteckungsgefahr mußten die Kranken von den anderen isoliert untergebracht werden. Da Sklaven nach dem Gesetz keine Familie haben durften, sie also im Krankheitsfall niemand pflegte, fiel diese Pflicht dem Patron zu. So entstanden im ersten Jahrhundert v. Chr. Krankenstationen, also »Sklavenlazarette«. Die Behandlung übernahmen Sklaven oder Freigelassene, wie gesagt, meist griechischer Herkunft, die entweder medizinische Erfahrung mitgebracht hatten oder eigens zu diesem Zweck geschult wurden.

Für das römische Heer war mehr noch als die Versorgung und Heilung von Verwundeten, denen Sanitäter auf dem Verbandsplatz die erste Hilfe leisteten, die Bannung von Seuchengefahren eine Existenzfrage. Seitdem das römische Heer ein Berufsheer geworden war und man nicht mehr wie früher nach den Feldzügen im Winter nach Hause ging und sich am Ofen bei der Familie wärmte, sondern ständig dicht gedrängt in den Baracken der festen Lager lebte, auch unter extremsten klimatischen Bedingungen, mußte die Heeresleitung die Gesundheit ihrer Legionen mit allen Mitteln schützen. Wie schnell manchmal Soldaten in großer Zahl erkrankten, sehen wir aus einem Text bei Plinius. Er erzählt, daß während eines Feldzugs des Germanicus die gesamte Besatzung eines an der Meeresküste gelegenen Kastells erkrankte, weil die Männer aus einer verseuchten Quelle getrunken hatten. Die Friesen retteten sie und lieferten das Heilmittel Herba Britannica, eine Ampferart, vielleicht Rumex domesticus, die nur an der friesländischen und schleswig-holsteinischen Meeresküste wächst und über deren Wirkung Plinius genau berichtet. Jüngst hat die Untersuchung einer Abortgrube der Besatzung des Kastells Künzing in Bayern ergeben, daß die Soldaten unter starker Wurmverseuchung durch den Schmarotzer Trichuris trichiura litten. Dieser parisitäre Peitschenwurm quält heute noch die Menschheit.

Beim Bau der Standlager hat man deshalb gleich die Valetudinarien (Lazarette) mitgeplant. Sie waren auch für moderne Begriffe vollendet praktisch und hygienisch angelegt. Selbst im kleinsten Kastell für Hilfstruppen standen nach stets gleichem, von Hygin beschriebenem Schema errichtete Krankenbauten. Nun haben wir das Glück, daß eine solche militärische Krankenhausanlage bei Ausgrabungen am Rhein zum Vorschein kam, das Valetudinarium des Zweilegionenlagers Vetera bei Xanten aus der Zeit Neros 54 bis 68 n. Chr.: »Das Valetudinarium bildete ein Quadrat von 84 Metern Seitenlänge. Es war nur für die eine der beiden in Vetera stationierten Legionen bestimmt, die Legio V Alaudae. Zur Straße hin, zur Via Principalis, sind dem Gebäude noch einige zusätzliche Raumfluchten vorgelagert, vielleicht für Hilfspersonal oder Vorräte. Der Eingang lag an der Straße, man betrat von dort durch eine vorgelagerte offene Säulenhalle, welche die Straße säumte, den Eingangssaal A. Die vier Flügel des Gebäudes schlossen einen Innenhof ein, auf den sich an drei Seiten Säulenhallen öffneten. Hinter diesen drei Seiten des Innenhofs lagen die Flügel mit den Krankenzimmern. Der vierte Flügel, der Straße zugewandt, enthielt Wirtschafts- und Behandlungsräume.

Bemerkenswert ist der recht breite Korridor, an dem die Krankenzimmer liegen. Vielleicht hat man ihn so breit gemacht, damit dort im Notfall weitere Kranke Platz finden konnten. Die meisten Krankenzimmer waren nicht direkt von dem großen Korridor aus zu erreichen, sondern wandten ihre Türen kleinen Stichkorridoren zu, von denen aus jeweils zwei Krankenzimmer versorgt wurden. Daher liegen auch die Krankenzimmer römischer Valetudinarien üblicherweise in Zweiergruppen an dem großen Korridor. Die Flächengröße der Zimmer betrug in Vetera etwas über 14 Quadratmeter; sie hatten Platz für drei Betten.

Während die drei Gebäudeflügel mit den Krankenzimmern ganz gleichartig eingeteilt waren, enthielt der vierte Flügel verschiedenartige Räume, die zur Versorgung und Behandlung der Kranken dienten. Die Mitte des

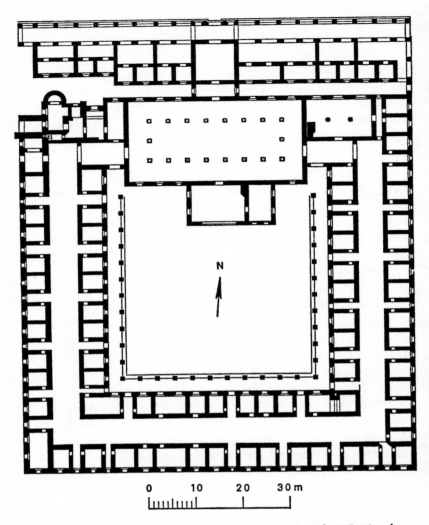

Grundriß des Valetudinariums (Lazaretts) im römischen Legionslager Vetera bei Xanten.

Flügels nimmt ein hoher dreischiffiger Saal B ein, von dem aus die übrigen Räume zu erreichen waren, entweder direkt oder über kurze Korridore. Nach dem Innenhof ragt ein kleiner Saal OP vor. In diesem gut belichteten Saal hat man den Operationsraum erkannt. Einige ärztliche Instrumente, die fast neuzeitlich anmuten, sind bei verschiedenen Ausgrabungen in römischen Schichten gefunden worden; sie zeugen vom Stand der damaligen Chirurgie. Eine ziemliche Bedeutung hatte in der römischen Medizin auch das Baden; infolgedessen enthielt auch das Valetudinarium ein kleines Bad, das die üblichen Räume zum heißen, lauen und kalten Baden besaß. – Raum C auf der anderen Seite des großen Saales B könnte die Küche gewesen sein.« (D. Baatz)

Wenn, wie Baatz schreibt, dieses Lazarett nur für eine Legion diente, so müßte für die zweite dort stationierte Legion noch ein Valetudinarium mit etwa 200 Betten gestanden haben. Das würde bedeuten, daß wohl auch die Garnison Mogontiacum mit ihren beiden Legionen in der gleichen Weise versorgt war.

Darüber, wieviele Ärzte ein solches Lazarett betreuten, gibt es leider keine genaue Angabe. Jedoch ist von Rom bekannt, daß auf tausend Mann Polizei- und Wachtruppen (Praetorianer-Kohorten) vier Ärzte kamen. Davon ausgehend darf man für eine Legion mit vierundzwanzig Ärzten rechnen, die entweder Militärs in einem niederen Offiziersrang oder zivile Ärzte waren (die *medici legionum* und *medici ordinarii*). Ihnen standen Lazarettgehilfen (*capsarii*) zur Seite. Aus Wiesbaden liegt ein Etui mit Instrumenten eines Truppenarztes vor, das Sonden, Eiterlöffelchen und Wundklammern enthielt. Zur Salbenherstellung verwendete man recht-

Augenarztstempel von der Saalburg. Auf viereckigen Stempeln, deren Spiegelschrift in die Salbe oder Paste eingedrückt wurde, vermerkte der Arzt die Krankheit, den Namen des Heilmittels, die Rezeptur und seinen Namen.

eckige Plättchen und Reiber aus Marmor, manchmal als gebogener Finger geformt. (Heute im Städtischen Museum.)

Über die 2000 Jahre alte Geschichte einer Heilung gibt eine steinerne Weihe-Inschrift Aufschluß: Der aus Ostia stammende Arzt der IV. Aquitanerkohorte im Kastell Obernburg, M. Rubrius Zosimus, wurde an das Lager des schwer erkrankten Praefekten L. Petronius Florentinus gerufen. Die Diagnose muß beängstigend gewesen sein, denn der Arzt vertraute nicht allein auf seine eigenen Heilkünste, sondern rief die höheren Mächte zu Hilfe. Er gelobte Jupiter, Apollo, Aesculap, Salus und Fortuna einen Stein zu weihen, wenn sein Vorgesetzter wieder gesund würde. Bei soviel göttlichem Beistand konnte nichts schiefgehen, der Patient genas, und der Arzt löste sein Gelübde ein. Auch der Praefekt zeigte sich den Himmlischen gegenüber in einer Weihung dankbar.

Für unsere Provinz kann man sagen, daß neben den tradierten einheimischen Heilmethoden, die noch auf die alte Druidenweisheit und ihre magischen Praktiken zurückgingen, durch die Konzentration der Truppe und die mediterranen Einrichtungen das Niveau der ärztlichen Versorgung das der Hauptstadt der Welt erreichte. Wahrscheinlich haben sich römische und einheimische Heilverfahren wechselseitig beeinflußt und ergänzt. Mit dem Zusammenbruch des Imperiums ging auch dieses wertvolle Wissen verloren. Die Heilkunst der Antike versank in der Barbarei der nächsten Jahrhunderte.

Die Besiedlung des flachen Landes

»IHR, DIE IHR DURCH VIELE LÄNDER gekommen seid, habt ihr ein besser bebautes Land gesehen als Italien? Ich jedenfalls glaube, daß es keines gibt. Man muß jedoch auch zugeben, daß Italien zur Kulturlandschaft geeigneter ist als Asien. Erstens, weil es zu Europa gehört, und dann, weil dieser Teil Europas ein gemäßigteres Klima hat als der nördliche. Wachsen nicht alle Nutzpflanzen in Italien und bringen nicht alle die höchsten Erträge? Welchen Spelt (Gerste) könnte man mit dem Kampaniens vergleichen? Welchen Wein mit dem Falernerwein? Welches Öl ist dem von Venafrom gleichzustellen? Ist Italien nicht so sehr von Bäumen bedeckt, daß es ein einziger Obstgarten zu sein scheint? Stehen die Rebstöcke in Phrygien, das Homer in seiner Ilias doch als ›weinreich‹ bezeichnet, etwa dichter, oder bringt Argos, das derselbe Dichter das ›kornreiche‹ nennt, mehr Weizen hervor? Wo kann man, wie in einigen Gebieten Italiens, von einem einzigen Joch Land zehn oder fünfzehn Schläuche Wein gewinnen? Hat nicht auch Cato in einem Buch seiner ›Origines‹ geschrieben, daß der ›Ager Gallicus deshalb der römische heißt, weil er diesseits von Ariminum (Rimini) unter römische Siedler aufgeteilt ist, und daß man von jedem Joch Land (circa 0,25 Hektar) bisweilen zehn Schläuche Wein erntet‹?« So schrieb Varro im Jahre 37 v. Chr. in der Einleitung seines berühmten Buches über das Landleben.

Fruchtbarer Garten in der Ebene

Diese Kulturlandschaft »verpflanzten« die Römer in die Rheinlande. Pflug und Lanze waren Symbol ihrer Kultur. Hatten die Legionäre Land erobert, legten sie die Waffen nieder und griffen zum Pflug. Trotz des herberen Klimas im Norden, trotz Kälte und Regen – die römische Kulturlandschaft, die nördlich der Alpen entstand, mit den Villen und Siedlungen an den Hängen und in den Tälern der Mosel, an Rhein,

Main und Neckar – das war wirklich Arkadien, auch ohne den Zauber des Südens – ein unwiederbringlich verlorenes irdisches Paradies.

Man könnte ins Schwärmen geraten. Aber schließlich gewinnt dieses Bild einer im Kern gesunden Welt mit weiten, fruchtbaren Feldern und Weiden, Obstplantagen, Weingärten und Wäldern, in denen es von Wild wimmelte, mit Bächen und Flüssen, die noch keine Kloaken waren – heute neue Bedeutung.

Die römische Kolonisation

Bereits bei der Eroberung einer Provinz entstanden die ersten Straßen. Während des Feldzugs bauten die Legionäre die wenigen, staubigen, schlammigen prähistorischen Wege aus, befestigten, verbreiterten und begradigten sie. »Oft wurde eine Provinz mehr durch geduldige Pionierarbeit als durch aufsehenerregende Schlachten erobert . . . Die Reliefs der Trajanssäule in Rom zeigen das römische Heer häufiger beim Bauen als beim Kämpfen.« (D. Baatz)

»Die römische Straße bestand aus einer einfachen Schotterschicht, die dazu diente, den Grund der Fahrbahn zu befestigen. Die Technik unterschied sich nicht viel von der unsrigen: das Aufreißen des Bodens, das Anlegen aufeinanderfolgender Schichten von Steinen verschiedener Größe, die so angeordnet waren, daß sie den Abfluß des Wassers ermöglichten. Darauf kam eine Lage aus feinem Schotter, die in der Nähe der größeren Städte oder auf den verkehrsreichen Strecken durch eine geschlossene Decke aus vier- oder mehreckigen Pflastersteinen ersetzt wurde, die dem Gewicht der Wagen, den Witterungseinflüssen und sogar den Bodensenkungen standhalten konnten. In den Überresten der römischen Straßen finden sich noch alle technischen Vorrichtungen wie Kanäle und Schutzdämme, Fundamente und Steinaufschüttungen. Das alles zeigt uns, daß die antiken Techniker eine genaue Kenntnis der verschiedenen Bodenbeschaffenheiten und aller Besonderheiten des Terrains besaßen. Kurz, sie verstanden ihr Handwerk, ob nun die Straße durch einen Sumpf oder eine Torfgegend führte oder durch ein Gebiet, wo sich bei jedem Regenguß von Hügeln und nahen Gebirgen Sturzbäche ergossen.

Die Römer legten ihre Straßen nach Möglichkeit geradlinig an, vermieden aber, sie am Fuß von Höhenzügen entlangzuführen. Eher trugen sie noch einen Hügel zum Teil ab oder gruben einen Tunnel. . . um den rauhen Weg über das Gebirge zu vermeiden. . . Zusammen mit diesen Werken

Römerstraße in Obergermanien

müssen die vielen hundert Brücken innerhalb und außerhalb Italiens erwähnt werden, von denen man noch heute mehrere sehen kann. Sie sind so vollendet konstruiert, daß man sogar sagen kann: erst die modernste Technik hat nach 2000 Jahren durch die Verwendung des Eisenbetons diese Bauweise übertroffen, die so viele Jahrhunderte hindurch bei nur ganz wenigen Verbesserungen gültig geblieben war.« (C. Vasoli)

Eine intensive bäuerliche Kolonisation konnte nun beginnen. Der nächste Schritt war eine exakte Landvermessung. Mit einem einfachen Kreuzvisierinstrument, dem *groma*, vermaßen die Landvermesser (*gromatici* oder *agrimensores*) das für die Kolonisation vorgesehene Gebiet. Das

Land wurde durch rechtwinklig sich kreuzende Straßen- und Grabenzüge schachbrettartig in große quadratische Blöcke aufgeteilt. Diese untergliederte man nochmals in regelmäßige Parzellen.

Ein solches Quadrat umfaßte etwa 50,4 Hektar oder rund 200 Morgen. Die kleinste Vermessungseinheit entsprach etwa einem Morgen Land, der Fläche, die ein Bauer an einem Tag mit Hilfe eines Ochsengespannes pflügen konnte. Einheimische Besitzverhältnisse, bereits vorhandene Straßen wurden nicht einfach über den Haufen geworfen, sondern ebenso berücksichtigt wie Naturgegebenheiten – Berge, Flüsse, Sümpfe – die eine flexible Limitierung verlangten.

Sicherlich ist auch ein beachtlicher Teil des rechtsrheinischen Gebietes so vermessen und aufgeteilt worden. Neben der eingesessenen Bevölkerung siedelten hier Veteranen, Kolonisten aus Germanien und Gallien. Wie Forschungen ergaben, sind Kelten aus Innergallien, aus Lyon zum Beispiel und aus der Schweiz zugewandert. Dazu kamen italische Bauern, »Vertriebene«, denen durch die entstehenden riesigen landwirtschaftlichen Betriebe von Großgrundbesitzern (Latifundien), die Existenzgrundlage entzogen worden war. Ja, sogar Syrer ließen sich nachweislich als Siedler in diesem Grenzland nieder.

Auf dem *territorium legionis* hatten die Legionäre ihre Farmen angelegt: Mustergüter, Vorbild für die eingesessenen Bauern. Sie führten ihnen rentables, rationelles Arbeiten und Bodenverbesserung vor, lehrten sie, wie man über die Selbstversorgung hinaus ertragreich wirtschaftet und Profite erzielt. Was die Legionäre und Kolonisten hier anbauten, gedieh prächtig, denn sie hatten die fruchtbarste und klimatisch beste Zone Germaniens gewählt »Die Lage des Rheingaus am Südhang des Taunus wirkt sich sehr günstig auf sein Klima aus. In diesem Nordwestausläufer des Rhein-Main-Tieflandes finden wir auch dessen bevorzugtes Klima wieder, zumal der Taunuskamm mit seinen ausgedehnten Wäldern die kalten Nordwinde abhält. So hat Geisenheim am Rhein eine jährliche Durchschnittstemperatur von 9,4° C; die Durchschnittswerte des Januars liegen bei 0,1° C, die des Juli bei 18,4° C. Die Jahresniederschläge erreichen in tiefer gelegenen Gebieten des westlichen Rheingaus 550 mm und steigen in den höheren Lagen auf über 650 mm an. Da eine klimatische Differenzierung im Verhältnis zu der Höhengliederung selbstverständlich vorhanden ist, lassen sich auch entsprechende landwirtschaftliche Nutzungszonen erkennen: Die Auen sind mit Grünland bedeckt, die Süd- und Südwesthänge der Riedel sowie die Terrassenflächen dienen dem Weinbau, die gegenüberliegenden Ostseiten werden als Acker- und Grünfutterland genutzt. Die mit Obstbäumen bestandenen Felder und Wiesen reichen von den Talgründen aus teilweise an den Hängen bis zum direkt anschließenden Hochwald hinauf ... Vom klimatischen Gesichtspunkt aus wird das Main-Taunus-Vorland als eines der günstigsten Gebiete Deutschlands angesehen, ebenso in bezug auf die Böden ... Die klimatischen Bedingungen innerhalb der Wetterau kennzeichnen die Senke, ähnlich dem Main-Taunus-Vorland... Die milden Temperaturen des Winters bringen nur wenig Schnee und Frost mit sich; der warme Sommer erweist sich bei geringen Niederschlägen als recht trocken. Da der Frühlingseinzug in der Wetterau um etwa drei Wochen vor dem sich östlich anschließenden Vogelsberg liegt, kann die Feldbestellung hier entsprechend früher begonnen und bis weit in den Herbst hinein ausgedehnt werden.« (G. Schell)

Villae rusticae – Landgüter

In diesem Landstrich lagen an ausgesucht günstigen Plätzen die römischen Landvillen (*villae rusticae*) – meist etwas erhöht, mit guter Aussicht, nahe einer Quelle oder in einer fruchtbaren Bachniederung, oft auch an Flußufern entlang und möglichst in der Nähe günstiger Verkehrswege. Häufig reihten sich die Villae rusticae in regelmäßigen Abständen von ein bis zwei Kilometern zu beiden Seiten großer Straßen. Sie lagen 200 bis 1000 Meter von der Straße zurück, und ein eigener Weg, mit Kies aufgeschüttet, führte von der Straße zum Gut.

Inmitten eines ummauerten oder eingezäunten Hofgeländes von durchschnittlich 100 bis 120 Meter Seitenlänge – stand, etwas zurückgesetzt, das Wohnhaus des Besitzers, zumeist eine Porticus-Villa, ein Typ, der sich aus der italischen Villa rustica entwickelt hatte. Das war ein langgestrecktes Gebäude mit turmartigen Seitenflügeln auf beiden Seiten –

Wohngebäude einer einfachen Villa rustica

den sogenannten Eckrisaliten – die an der Vorderfront einen Säulen-
porticus – einen Laubengang mit etwa vier bis sechs Säulen – begrenzten.
Der Hauptraum in der Mitte des Gebäudes, in der Regel eine große Halle,
zugleich Wirtschaftsraum mit einem oder mehreren Herden, überragte die
angrenzenden Räume und hatte oben kleine Fensteröffnungen. Daneben
lagen die Schlafräume und Speisezimmer, ein Teil davon mit Hypokausten beheizbar. Auch die Küche mit Vorratskammern, vielleicht eine
Backstube, waren in diesem Komplex untergebracht, ebenso das Bad,
manchmal mit drei Räumen für den gewohnten Badeablauf ausgestattet.
Die mit kleinen, verglasten Fenstern versehene Außenfront dieser Villen
war verputzt, oft mit dickem, rotbraunem Stuck überzogen oder weiß,
ocker oder rot getüncht. Mancher Besitzer ließ die Form von Steinquadern auf dem Verputz mit Rot oder Schwarz auf hellem Grund vor-
täuschen, damit es besonders hübsch und einladend aussah. Einige Häuser waren sogar mit Quadern verblendet und deren Fugen farbig nachgezogen.
Die Räume selbst kleinerer Villen hatten Innenverputz, zumindest waren
sie in hellen Farben gestrichen. Man gliederte die Wände in Farbflächen
von Weiß, Gelb, Pompejanisch-Rot, auch Schwarz und vor allem viel
Ocker, umrandet mit roten oder grünen Linien oder auch mit Rankwerk,
Blatt- oder anderen Ornamenten gesäumt. Wer es sich leisten konnte,
schmückte die Haupträume mit Wandmalereien. »Durchschnittlich bestand die Wanddekoration aus einem mit dunkler Farbe gestrichenen
Sockel, über dem Schilfpflanzen und Wasservögel, auch Hirsche, Bären
und Luchse dargestellt sind. Der anschließende Teil wurde in fast allen
Häusern mit der gleichen Dekoration versehen: aus aufrecht stehenden
Stäben springen von Fuß zu Fuß runde Schirmdächer hervor, dazwischen
werden Amoretten oder Vögel aufgestellt. Die Wände sind oben durch
stark vortretende Stuckgesimse abgeschlossen.« (Hettner) Ein besonderes
Zeichen des Wohlstandes war es, wenn der Besitzer den einfachen Estrich
durch einen Mosaikboden ersetzen konnte. Das Dach war mit roten
Ziegeln gedeckt, gelegentlich auch mit Schiefer.
Auch einheimische Bauern haben nachweislich ihre schlichten Rechteck-
bauten aus Holz und Lehm modernisiert und dem italischen Typus
der Porticus-Villa angeglichen.
Innerhalb des eingefriedeten Hofes stand noch eine Reihe anderer
Gebäude, das Haus des rechnungführenden Verwalters zum Beispiel, die
Gesindewohnungen, Unterkünfte für Sklaven, Freigelassene oder Hinter-
sassen. Dazu natürlich Ställe, Scheunen, Speicher, Geräteschuppen, Werk-

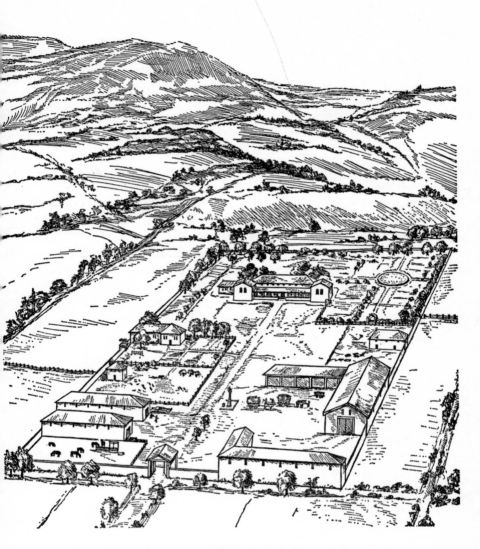

Rekonstruktion einer Villa rustica mittleren Umfangs

statt und Keller. Einige dieser Villen erreichten eine Größe, daß Vorwerke nötig wurden, das heißt, man brachte einen Teil der Arbeiter in Wohnungen unter, die in einiger Entfernung außerhalb des Hofes lagen. Mauerhecke und Graben der *villae rusticae* schlossen Gemüse- und Obstgarten, vielleicht auch einen Ziergarten beim Herrenhaus mit ein. Am Weg zum Gut oder auf dem Anwesen hinter der Hofmauer grüßte die Jupiter-Gigantensäule, die der Hausherr dem »Höchsten, Besten« geweiht hatte, damit sein Segen alle, die hier lebten, schütze.

Landwirtschaft und Weinbau zur Römerzeit

Die Gutshöfe waren durchschnittlich 100 Hektar = 400 Morgen groß und beschäftigten an die fünfzig Leute. Neben kleineren Anwesen gab es auch umfangreichere Betriebe, manche mit bis zu 1000 Hektar Land. Getreide-anbau und Viehzucht: Pferde, Rinder, Schafe, Ziegen, Schweine, Esel und Geflügel – bildeten die wirtschaftliche Grundlage. Verschiedene Weizen-sorten, Gerste und in geringerem Ausmaß Roggen lieferten das Brot-getreide. Dazu kamen Hülsenfrüchte, damals ein Hauptnahrungsmittel wie die Kartoffel heute. Ferner brachten Obst und Gemüse Abwechslung in die Kost und zusätzliche Einnahmen. Das Vieh wurde mit Hafer gefüttert, aber auch Bohnen, Erbsen, Linsen und Wicken – feldmäßig angebaut – dienten als Grünfutter.

Aus Lein gewann man Öl und Spinnstoff aus Flachs.

Die prähistorische Dreifelder-Wirtschaft wurde modernisiert. Das Land blieb nicht mehr brach liegen, damit es sich erholen konnte, sondern man wechselte jährlich die Ackerfrucht und verbesserte den Boden mit Löß, Mergel, Asche und Viehdung; vielleicht wurde auch im Winter Kalk aus-gestreut. In der frühen Kaiserzeit kam man darauf, Lupinen und Klee zu

Pflug der Römerzeit

Ergänztes Relief einer antiken Mähmaschine. Steinrelief, Trier

säen und später unterzupflügen: eine ausgezeichnete Stickstoffdüngung! Der Pflug der Römer war dem seit der Bronzezeit in Europa bekannten ähnlich – ein Krummbaum zum Anspannen mit Sterz, der als Handgriff diente. Egge, Harke, Gabeln, Sicheln, Sensen, kurzum sämtliche auch heute noch gebräuchlichen Ackergeräte, gab es damals auf jedem Hof. Man höre und staune! Auf den großen Getreidefeldern Galliens und womöglich auch auf den großen linksrheinischen Gütern des Ober- und Mittelrheins, wurde die erste landwirtschaftliche Maschine, die älteste Mähmaschine der Welt, verwendet. Palladius hat sie uns im vierten Jahrhundert genau geschildert: »Im gallischen Flachland gebraucht man das nachstehend beschriebene Hilfsmittel für die Getreideernte, und anstelle von Menschenhand wird damit durch die Kraft eines einzigen Ochsen die gesamte Erntefläche abgeräumt. Man fertigt ein Wagengestell, welches von zwei niedrigen Rädern getragen wird. Der viereckige Boden wird mit Brettern versehen, die nach außen geneigt oben einen weiteren Raum schaffen. An der Vorderseite dieses Wagenkastens sind die Bretter etwas weniger hoch. Hier wird eine Reihe zahlreicher Greifzähne angebracht, die für die Getreidehalme nur schmale Lücken lassen und leicht nach oben gekrümmt sind. An der Rückseite dieses Fahrzeugs befinden sich zwei kurze Deichseln wie die Tragstangen einer Sänfte. Hier wird ein Ochse mit dem Kopf zum Wagen hin angespannt mit Hilfe von Joch und Strängen, ein sanftes Tier natürlich, welches dem Treiber gehorcht. Sobald dieser das Fahrzeug über das Ährenfeld lenkt, wird jede Ähre von den Zähnen ergriffen und dann in den Wagenkasten geschoben, wobei die Halme abgerissen werden und zurückbleiben. Der Fuhrmann kann von hinten je nach Bedürfnis die Höhe oder Tiefe der Zähne einstellen. So kann durch wenige Touren hin und her in kurzer Zeit ein ganzes Feld abgeräumt werden. Dieses Gerät ist nützlich in offenem und ebenem Gelände für diejenigen, die keinen Bedarf an Stroh haben.« Das Korn wurde auf einer harten Tenne mit Hilfe von Tieren, Stöcken oder Dreschschlitten ausgedroschen, dann die Getreidekörner ausgesondert, indem man das gedroschene Getreide mit der Schaufel in einen Korb füllte und es solange in die Höhe warf, bis der Wind alle Spreu verweht hatte und nur die Körner im Korb zurückblieben.

Großen Aufschwung nahmen Garten- und Obstbau. Die Bauern säten und pflanzten die gängigen Blatt- und Wurzelgemüse, Kohl, Lauch, Lattich, Rettich, weiße Rüben, Möhren, Mangold. Da die römische Küche reichlich und viel Gewürzkräuter liebte, zog die Hausfrau Petersilie, Koriander, Schalotten, Fenchel und Sellerie in den Gärten. Zu den einheimischen Äpfeln, Pflaumen, kamen mehr und mehr Kirschen und Pfirsich- und Walnußbäume. Birnen scheinen sich dagegen weniger durchgesetzt zu haben.

Schon seit Anfang des ersten Jahrhunderts n. Chr. begann am Oberrhein und in der Pfalz, später an der Mosel, an Nahe und Ahr ein schnellwachsender Weinbau. Aber auch in den Rheinlanden und im Maingebiet – teils sogar in den Ebenen – war der Weinbau zur Römerzeit viel stärker verbreitet als heute. Für das Moseltal zum Beispiel, das sich für keine andere landwirtschaftliche Nutzung eignet, wurde er zum zentralen Wirtschaftsfaktor und ist es immer geblieben. Aber auch für das Rhein-Main-Gebiet ist seine damalige wirtschaftliche Bedeutung nicht zu unterschätzen.

Da die Rebkultur besondere Sorgfalt und Pflege erfordert und auch neue Geräte, wie Hacken, verschiedene Rebmesser, Stöcke, Bottiche, Tragekörbe für die Traubenernte, Weinpressen, Transportgefäße gebraucht werden, entstanden neue Erwerbszweige. Vor allen Dingen hatte das Böttcherhandwerk Konjunktur, denn die in Gallien schon früh gebräuchlichen, vorteilhafteren Holzfässer verdrängten die zerbrechlichen Amphoren und Dolien (Tonfässer). Konnten noch zu Ciceros Zeiten – also vor der römischen Okkupation Germaniens – die beiden italischen Händler Rabirius und Galeo ihre Weine bis Koblenz exportieren, so eroberte bald der gallische Wein den Markt und entwickelte sich zu einer außerordentlichen Konkurrenz für die Weingüter Italiens. Plinius der Jüngere stöhnt im zweiten Jahrhundert, daß er seinen Wein überhaupt nur noch mit hohen Rabatten losschlagen könne.

Die Landgüter in den beiden Germanien waren krisenfest und gesund.

Hier kam es nicht, wie in Italien, bedingt durch die Entstehung riesiger Latifundien, die mit billigen Massenprodukten den Markt überschwemmten, zum Ruin der kleineren Bauern. In Scharen verließen sie dort das Land und füllten als Lumpenproletariat die Städte. In Germanien lieferten sich die Höfe auch keine Konkurrenzkämpfe bis aufs Messer.

Die *villae rusticae* stellten möglichst alles, was sie brauchte, selber her – vom Ackergerät bis zur Wolle. Die Frauen spannen und webten die Kleider im Haus. Wenn es anging, richteten sich Gutsbesitzer auch einen gewerblichen Nebenbetrieb ein und spezialisierten sich auf eine bestimmte Produktion. Wer große Wälder besaß, bei dem rauchten die Holzkohlenmeiler. Der eine nutzte die Kiesgrube oder den Steinbruch auf seinem Land, ein anderer beutete die örtlichen Bodenschätze aus (Eisen- und Buntmetallgewinnung ist nachgewiesen); ein Dritter stellte Ziegel her oder töpferte.

Gutshöfe über das ganze Land verstreut

Der schiffbare Main und Neckar, die römischen Städte Mainz, Wiesbaden, Nida, Dieburg, Heidelberg, Ladenburg und ihre verbindenden Straßen boten ideale Möglichkeiten zur Erschließung des Gebietes. Und bald füllte sich die obergermanische Provinz in der Wetterau, an der Bergstraße, in Nord- und Südbaden und natürlich in den Tälern von Rhein, Main und Mosel mit Landvillen. So lag eine Reihe von Villae rusticae in einem weiten Halbkreis südlich um Wiesbaden. Im heutigen Stadtwald siedelten auf dem »Höfchen«, »der Hasselt«, und dem Neroberg Gutsbesitzer. Eine Gruppe von sechs Anwesen lagen in geringer Entfernung voneinander, von denen vier wohl Villae rusticae waren, die beiden anderen dazugehörige Vorwerke. Das fünfzehn Minuten entfernt liegende Herrenhaus mit einem riesigen Saal diente sicher dem Eigentümer nur für angenehmen Landaufenthalt und zur Repräsentation. Wahrscheinlich gehörte der gesamte Komplex einem höheren Staatsbeamten oder Patrizier aus Mainz oder Wiesbaden. Staatsbeamte, die keinen Handel treiben durften, investierten ihr Geld häufig in Grundbesitz, den sie zum Teil verpachteten oder bewirtschaften ließen. Auch in der Nähe des Mainzer Brückenkopfes Kastel lag eine Reihe ländlicher Güter.

Ähnlich wie bei Wiesbaden zogen sich auch um das römische Kastell auf dem Domhügel in Frankfurt und um die Römerstadt Nida in unregelmäßigem Halbkreis verstreut Höfe und Villen. Das antike Frankfurt, die

Römerstadt Nida, lag gegen den mittelalterlichen und heutigen Stadtkern nach Norden verschoben auf Heddernheimer Boden. Die nahe und weitere Umgebung war reich besiedeltes, teilweise vornehmes Villengelände. Im Frankfurter Stadtgebiet und Bergen-Enkheim (zum Beispiel nahe der Berger Warte) konnten an die drei Dutzend römische Villen nachgewiesen werden. Die bekanntesten sind die »Villa von Praunheim«, die »Bornheimer Villa« im Günthersburgpark und die Villa im Holzhausenpark. Am alten Römerhof im Rebstockgelände muß ein Weingut gelegen haben. Bei Niederursel stand an der Straße zum Feldbergkastell ein Gutshof mit Bad, zu dem wohl die dort gefundene Jupiter-Gigantensäule gehört hat. Weitere *villae rusticae* waren in der gesamten Umgebung Frankfurts, bei Heddernheim, Eschersheim, nördlich Rödelheim, Unterliederbach, Sulzbach und oberhalb Eschborn verteilt.

Ein ungewöhnlich großes Areal wurde bei Seulberg (»Villa in der Hunburg«) festgestellt: vielleicht eine geschlossene Siedlung oder zwei Anlagen. Ebenso reihten sich Landgüter an der römischen Straße, die von Nida nach Okarben und Friedberg führte und an den Flußläufen der Nidda und der Nidder entlang. Vielleicht geht der Name »Bonames« auf das römische »*bona mansio*« (= Gutes Rasthaus) zurück und besagt, daß sich dort einst eine Straßenstation befand, an der sich – wie manchmal an solchen Plätzen – ein kleines Straßendorf bildete. Es ist nicht eindeutig, ob die römischen Scherben und Mauerreste, die in und um Bonames zutage kamen, von einer Straßensiedlung oder von *villae rusticae* stammen.

In Nieder- und Obereschbach, in Obererlenbach, Bad Homburg und südlich von Kalbach haben sich die römischen Siedler die besten Lagen ausgesucht. In Dortelweil konnte einer der größten Gutshöfe nachgewiesen werden. Das ummauerte Hofgelände umfaßte 10 000 Quadratmeter und schloß sicherlich große Stallungen ein – wahrscheinlich war es eine antike Ranch, und auf den Weideflächen der breiten Niddaniederung grasten riesige Herden, die von berittenen Hirten getrieben und bewacht wurden. Ebenso bot Vilbel mit seinen zahlreichen Quellen und Bachtälern vorzügliche Siedlungsplätze. Oberhalb der Nidda-Wiesen am Hang der leichten Bodenschwelle stand eine Villa von 23,40 mal 14 Meter mit vorgelegener Halle. Sie soll als Beispiel für einen einfachen Bauernhof Obergermaniens gelten. Vor dem Wohnflügel, von dem drei Räume festgestellt werden konnten, lag ein Wirtschaftshof mit 16 mal 12 Meter. Er war entweder ganz überdacht oder ein von Holzsäulen getragener Umgang schloß ihn ein. Hier wurden zwei Backöfen und ein Mühlstein gefunden. Nach Vitruv müßte man die Küche in der Nordwestecke des Hauses suchen; in dieser Villa lag dann dem Eingang der Küche zweckmäßig der Keller gegenüber, zu dem eine 1,30 Meter breite Treppe hinunterführte. Trierer Keramik und einfaches Geschirr aus Nida (Heddernheim) stammen aus der zweiten Hälfte des zweiten Jahrhunderts. Das Gut scheint noch vor dem Ende der römischen Besiedlung friedlich verlassen worden zu sein.

Perle in der Wetterau – Bad Vilbel

Und hier – mitten in der Ebene eine Idylle: gruppiert um Heilthermen eine Herberge, ein paar Häuser, kleine Läden, ein Tempel – Bad Vilbel in der Antike!

Die Entdeckung der Thermen verdanken wir einem Ingenieur, dem beim Bau des Vilbeler Bahnhofs 1848/49 Mosaikstückchen in die Hände fielen. Zum Glück war es ein Mann, der ihre Herkunft erkannte und sogleich Nachforschungen veranlaßte. Die Mühe lohnte sich: die Ausgrabungen ergaben, daß hier ein vielräumiger Gebäudekomplex eines Heilbades gestanden hatte. Zwei der Räume waren mit Mosaikböden aus schwarzen und weißen Steinen belegt, der eine in Schachbrettmuster, der andere mit einem zweifarbigen Dekor übereinandergreifender Kreise, deren Mitte eine vierblättrige Kreuzblume aus schwarzen Steinchen bildete. Es ist italisches Kunsthandwerk, denn ein Mosaik aus Imola (bei Bologna) gleicht dem aus Bad Vilbel vollkommen.

Im Schutt kam noch eine solche Menge von Mosaikresten zutage, daß die ganze Thermenanlage mit Mosaiken ausgelegt gewesen sein muß. Trotz der Feuersbrunst, die damals gewütet hat, – es fanden sich Spuren brennend herabgestürzter und verkohlter Balken – ist ein besonderes Kunstwerk, das Mosaik mit dem Meerthiasos, dem Meeresreigen (7,06 mal 4,78 Meter) ungewöhnlich gut erhalten. Es lag im *frigidarium,* dem Kaltbaderaum, vor einem Bassin aus weißem Marmor und war von weißen Marmorplatten, um eine Plattenstärke erhöht, umgeben.

Aus weißen, grauen, schwarzen, violetten und rosé-farbenen Marmorwürfeln, gelben und braunen Steinchen aus gebranntem Ton, dazu, bei der größeren der Enten zum Beispiel, Plättchen aus blauem und grünem Glas sind die Meerszenen in das zarte Elfenbeingelb des Bildgrundes eingelegt. Spuren von Goldfolie wurden leider beim Entfernen des dicken Sinterbelags mit abgeschliffen. Ein vierfaches Flechtband faßt das Mosaik ein,

ein schwarzer Streifen umgibt es wie ein Rahmen und verstärkt die Bild-
wirkung.

Der Künstler Peruincus – einer der wenigen, der sich nennt – hat es ausgezeichnet verstanden, die vielen menschlichen, halbmenschlichen und
tierischen Gestalten – Tritone, Eroten, Nereide, Seekentaur, Löwe, Delphine, Fische, Seeschlangen, Muscheln, Schnecken, Schwan und Enten –
in ausgewogener Anordnung um den Meeresgott zu scharen. Kein Motiv
ist wiederholt, nichts überladen, alles bewegt sich in harmonischer Vielfalt und Grazie im Raum. Kühn und sicher wagte sich Peruincus an eine
immer neue Perspektive bei seinen Figuren. Die meisten Köpfe werden
nicht einfach von vorne oder von der Seite gezeigt, sondern im schwierigen
Dreiviertelprofil. Solche Bildmosaiken und Kompositionen sind sehr
selten. Das bekannteste Mosaik-Gemälde ist wohl die »Alexander-
schlacht« aus dem Hause des Fauns in Pompeji. Das Vilbeler Mosaik
zählt zu dieser Gruppe; es befindet sich heute im Darmstädter Landesmuseum.

Auch hier finden wir, wie in der Bad Kreuznacher Villa, die Raffinesse,
dem Meeresthiasos mit Okeanos durch darüberfließendes Wasser die
optische Illusion eigener Bewegung zu verleihen und das nuancierte
Farbenspiel zu verstärken. Wirklich ein köstlicher und kostbarer Spaß,
über diesen Fußboden zum Kaltwasserbecken zu laufen und sich dabei
auf das Kaltbad einzustimmen!

Wer hat nun die nicht ganz billige Anlage in diese Landschaft gestellt,
wo warme Heilquellen flossen? Quellen, die im Altertum stärker geschüt-
tet haben mögen als heute. Nur Bürger aus Nida und Grundbesitzer der
Wetterau können den Bau dieser Heilthermen (zweite Hälfte des zweiten
Jahrhunderts) finanziert haben. Mehr wissen wir nicht.

Reiche Villen und prächtige Landsitze

Auch bei Hanau, Marköbel, Kilianstädten, Kesselstadt, wo eine große
luxuriöse Villa mit figürlicher und ornamentaler Wandmalerei und
beheiztem Gesindehaus ausgegraben werden konnte, und nahe der von
Kesselstadt nach Friedberg führenden Römerstraße, bei Mittelbuchen, in
der Gegend von Büdesheim, überall in der Wetterau weisen Funde auf
römische Gutshöfe hin. Besonders die südliche Wetterau war dicht
besiedelt.

Im Kreis Friedberg wurde die »Villa von Gambach«, ein typischer mittelgroßer Hof, aufgedeckt. Das Herrenhaus, dessen Eckrisalite nachträglich angebaut waren, hatte eine Grundfläche von 11,84 mal 26,90 Meter. Die Eckrisalite begrenzten einen Säulengang sowohl an der Vorderfront im Süden als auch auf der Rückseite. Der ältere Bau war mehrmals mit gelblichem Verputz überzogen. Später wurden dann Quadern durch gestrichene Rillen vorgetäuscht. Die Funde aus den stark zerstörten Innenräumen deuten an, daß neben großflächigen, teilweise bunten Marmor nachahmenden Zonen lockere Ranken auf hellem Untergrund beim Innenverputz aufgetragen waren. Neben pompejanischem Rot sind Schwarz, Ocker, Hellgrün und Weiß vertreten. Beide Mainufer säumten die ländlichen Villen, so bei Kriftel, Nordenstadt, Flörsheim und so weiter. Diese Güter nutzten wahrscheinlich den Fluß als Transportweg, denn keiner der Höfe lag weiter als einen Kilometer davon entfernt.

Als Beispiel für die reichen *villae rusticae* unserer Gegend soll hier die »Villa von Praunheim« stehen. Sie lag 350 Meter von der Stadtmauer des römischen Nida entfernt. Um einen 10 mal 10 Meter großen überdachten, vielleicht aber auch offenen Innenhof waren die Wohnräume der wahrscheinlich zweistöckigen Villa angeordnet. Durch ein kleines Vestibül an der Hauptfront betrat man das Haus und erreichte über einen breiten Vorplatz den Innen- oder Lichthof. Die nach dem sonnigen Südosten hin gelegene Frontseite von 21 Meter Länge wuchs später durch einen Anbau der Baderäume auf stattliche 42 Meter an. Mit 6 mal 4,5 beziehungsweise fünf Metern waren die, durch einen zweieinhalb Meter breiten Korridor verbundenen Wohnräume dieses Gebäudes für damalige Verhältnisse recht groß. Im Nordostflügel lagen anscheinend weitere Zimmer, in die man sich im Sommer zurückzog. Schmale, einstöckige Kammern schlossen sich an der Südwestseite an. Dazu kam für den Winter noch ein 14 Meter langer heizbarer Trakt mit vier Zimmern. Die nachträglich angebauten Badeanlagen mit einem apsisartig vorspringenden Raum für eine halbrunde Nischenwanne hatte Boden- und Wandheizung.

Vom Herrenhaus stieg man über eine Treppe in den drei Meter tiefen Weinkeller hinunter, der sich 25 Meter lang hinzog, und von dem eine Rampe ins Freie führte. Dort reihten sich die Weinfässer. Etwa fünfzig von den damals üblichen Tonfässern (Dolien) mit 50 bis 60 Zentimeter Durchmesser, aber auch von den seit 100 n. Chr. im rheinischen Germanien gebräuchlichen Holzfässern, hatten hier Platz. Für den Küfer blieb ein Gang von 70 Zentimetern frei. Zwanzig Meter vom Herrenhaus entfernt stand ein ziegelgedecktes Gebäude mit zwei wasserdichten Becken zum Keltern. Sicher gab es in den Nidda-Auen damals, wie später im Mittelalter, Weingärten.

Die vielen An-, Um- und Neubauten zum Beispiel dieses Anwesens markieren die rasche Entwicklung der *villae rusticae*; wir können daran das Aufblühen der Wirtschaft in Obergermanien ablesen.

Die »Bornheimer Villa« im Günthersburgpark in Frankfurt ist nur vom Luxus linksrheinischer Villen übertroffen worden. Sie war ein geräumiger, behaglicher Landsitz mit einem hallenartigen und acht weiteren Räumen, drei davon beheizbar. Das Herrenhaus, das man dem Typ der Villa urbana zurechnen kann, lag in »vornehmer Abgeschiedenheit« durch eine Quermauer von den Stallungen getrennt und diente als Herrschaftssitz. Der Eigentümer hatte es wohl nicht mehr nötig, sich selber um die Wirtschaft zu kümmern und überließ diese Aufgaben einem Verwalter.

Das zweistöckige, mit Sandsteinquadern verblendete Gebäude von 30 mal 24 Meter hatte nicht nur einen Porticus zwischen Eckrisaliten an der Front nach Westen, mit bester Aussicht auf die Main- und Niddaebene, sondern auch auf der rückwärtigen Ostseite eine offene Säulenhalle. So konnte die Sonne im Laufe des Tages in alle Räume scheinen. An reicher Ausstattung und Wandmalereien war nicht gespart. Die Handwerker der Antike führten solche Arbeiten mit größter Sorgfalt aus. Mehrere Putzschichten sind auf die Wände aufgetragen, von denen nur die unterste grob sein durfte. Die zweite bestand aus einer feinen Sandmischung, und die letzte, aus reinem Kalk, wurde dick mit dem Pinsel verteilt. Die uns so erstaunende Glätte kann nur durch intensives Abschleifen erreicht worden sein. Der noch feuchte Putz wurde wahrscheinlich mit Bimsstein blank poliert. Auf feuchten Untergrund haben die Künstler die Farben aufgelegt. Diese Methode garantierte Dauerhaftigkeit, Frische der Farben und die vor allem in Bädern notwendige Wasserbeständigkeit. Eine abschließende Behandlung mit Wachs erzeugte den wunderbaren Glanz und ließ die Herrlichkeit der Farbtöne hervortreten, wie sie bei den Wandmalereien in Pompeji, zum Beispiel in der »Villa der Mysterien«, noch heute faszinieren. Zwei Heizkammern versorgten Wohnräume mit Wärme und zwei Bäder (Apsis mit Wanne und Waschbecken) mit heißem Wasser. Oft lag – so sicherlich auch hier – zwischen Heiß- und Kaltbad das WC, durch das eine Abzweigung des Abwasserkanals führte. Auf diese Weise wurde das Abwasser der Bäder zur Spülung genutzt. Die »Villa von Bornheim« hatte – ganz modern – eine unterirdische Wasserleitung.

Die außergewöhnlich unverwüstliche, wasserdichte Mörtelverkleidung –

auch in der Erde – fällt auf. Das war wegen des Grundwassers in diesem Gelände nötig. Sogar ein eigener Kanal zur ständigen Ableitung des Grundwassers war angelegt, der sich mit einem zweiten Kanal traf, aus dem das Badewasser in den ersten geführt wurde. Auch hier bewährte sich die Vortrefflichkeit und Dauerhaftigkeit der römischen Mörtelmischungen; eher zersprangen die aufgemauerten Natursteine als der Mörtel.

An die Mauer des 110 mal 85 Meter großen Hofes lehnte sich ein ziegelgedeckter Hallenbau von 18,5 mal 8,5 Meter, aus dem viele Scherben von Tonfässern, Vorratsgefäßen, Krügen und Reibschüsseln zutage kamen. Hier wurden also landwirtschaftliche Erzeugnisse verarbeitet und aufbewahrt. Der zum Teil gepflasterte Hof umschloß noch weitere Wirtschafts- und Gesindegebäude; ein naher Teich war Viehtränke.

Eine Villa in Ingelheim mit groß angelegter Wasserleitung, Resten von Mosaikfußböden, Bruchstücken von Kalksteinsäulen des vorgelagerten Porticus – diesen luxuriösen Besitz konnte sich nur ein sehr reicher Patrizier oder Staatsbeamter leisten. Vielleicht war dies der Landsitz eines Statthalters von Mainz!

Je weiter wir uns von der germanischen Grenze entfernen, desto prächtiger werden die Landvillen, ihre Mosaiken und die übrige Ausstattung. Eine dieser Luxusvillen aus der Mitte des dritten Jahrhunderts in der Nähe von Bingen prunkt mit einem Raum, dessen gesamte Fläche von 18,90 mal 13,70 Metern ein Mosaikboden bedeckt, auf dem Sonnengott Sol auf einer Quadriga, umgeben von den zwölf Tierkreiszeichen »über den Himmel reitet«.

». . . und ich begab mich zum Gastmahl. Ich fand große Gesellschaft und, als in einem der ersten Häuser von Hypata, lauter schöne Welt. Das Mahl war herrlich. Die Tischbetten glänzten von Elfenbein und waren mit goldenen Decken überhangen. Die Pokale groß, von mancherlei schönen Formen doch von gleicher Kostbarkeit. Hier prangte meisterlich mit Figuren geziertes Glas, dort reiner Kristall. Anderwärts schimmerte blankes Silber, oder glühte das feine Gold. Auch Bernstein, zu den schönsten Gefäßen ausgehöhlt, lud den Mund zu trinken ein. Kurz alles, was nur Reichtum und die seltenste Kunst vermag, war allhier anzutreffen. Vorschneider die Menge, alle aufs Stattlichste gekleidet. Gerichte im Überfluß. Zur Aufwartung schönfrisierte und wohlgeputzte Knaben, die in mit Gemmen besetzten Bechern fleißig alten Wein herumreichten. Man brachte Licht und das Tischgespräch nahm überhand, ward lebhaft. Man lachte, scherzte, witzelte hin und wieder. Da fing Byrrhäna zu mir an: »Nun, mein lieber Lucius, wie gefällt es dir bei uns? Meines Wissens tun

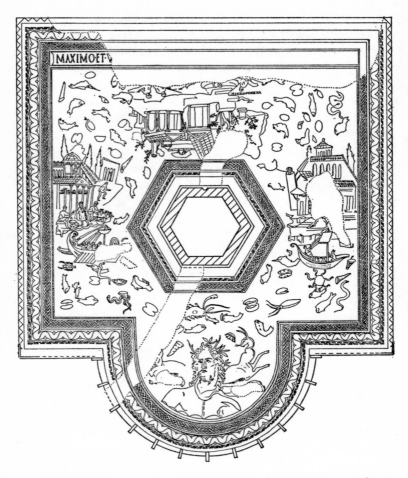

Mosaik »Meeresgetümmel« in der Römervilla Bad Kreuznach

wir uns vor allen anderen Städten durch Tempel, Bäder und andre öffentliche Gebäude weit hervor. Auch sind wir hinlänglich reich an Geräten.
Übrigens hat man hier völlige Freiheit, zu leben wie man will. Der Freund
der großen Welt findet bei uns das geräuschvolle römische Leben, und
wiederum, wer die Zurückgezogenheit liebt, die Ruhe und Stille des
Landes. Wer sich nur in der Provinz ein Vergnügen machen will, der
kommt zu uns gereist.« (Aus: »Der goldene Esel«.)
Die Frontseite der Villa am Hang des Ellerbachtals in Bad Kreuznach
erstreckt sich über eine Länge von einhundert Metern! Aus einem ihrer

Räume stammt das Gladiatorenmosaik mit Szenen aus dem Amphitheater auf den Bildmedaillons. Aus einem anderen Raum dieses Gebäudes wurde 1966 noch ein hervorragendes Mosaik »Meeresgetümmel« geborgen, das zur Zeit in Trier restauriert wird. Die meisterhafte Arbeit des Künstlers Victorinus – Gott Okeanos, Seegetier und Bilder aus Schifffahrt und Handel – zeigt Verwandtschaft mit antiken afrikanischen Kunstwerken. In der Mitte des Steinteppichs stand ehedem ein marmorverkleideter sechseckiger Brunnen, dessen Wasserspiele die Illusion des »Meeresgetümmels« verstärkten. Wahrscheinlich ergoß sich sein Wasser über das Mosaik und seine Bewegtheit verlieh den Gestalten geheimnisvolles Leben. Die Römer wußten solche Schönheit zu genießen. Von einer hölzernen Empore herab erfreuten sich die Bewohner der Villa und ihre Gäste an dem Anblick.

»Und es schmücken im Wechsel Paläste ein jedes Ufer.« So besang Decimus M. Ausonius in seinem Gedicht »Mosella« im vierten Jahrhundert n. Chr. das Moseltal. Diese Begeisterung läßt sich verstehen, wenn man sich ein Landschloß wie die »Villa von Nennig« eingebettet in diese herrliche Landschaft, ausgebreitet in kunstvolle Gartenanlagen, vorstellt. Dreistöckige Eckrisaliten flankierten die doppelgeschossige Säulenhalle der 140 Meter langen Prachtfassade. Daran lehnten sich zu beiden Seiten vorspringende säulenumgebene, tempelartige Gebäude. Von diesem imposanten Hauptbau führten rechts und links Wandelhallen von je 250 Meter Länge weit in den Park hinein, die eine direkt in das luxuriöse Badehaus.

Inmitten einer riesigen Flucht von Gemächern, kleinen und großen

Die Villa von Nennig

Speise-, Wohn- und Schlafräumen, Gängen und Peristylen, lag den drei Eingangstüren gegenüber die Empfangshalle, mit Wandmalereien geschmückt und einem prachtvollen Mosaikteppich ausgelegt, auf dem vor zweitausend Jahren sein Besitzer mit den Gästen um ein großes Marmorbecken lustwandelte. Die ganze Schönheit dieses Kunstwerks, das 160 Quadratmeter bedeckte, und die Komposition seiner geometrisch verteilten, ornamental reich verzierten, aus Vierecken, Rauten, Rhomben und Trapezen gebildeten Sterne und der Bildmedaillons konnte man freilich noch besser von der Empore aus bewundern – man kann es noch heute.

Römerstadt Nida - das antike Frankfurt

SICHERLICH WAREN DIE RÖMISCHEN LEGIONEN einige Male durch die Mainebene marschiert, bevor sie – wahrscheinlich unter Nero – daran gingen,
an einem der vorgeschobensten Posten im rechtsrheinischen Germanien,
an der Nidda, ein Kastell mit Holztürmen und einer Rasenziegelmauer
zu errichten. Diese Befestigung ließ Kaiser Domitian während der Chatten-
kriege in Stein ausbauen. Das Kastell hatte den üblichen Grundriß, und
wir können uns von seiner Größe eine gute Vorstellung machen, denn
mit fünf Hektar war es etwa doppelt so groß wie die Saalburg. Auch die
Besatzung entsprach diesem Verhältnis; auf der Saalburg lag eine Kohorte
mit fünfhundert Mann, im Kastell an der Nidda eine Einheit von tausend
Reitern.

Die Lage an der Nidda war in strategischer Hinsicht günstig gewählt;
jedes Nachbarkastell der domitianischen Verteidigungslinie war in drei-
bis vierstündigem Marsch erreichbar. Die Entfernung nach Hofheim
betrug fünfzehn Kilometer, nach Okarben vierzehn, zur Saalburg drei-
zehneinhalb, zum Feldbergkastell fünfzehn, nach Höchst achteinhalb Kilometer und zum Frankfurter Domhügel sechs Kilometer. Zu jedem dieser
Kastelle führte eine schnurgerade Straße.

Wie bei allen militärischen Kastellen entwickelte sich auch in Nida eine
Zivilsiedlung. Ein großer Brand hat eines Tages die engstehenden, wie
Zunder brennenden Holzhäuser der Canabae eingeäschert. Ob die
Feuersbrunst aus Unachtsamkeit oder durch einen germanischen Überfall
entstand, ist nicht mehr zu entscheiden. Doch die Nidenses ließen sich
nicht unterkriegen. Sie machten sich daran, ihre Siedlung neuer und
schöner wieder aufzubauen und errichteten anstelle der Barackenstadt
eine stattliche Niederlassung. Dabei kam ihnen ein wichtiger Regierungs-
entscheid zu Hilfe. Im Zusammenhang mit der Neuorganisation der
militärischen und administrativen Verhältnisse in den beiden Germanien
wurde Nida Hauptort der Civitas Taunensium. Das dürfte in den Jahren
101 bis 110 n. Chr. gewesen sein. Und wie Xanten, Wimpfen, Dieburg

und Ladenburg verdankt Nida wahrscheinlich seine Erhebung zur »Stadt« der Munifizenz, also dem Wohlwollen und der Großzügigkeit des Kaisers Trajan. Damit wäre auch Nida eine Ulpia, das heißt, eine Städtegründung durch Ulpius Trajanus. Wie jeder reiche Bürger für öffentliche Einrichtungen spendete, war erst recht der Kaiser moralisch verpflichtet, die Städte beim Aufbau zu unterstützen. So errichtete das Heer, das ja dem Kaiser »gehörte«, auf seinen Befehl hin öffentliche Gebäude, Thermen, Wasserleitungen, Straßen und Tempel. Kein Zweifel, daß sich diese Akte kaiserlicher Gunst und Hilfe für den Herrscher in politischer Münze auszahlten, denn die Bürger solcher Städte fühlten sich ihrem Kaiser, der ihrer Stadt zu Glanz verhalf, besonders verbunden.

Nach der Genese von Nida ist es schwierig, öffentliche Plätze und Gebäude zu bestimmen, aber es muß, wie Ladenburg, am Forum mindestens ein Gebäude für die Verwaltung mit Sitzungsräumen der Selbstverwaltungsorgane der Civitas und des Vicus und sicher auch Tempel gehabt haben. In Ladenburg (Lopodunum), dem Hauptort der Civitas Ulpia Sueborum Nicretum, konnten der Plattenbelag des Forums und Mauerstücke eines Flügelbaus sowie eine große Marktbasilika – eine Pfeilerbasilika mit zweigeschossigen Arkaden an der Längsseite, seitlichen Vorhallen und einer Tribunenapsis für Gerichtsverhandlungen, nach italischem Muster und von beträchtlicher Größe – ausgegraben werden. Mauer- und Säulenreste sowie eine Dedikationsinschrift lassen noch weitere größere städtische Gebäude vermuten, darunter die Curia, wo der Stadtrat tagte (im Saal der Curia von Kempten (Cambodunum) fanden zum Beispiel siebzig Personen Platz!).

Markttag in Nida

In diesen Städten, denen Nida an Bedeutung entsprach, zeigt sich deutlich, daß Markthallen und Tribunal von solch stattlichen Ausmaßen in keinem Verhältnis zu ihrer geringen Einwohnerzahl standen. Ein Beweis dafür, daß diese Einrichtungen wirklich der gesamten Bevölkerung des Selbstverwaltungsbezirks zur Verfügung standen.

In Nida konnte bis jetzt nur wenig davon entdeckt werden: ein großes Unterkunftshaus, zwei öffentliche Thermenanlagen und ein Bühnentheater, das bisher einzige (auch in seiner Bauart) rechts des Rheins. Ein Amphitheater wird angenommen. Nida war, wie das römische Mainz, eine gewachsene Siedlung ohne schematisch angelegte Straßen und quadratische Häuserblocks und hatte kein rechteckiges Forum. Das Forum lag in dem Dreieck, das von den drei Hauptstraßen, die von der Saalburg, vom Feldbergkastell und der wichtigsten von Mainz nach Friedberg – gebildet wurde. Dieser dreieckige Platz ist auf dem Stadtplan der römischen Anlagen deutlich zu erkennen. Vielleicht sucht man in Nida aber auch deshalb vergebens nach einem Verwaltungsbau, weil die Nidenses nach Abzug der Truppen die ehemalige Principia des Kastells, die ebensogut zivilen Zwecken dienen konnte, als Rathaus (*curia*) benutzten. Denn unter dem Eindruck des Friedens hatte Kaiser Hadrian, der Nachfolger Trajans, die Kastelle der Verteidigungslinie, welche die Heerstraße in der Ebene schützten, auf den Taunuskamm verlegt. Dabei wurde das Kastell Nida geschleift und ausgebrochenes Steinmaterial für den Aufbau der Stadt verwendet, das Areal des Kastells später besiedelt, also in die Stadt integriert.

Die Einwohner bauten wohl deshalb keine regelmäßigen Wohnblocks, weil sie ihre neuen Häuser zum Teil auf die Fundamente der ehemaligen Canabae setzten. So lagen Stein-, Fachwerk- und Holzhäuser mit unterschiedlichen, unregelmäßigen Baufluchten neben- und durcheinander, weitab von jeder Gleichförmigkeit.

An den 8 bis 10 Meter breiten Hauptstraßen (die Querstraßen hatten eine Breite von 4 bis 5 Meter) – der *platea novi vici* und der *platea praetoria* – standen langgestreckte Streifenhäuser mit einer Front von 7 bis 10 Meter und sehr soliden bis zu neunzig Zentimeter dicken Mauern, die sicher ein oder zwei Stockwerke trugen. Sie zeichneten sich vor allem durch besonders solide gebaute Keller aus: mit Fensterluken, Wandnischen und breiten, zu Wirtschaftshöfen führenden Treppen. In diesen Kellern wurden anscheinend die großen brusthohen runden, auf einem Säulenfuß stehenden Marmortische zum Abstellen und Umfüllen von Vorräten verwendet. Die Amphoren steckten in einem Sandbett entlang der Kellerwand,

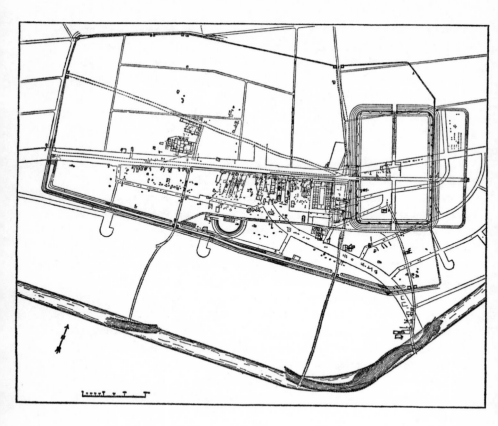

Plan des römischen Nida. Nach K. Woelcke, 1938

schmale Wandnischen dienten für kleinere Gefäße als Regale. Neben diesen schiefer- und ziegelgedeckten Streifenhäusern lagen größere Anwesen mit breiten Hofeinfahrten und mehreren Wirtschaftsgebäuden und dazwischen Peristylhäuser nach italischem Vorbild.

Wirtschaftszentrum der Wetterau

Das römische Heddernheim war zentraler Verkehrsknotenpunkt. Die Heerstraße von Mainz über Hofheim nach Friedberg lief – streckenweise identisch mit der heutigen Elisabethenstraße – als Via principalis durchs Kastell und später als Hauptstraße durch die Stadt. Strahlenförmig trafen dort die Straßen von allen Orten der Civitas zusammen. Der Wanderer, der sich in Friedberg auf den Weg machte, las auf einem Meilenstein: »Zehn Leugen von Nida«. Dieses keltische Maß umgerechnet ergibt ziemlich genau die Entfernung von 22,20 Kilometer. Auch in Mainz-Kastel stand auf einem Altar der Fortuna der Hinweis zu lesen: ». . . rechts an der Straße nach Nida«.

Es liegt auf der Hand, daß sich dieser Ort zu einem wichtigen Platz für Handel und Gewerbe entwickelte. Steinmetzen, die den Vilbeler Sandstein und Bockenheimer Basalt verarbeiteten, Bronzegießer, vielleicht sogar Silberschmiede – es wurde Werksilber gefunden – und eine Reihe anderer Handwerker ließen sich hier nieder. Besonders bekannt war die Römerstadt Nida jedoch landauf landab wegen ihrer schon sehr früh bedeutenden Töpferwerkstätten, die mit der sogenannten rotbemalten »Wetterauer Ware« das ganze rechtsrheinische Gebiet und Mainz belieferten. Sollius Decuminus leitete in der Stadt einen beachtlichen keramischen Betrieb, wo er »auf seinem eigenen Grund und Boden« um 200 n. Chr. eine Jupiter-Gigantensäule geweiht hat.

Vor dem Nordtor bildete sich, der Feuergefährlichkeit, der Rauch- und Lärmbelästigung wegen außerhalb der Stadt, eine ganze Töpferkolonie, von der 17 Töpferöfen mit Arbeitsräumen, Brunnen, Abfallgruben, Drehscheiben, allerlei Geräten und Rädchen zum Ornamentieren aufgefunden wurden. Neben der einfachen Wetterauer Ware kamen aus den Nidaer Töpferöfen Gefäße mit Marmorierung und braunrot bemalte Töpfe, mit dunkleren Farbtönen geflammt oder gemasert.

Die auch in Nida geübte Barbotine-Technik, von der hier ein seltenes Stück, ein Becher mit Deckel, erhalten ist, war nur lokal verbreitet. Diese Keramik aus besonders fein geschlämmtem Ton ahmte Metallgefäße

nach und imitierte ihre reliefartigen Verzierungen. Dafür wurde der Ton-
schlamm in die Vertiefungen eines Models gedrückt und nach dem
Antrocknen das Gefäß mit diesen Ornamenten beklebt, mit Farbglasur –
oft einem metallisch glänzenden Tonschlicker – überzogen und nicht zu
hoch gebrannt. Später fertigte man, wieder nach dem Vorbild von Metall-
geschirren, Keramik, die wie bronziert wirkte und erreichte diesen Effekt
durch Zusatz von Schwefelkies. Schüsseln, Krüge und Vasen mit Gold-
glimmerüberzug aus Nida fanden ebenfalls ihre Käufer.

Die Heddernheimer Töpferzunft konnte sich wohl sehen lassen mit ihrem
Kunsthandwerk und wußte die Nachfrage und Wünsche auch der wohl-
habenden Landbevölkerung zufriedenzustellen. Die Terra Sigillata freilich ließ man aus Rheinzabern kommen, denn in Mogontiacum wurde sie
kaum produziert; den besten Ruf hatten hierzulande die Rheinzaberner
Meister.

Terra Sigillata – das Porzellan der Kaiserzeit

Die Bezeichnung »Terra Sigillata« für das römische Tafelgeschirr stammt
nicht aus der Antike, sondern kam wohl erst im 19. Jahrhundert auf.
Diese edle Ware, aus besonders reinem roten Ton hergestellt, wurde vor
dem Brand in eine mit Pflanzenasche und anderen Ingredienzien vermischte Tonbrühe getaucht und erhielt dadurch den feinen Glanztonüberzug. Nicht nur glattwandige Gefäße drehte man auf der Scheibe,
sondern auch die Relief-Sigillata. Dabei wurde eine Formschüssel mit dem
»Negativ-Muster« auf die Töpferscheibe gesetzt und der Ton an die
Wand und in die eingeschnittenen Verzierungen der sich drehenden Form
gedrückt.

Da man in der Kaiserzeit, auch bei der Provinzbevölkerung, für ein
Gedeck sechs Teller und Näpfe, dazu drei Tassen, rechnete, da jedes
Gericht einer Mahlzeit nach romanischer Art auf einem frischen Teller
gegessen wurde, brauchte man große zusammenpassende Service. Sie
wurden in riesigen Mengen fabriziert und die Gleichförmigkeit durch die
Verwendung von Schablonen erzielt. Schon damals arbeitete man im
Akkord; das zeigen Töpferrechnungen von Südgallien aus der Mitte des
ersten Jahrhunderts n. Chr.

Es handelt sich dabei um Aufzeichnungen – mit Metallgriffeln auf Bruchstücke von Gefäßen eingeritzt – der Aufseher bei den Brennöfen, die Buch
über die von den einzelnen Töpfern des Betriebes zum Brand abgeliefer-

ten Gefäße führten: die Namen der Töpfer sind in der linken Spalte aufgeführt, in der Mitte die Gefäßbezeichnungen, es folgen teilweise die Maße in römischen Fuß und Stückzahl: »Polos hat 300 Tonteller von 20 cm Durchmesser zum Ofen gebracht; Castos hat 200 Tonteller von 10 cm Dm hergestellt.«

Hinzu kommen bei der einen Rechnung noch 30 *broci* und 50 Weinkrüge. Albanos hatte die beträchtliche Anzahl von 1000 *pannae* (das sind Reliefschüsseln) von 20 cm Dm und Masuotos hat vom gleichen Typ 550 Stück abzurechnen; Secundos hat 150 *mortaria* hergestellt, sogenannte Reibschüsseln zur Käsezubereitung und zum Mischen und Kneten von Teig. Marios hat 200 *mortaria triatalis* von nur 10 cm Dm abzurechnen, Tritos, Deprosagilos und Felix haben 4500 *catilli,* das sind kleine Tonteller abzurechnen; Cotutos hat 2250 *catilli,* Cervesa (mit dem bezeichnenden Namen Bier) 700 *catilli* abzurechnen. Privatos, Vindulus und Cosoios rechnen eine hohe Anzahl von *paracidi* ab, das sind *paropsides,* Näpfe, in denen bei Tisch Tunken und Soßen aufgetragen wurden. Die *acetabli* des Masuetos sind Essiggefäße ähnlicher Funktion . . . (Nach A. Oxé)

Schon in den letzten Jahrzehnten vor Christi entstanden die ersten Keramik-Manufakturen in Arezzo (Arretium), die hauptsächlich griechische Kunsthandwerker beschäftigten. Um 20 n. Chr. wanderten dann die ersten Töpfer nach Südgallien und gründeten Filialen, weil die Nachfrage einen guten Markt versprach. Die frühesten Stücke, wohl auch die schönsten, sind große Reliefpokale, prachtvolle Kelche und die Aco-Becher oder Tassen des Ateius. Sie sind über das Ligurische Meer, Marseille und die Rhône aufwärts an den Rhein gelangt. Es heißt, Ateius habe neben Filialen in Gallien auch einen Betrieb in Mainz gegründet. Seine Erzeugnisse tauchen jedenfalls zahlreich hier auf, und auch die seiner Freigelassenen, des Xanthus, Mahes und Zoilus.

Die Wanderung der Sigillata-Industrie von Süd- und Mittelgallien nach Osten beginnt gegen Ende des ersten Jahrhunderts n. Chr. In der Pfalz gibt es in der ersten Hälfte des zweiten Jahrhunderts die Sigillata-Töpfereien von Blickweiler und die zeitlich etwas später anzusetzenden von Eschweiler Hof bei St. Ingbert. Die größte Sigillata-Industrie des zweiten bis dritten Jahrhunderts in den nördlichen Provinzen aber ist die von Rheinzabern (Tabernae Rhenanae). In den Jahren des Bestehens dieser Fabrikationsstätten wurden etwa fünfzig Millionen Gefäße hergestellt, wobei dieser Schätzwert eher zu niedrig als zu hoch gegriffen ist. Gründer der Rheinzaberner Manufaktur ist der Töpfer Janus. Zu den bedeutendsten Betrieben zählen Comitialis, Cerialis, Victor und Reginus. Reginus und Comitialis haben zudem noch Filialen gegründet. (Nach O. Roller)

Eine große Sammlung dieser Keramiken befindet sich heute im Historischen Museum in Speyer, darunter das Paradestück der Rheinzaberner Produktion, der sogenannte Gladiatorenkrug. In die Spätzeit des Römerreiches gehören die Jagdbecher von Köln, die Trierer Spruchbecher und die Wormser Gesichtskrüge.

Nida war auch ein Handelsplatz für die landwirtschaftlichen Erzeugnisse der näheren und weiteren Umgebung. Wer Getreide, Wein, Obst oder Gemüse brachte, konnte Töpferwaren oder andere Produkte der Nidaer Handwerker dafür einhandeln. Als bedeutender Handelsort hatte Nida auch eine Art Hotel für seine auswärtigen Besucher. Das ausgegrabene sogenannte Praetorium war ein beachtliches Unterkunftshaus. Hinter einem Säulenumgang lagen regelmäßig angeordnet paarweise kleine quadratische, teils heizbare Räume, die durch schmale Gänge zu erreichen waren. In ähnlichen Unterkunftshäusern mit Hof, Umgang und anschließenden Zimmern findet noch heute der Reisende in Griechenland Kost und Logis. In Nida stand neben der Herberge ein großer Thermenkomplex, so daß der Besucher sein gewohntes Bad und Geselligkeit nicht entbehrte.

Besonders gut ausgegraben werden konnte eine zweite Thermenanlage an der Thermenstraße; mit 70 mal 50 Metern so groß wie die Stabianer Thermen von Pompeji! Eine pfeilergeschmückte Fassade zierte die Eingangshalle im Norden, und mächtige Säulen mit feinprofiliertem Kapitell flankierten das Portal. Dahinter lag eine Palästra, deren weißgetünchter Estrichboden das Sonnenlicht reflektierte, mit einer Säulenhalle und zwei eigenen Schwimmbecken. Diese Sportanlage konnte man benutzen, ohne die eigentlichen Thermen zu betreten. An die Palästra schlossen sich die üblichen Bäder, getrennt in Männer- und Frauenabteilung, ein Schwitzbad und eine Reihe von Aufenthalts-, Wirtschafts- und Restaurationsräumen.

Sklavenmarkt in Nida

Vieles spricht dafür, daß in Nida noch ein anderes Gewerbe Geld brachte, nämlich der Sklavenhandel. Nida war der ideale Umschlagplatz im Norden für die Ware Mensch. Gerade in friedlichen Zeiten, wenn keine

Kriegsgefangenen gemacht wurden, waren Sklaven knapp und unerschwinglich, und auf den Feldern und in den Werkstätten arbeiteten Freie gegen Lohn. Die einzigen, die den allernötigsten Bedarf an Sklaven deckten, waren die Germanen. Hatte ein germanischer Fürst Lust, mit seinen Mannen anstatt des ewigen Mets guten Wein zu trinken, oder gelüstete ihn nach anderen kulturellen Errungenschaften, nach hübschem Geschirr, Trinkbechern, Klapptischen oder nach Kleidern, dann überfielen seine Leute ein Dorf oder einen ganzen Stamm, ketteten die Überlebenden aneinander, zogen damit über die Limesgrenze nach Nida und verschacherten Mann, Weib und Kind auf dem Sklavenmarkt. Es ist nicht ausgeschlossen, daß selbst gefangene Slawen weit aus dem Osten durchs Germanenland bis an den Limes getrieben und dort versilbert wurden. Besonders gern tauschten die Germanen ihre Sklaven gegen den überaus geschätzten Wein, für den sie hohe Preise zahlten.

Natürlich gab es in der Antike – vor allem in der Frühzeit – Sklaven, die unendliches Elend, Brutalität und Erniedrigung ertragen mußten, was zu verzweifelten Aufständen führte. Aber wäre es der Mehrzahl so schlecht ergangen, wie man glauben möchte, so hätte die Masse der Sklaven die Herrschaft der Wenigen hinweggefegt. Man schätzt, daß Dreiviertel der Bevölkerung Roms von Sklaven abstammte.

Man muß sich fragen, wie die Gesellschaft in der Antike diese enormen rassischen, religiösen und sozialen Spannungen ertragen und ausbalancieren konnte. Nun, es ist die »einfache« Antwort des Römers auf einen komplizierten Sachverhalt. Jeder Sklave hatte die Chance, frei zu werden und dann selber Sklaven zu halten. Jeder Sklave wußte um die Möglichkeit, daß er nach seiner Freilassung sogar zum Ritterstand aufsteigen konnte. Vor allem gab es keine »Sklavenklasse«. Der eine arbeitete wie ein Stück Vieh auf den Äckern einer Latifundie, der andere, selbst schon feist wie sein Herr, bereitete die köstlichsten Delikatessen und servierte sie unter dem Applaus verwöhnter Gourmands. Der griechische Lehrer – als Sklave nur Sache – war der hochgeschätzte und angesehene Vermittler der Kultur und des Wissens seiner Zeit. Nicht selten stand er hinter seinem Herrn und flüsterte ihm Bonmots und Zitate der klassischen Literatur zu. Wir erinnern uns an den Finanzbeamten aus Lyon, einen kaiserlichen Sklaven, der mit sechzehn Bediensteten nach Rom gereist war, und der sicher nicht mit einem verarmten Freien getauscht hätte!

Auch der soziale Gedanke in der Sklavenfrage gewann in der Kaiserzeit an Boden. Unter Augustus ist das Recht für Freilassungen noch beschränkt, das Bürgerrecht wird nur unter gewissen Voraussetzungen zugestanden. Das grausame Gesetz der Kollektivschuld, das bei Mord an einem Herrn alle seine Sklaven für schuldig erklärte, wird Ende des ersten Jahrhunderts aufgehoben. Seit Claudius ist der Herr verpflichtet, seinen Sklaven bei Krankheit zu pflegen und im Alter zu versorgen. Wenn der Sklave vor Mißhandlungen seines Herrn an eine Kaiserstatue flüchtete, wird er von Staats wegen an einen anderen Herrn verkauft. Das erinnert an den Schutz, den der Verbrecher im Mittelalter genoß, wenn er in eine Kirche floh. Die Tötung eines arbeitsunfähigen Sklaven wird strafbar. Nero hebt das Recht auf, Sklaven als Gladiatoren oder Sklavinnen an Bordelle zu verkaufen. Massenquartiere und Sklavenkasernen werden mehr und mehr abgeschafft und gelten als diskriminierend. Die Digesten des Corpus juris Mitte des zweiten Jahrhunderts setzen sich mit 70 kaiserlichen Erlassen, die das Erbrecht und die Freilassung betreffen, zum Schutz der Sklaven ein. Zum Beispiel fällt für die Sklaven die Verpflichtung der Ehelosigkeit weg, die den Rückfall der Erbschaft an den Herrn sicherstellte. Seit Plinius dem Jüngeren gilt der Satz, sich im Zweifelsfall, ob jemand frei oder unfrei sei, für die Freiheit des Sklaven zu entscheiden. Die Pflichten eines Freigelassenen gegenüber seinem Herrn bleiben nach alter Sitte und geltendem Recht bestehen. Doch Schikanen werden aufgehoben und für ungültig erklärt.

Dies sind, grob zusammengefaßt, einige wichtige rechtliche Schritte, die das Sklavenlos wesentlich erleichterten. Hier, in unserer Provinz, fällt dabei die unterschiedliche soziologische Struktur im Vergleich zu Rom ins Gewicht. Die kleineren Güter und Handwerksbetriebe in Obergermanien verhinderten die Anonymität, wie sie teilweise auf den Latifundien herrschte. Herr und Sklave kannten sich und waren aufeinander angewiesen. Wie wir aus den Grabinschriften gesehen haben, gab es herzliche, ja innige Beziehungen zwischen Herr und Sklave, die nicht geheuchelt waren. Wir dürfen hier patriarchalische Verhältnisse annehmen, wie sie ähnlich noch vor dem Ersten Weltkrieg auf den kleineren und mittleren Höfen zwischen dem Bauern und seinem Gesinde herrschten.

Nida bewehrt sich

Nida war eine offene Stadt. Doch als die Alamanneneinfälle sich häuften, griffen die Nidenses tief in ihren Stadtsäckel und legten eine Stadtmauer an, und zwar so großzügig, daß auch die umwohnende Bevölkerung Zuflucht finden konnte. Sicher haben die Stadt- und Landbewohner gemeinsam Kosten und Arbeitslast für dieses gigantische Unternehmen getragen. Die zwei Meter breite, bis zu den Zinnen etwa fünf Meter hoch ragende Mauer war zwei Meter tief in der Erde verankert. Außen lief als beträchtliches Hindernis ein sieben Meter breiter Graben von zwei Meter Tiefe um die fast drei Kilometer lange Verteidigungsanlage. Beim Bau zogen die Maurer einfach zu behauende, kleine Quadern aus Vilbeler Sandstein als innere und äußere Begrenzung hoch – ähnlich wie Holzverschalungen bei Betonmauern. Dann füllte man den Zwischenraum mit Basaltbruchsteinen, die man in Bockenheim gebrochen hatte, und stampfte sie mit Mörtel, der eisenhart wurde, fest. Die Fugen des hellen Sandsteins wurden mit roter Farbe nachgezogen. So wirkte die Mauer nicht nur drohend, sondern war eine ästhetische Herausforderung gegenüber den Barbaren. Quadratische Türme von 8 Meter Seitenlänge flankierten die insgesamt sieben Stadttore – zum Teil waren es Doppeltore –, die bastionsförmig verstärkten Ecken und Knicke der Mauern dienten wahrscheinlich als Geschützstände.

Die Größe der Römerstadt ist vergleichbar mit der des mittelalterlichen Frankfurts vor seiner zweiten Erweiterung im 13. Jahrhundert und entspricht etwa der Fläche zwischen Hirschgraben und Börneplatz und Main und Zeil. Dabei war der städtische Charakter Nidas viel stärker ausgeprägt als beim noch stark landwirtschaftlich orientierten mittelalterlichen Frankfurt.

Ein weiterer Vergleich: Nida erreichte fast die Größe von Pompeji, allerdings war die Einwohnerzahl wesentlich geringer. Vielleicht lebten hier zwei- bis dreitausend Menschen. Das könnte man nach den aufgefundenen Gräbern sehr vorsichtig schätzen.

Nida – ein religiöser Mikrokosmos der römischen Welt

Wie alle antiken Menschen waren die Nidenses fromm und eingeborgen in einer von Göttern, Geistern und Dämonen bestimmten Welt, aber auch gequälte Opfer von Angst und Aberglauben, und die Zahl der Altäre, Bildwerke und Weihetafeln ist entsprechend groß. Auch in Nida lassen sich die tiefgreifenden religiösen Wandlungen, die das Imperium in der Kaiserzeit erschütterten, ablesen. Nida stand in seiner Blüte, als die orientalischen Verheißungsreligionen sich überall ausbreiteten. Der Götze Baal aus Doliche am Euphrat in Syrien, römisch zum Jupiter Dolichenus geworden, stand als bronzenes Kultbild in einem Heiligtum der Römerstadt und hatte seine Anhänger. »Auch hier werden Priester bezeugt, die im Dienst einer sicher komplizierten Liturgie standen. Auf dem Heddernheimer Bronzebild sieht man den Gott in phrygischer Mütze und römischem Panzer auf einem Stier stehend, die erhobene Axt in der einen, den Blitz in der anderen Hand, bekränzt von der heranfliegenden Siegesgöttin und überhöht vom Sonnengott. Im unteren Teil des Kultbildes steht die Göttin Isis auf einer Hirschkuh, begleitet von zwei Berggiganten mit den Symbolen von Sonne und Mond. Die Symbolik der himmlischen Gestirne und besonders der Sonne ist charakteristisch für den astrologisch gefärbten spätantiken Synkretismus. Ein syrischer Baalspriester bestieg sogar in der Person des jungen Kaisers Elagabal im Jahre 218 den römischen Kaiserthron und erhob seinen Sonnengötzen von Emesa zum obersten römischen Reichsgott. Die Zeit war noch zu früh, Elagabal wurde schon im Jahre 222 ermordet, sein Gedächtnis verdammt.« (U. Fischer.) Der Kult des Jupiter Dolichenus ist auch auf der Saalburg, in Kastel, Wiesbaden, Mainz, Bingen, Remagen und sonst in den beiden Germanien nachgewiesen.

Mithras, Kybele und Bacchus, die griechischen und orientalischen Mysterienkulte, begannen die alte römische Volks- und Staatsreligion auszuhöhlen, und wie in unserer Zeit gingen dabei radikale Aufklärungsphilosophie – in der Antike durch griechische Philosophen propagiert – und mystische Ekstase Hand in Hand.

1961 brachte Nida einen der interessantesten Funde. Die Inschriftenplatte der Dendrophoren, Kultdiener der asiatischen Großen Mutter, Kybele, lag in einem Keller zusammen mit einem ebenfalls zerbrochenen, in-

Inschriftentafel an der Schola der Dendrophoren

schriftlosen Altar, dann einige Schlüssel – vielleicht Tempelschlüssel – ferner mehrere Münzen (aus der Tempelkasse?), ein großer Dreihenkelkrug, Scherben von Rheinzaberner Keramik, Schmuckblech, Schloßblech und Möbelbeschlag, Fibeln und Reste von unbekanntem Gerät, womöglich Kultgerät. Anscheinend war dies der Keller der *schola* (Versammlungshaus), welche die Dendrophoren (Baumträger) nicht zufällig zu Frühlingsanfang mit der Inschriftentafel eingeweiht haben. Denn am 22. März wurde der Göttermutter Kybele gehuldigt, eine große Fichte als Zeichen der wiedererwachten Natur und Lebenskraft gefällt und mit Veilchen geschmückt in feierlicher Prozession von den Baumträgern aus den Wäldern des Taunus in die Stadt gebracht und aufgestellt. Daß zweitausend Jahre später die Burschen in ländlichen Gegenden Hessens, Frankens, und vor allem im bayrisch-österreichischen Raum auch den Maibaum einholen, schmücken und aufrichten, ihn umtanzen und musizieren, ist vielleicht ein Relikt aus jenen Tagen.

Die Körperschaft der Baumträger scheint nicht nur auf Nida beschränkt gewesen zu sein, denn die Inschrift nennt noch einen Ort »Med . . .«, von dem jedoch bis jetzt jede Spur fehlt, einen völlig verschollenen Vicus, der in der Nähe gelegen haben muß.

So wie beim Mithraskult die Frauen keinen Zutritt hatten, war der Kult der Kybele, der Herrin der Bergwälder, mehr ein Frauenkult. »Kybele herrschte über die wilden Tiere, Löwen waren ihre Begleitung; als Erd- und Berggöttin schützte sie aber auch den Acker- und Weinbau und sogar die Gründung der Städte, daher sie die Mauerkrone trägt. Ekstatische Tänze, wilde und blutige Kultbräuche umgaben sie, so die Bluttaufe unter dem getöteten Stier, was eine Verbindung zu den mithrischen Vorstellungen bewirkte. Im Mythos beweint Kybele den von ihr geliebten Jüngling Attis, dem sie zur Strafe für seine Untreue den Geist verwirrte, so daß er sich unter einer Fichte tötete; aus seinem Blut entsprossen Veilchen, und Zeus verlieh seinem Körper die Unvergänglichkeit.« (U. Fischer). Der Tempel der ›Kybele‹ lag, nach dem Versammlungshaus zu schließen, ebenso wie die fünf ausgegrabenen Mithrastempel, an den Randgebieten des Vicus.

Die Baumträger dienten als loyale Bürger außer ihrem eigenen Kult als *augustales* im Staatstempel von Nida dem Kaiserkult: in ihrer Weihung nannten sie die *salus augustae*, die Heilsgöttin des Kaiserhauses. Dieses Nebeneinander ist zugleich Ausdruck der religiösen Toleranz des Römers, die nur dort ihre Grenze fand, wo eine Religion den Staat selbst in Frage stellte. Für den Römer war Religion Privatsache, sofern sie sich mit dem offiziellen Staatskult vereinigen ließ. Die einzigen Religionsgemeinschaften, die verfolgt wurden, waren Druiden, Juden und Christen, die sich weigerten, im Sinne römischer Staatsgesinnung den Kaiser als Gott zu akzeptieren.

Von Beruf waren die Kultdiener wahrscheinlich Zimmerleute, und als solche stellten sie auch die Feuerwehr in Nida, wofür sie Steuerfreiheit genossen.

Lichtgott Mithras an der Germanengrenze

Soldaten und Händler brachten schon Jahrhunderte vor Christus aus Armenien den Kult des persischen Lichtgottes Mithras mit nach dem Westen. Im zweiten Jahrhundert n. Chr. breitete er sich über die Kastelle, die Hafen- und Handelsstädte aus. In Ostia fand man allein 26 Heiligtümer für Mithras, den die Römer dem Sonnengott Sol gleichsetzten. Nach Germanien ist der Kult wohl durch die Legio VIII Augusta gekommen, die Vespasian von Moesien (das heutige Bulgarien und die europäische Türkei) nach Straßburg verlegte. Die meisten Mithraeen in den Zivilsiedlungen sind von Soldaten oder Veteranen gegründet worden, jedenfalls stammen die Weihungen in Wiesbaden, Heddernheim, Dieburg und anderen Orten vor allem von Militärs.

Man feierte die Geburt des Mithras am 25. Dezember! An diesem Tage sei der Lichtgott von einer Jungfrau in einer Höhle geboren worden; Hirten auf dem Felde hätten als erste seinen Schein gesehen. Deshalb spielte das Licht in dem Kult eine wichtige Rolle. Vor den Altären brannte eine ewige Flamme, und die Kultbilder wurden manchmal von innen her beleuchtet.

Überall bei den Mithraeen befinden sich Quellen, die bezeugen, daß Wasser ein weiteres wichtiges Element war und ins Ritual einbezogen wurde. Auch der Baum – ein schlanker Nadelbaum, war dem Mithras heilig. Er verbirgt darin nach der Geburt seine Nacktheit, schneidet die Zweige, um sich zu bedecken. Dann kämpft er mit dem Sonnengott, besiegt ihn und verleiht ihm den Strahlenkranz. Nun erst jagt und tötet er den Weltenstier, stößt ihm in einer Höhle das Schwert in den Hals. Sein Blut tropft auf die Erde und erweckt Fruchtbarkeit und Leben. »Selbst die Tiere lechzen nach diesem göttlichen Trank, der die Welt und die Menschen erlöst. Der Stier ist nicht nur das Symbol der zu überwindenden irdischen Mächte, sondern auch ein Quell der Fruchtbarkeit.« (H. Koepf)

Während seines Erdendaseins hilft Mithras den Menschen in ihrer Not: bei Dürre mit Wasser, das er aus dem Felsen schlägt, und bei der Sintflut schützt er sie in der Arche. Nach der Vereinigung mit dem Sonnengott im Liebesmahl fährt er mit dessen Wagen in den Olymp.

Die Mithraeen symbolisierten die Höhle, in der Mithras den Stier tötete; darum legte man sie in die Erde. Auf den beiden Liegebänken links und rechts des Mittelganges im Kultraum nahmen die Gläubigen das Liebesmahl, Wein und Brot, gemeinsam ein und wurden dadurch zu Brüdern. Ein Glockenzeichen kündigte den Höhepunkt der Weihehandlung an. Nur Eingeweihten, die nach bestimmten Riten, wozu auch die Taufe gehörte, aufgenommen waren, wurde dieser Geheimkult offenbart. Die heilige Zahl Sieben – die sieben Wochengötter stecken noch in unserer Siebentagewoche – hatte eine hohe Bedeutung. Sieben Grade mußte der Mithrasjünger durchlaufen, und über eine Leiter mit sieben Stufen wurde die geläuterte Seele von Mithras in den Himmel geführt. So steigt man ins Heiligtum über sieben Stufen hinunter, ist die Quelle neben dem Mithraeum der Saalburg in sieben Bassins gefaßt, die sicherlich auch für die Taufe dienten.

Kaiser Julian war einer der letzten bedeutenden Anhänger und Förderer dieses Glaubens und folgte seinen hohen ethischen Idealen. Es wird berichtet, Mithras habe ihm die Tugenden eines Herrschers vorgeschrieben: »den Schmeichlern mißtrauen, die Untertanen in Güte regieren, die Götter fromm verehren, Enthaltsamkeit und Selbstzucht üben«. Bei seiner Einweihung soll Julian unerklärliche Erscheinungen, Geister und Zauberspuk – Flammen, Geräusche, Gerüche – wahrgenommen haben.

Wie sich am Wiesbadener Mithraeum zeigt, bei dem sich hinter dem Kultbild ein kleines, nur von außen her zugängliches Gelaß befand, konnten die Priester – ohne von ihrer Gemeinde gesehen zu werden – mit Lichtwirkungen, Weihrauch und ähnlichem »Übernatürliches« inszenieren. Auch das Drehen des Kultbildes während der Liturgie hat gewiß heilige Schauer bei den Gläubigen ausgelöst.

Für das frühe Christentum war der Mithraskult der Erzfeind. Bei der starken Ähnlichkeit der beiden Religionen und ihres Rituals ist das nicht weiter verwunderlich. Die Christen behaupteten, der Mithraskult habe das Christentum nachgeahmt, sie verdammten seine Lehre und verfolgten seine Anhänger. In Rom tobte dieser Glaubenskrieg besonders heftig. Die Kultbilder wurden zerschlagen und die Mithrasheiligtümer zerstört, mit dem Schutt gefüllt, zugemauert oder überbaut, manchmal auch durch Totenbestattung entweiht. Die schriftlichen Zeugnisse merzte man besonders gründlich aus, um alle Spuren zu vertilgen. Deshalb ist uns so wenig über den Inhalt der Heilslehre bekannt. Im Mithrasheiligtum in Straßburg wüteten fanatische Christen, zertrümmerten die »Grotte« des Mithras und deren Kultbilder buchstäblich in tausend Stücke und warfen sie dann in Brunnen und Abfallgruben. Rechts des Rheins konnte sich der Kult noch erhalten, bis die Germanen die Grenze überrannten.

Das älteste Zeugnis der Ausbreitung dieser Religion in unserer Gegend ist das Bruchstück eines Kultgefäßes aus Hofheim von 80 bis 90 n. Chr. Ein Zentrum für den Gott mag aber die römische Stadt Nida gewesen sein, nach den fünf bis jetzt festgestellten Mithraeen zu schließen. Von den in den Boden eingetieften Tempeln, künstlich geschaffenen Grotten, war nur die Eingangshalle und das Dach ein wenig über dem Erdboden sichtbar. Im Hintergrund der Cella magisch erleuchtet im sonst dunklen Raum, das Kultbild »Mithras im Kampf mit dem Stier«. Das berühmteste, drehbare, und vielleicht schönste stammt aus dem sogenannten ersten Mithraeum in Nida. »In ihrer Komposition können die Kultbilder mit frühmittelalterlichen Tafelbildern verglichen werden, auf denen Szenen aus dem Marienleben, der Leidensgeschichte, dem Leben von Heiligen und Märtyrern in einzelnen Feldern nebeneinander geschildert werden. Ähnlich ist hier an hervorragender Stelle das Kernstück, die Stiertötung, untergebracht, während der Rahmen den anderen Episoden vorbehalten ist . . . Am vollständigsten hat das Kultbild aus dem Mithraeum von Osterburken die einzelnen Episoden überliefert. Im Anfang war das Chaos, dem Gä und Uranos, die Erde und der Himmel, folgten. Aus ihrer Verbindung entsteht Kronos, dessen Sohn Zeus ihn in der Herrschaft ablöst. Dazwischen erscheinen aber die Schicksalsgottheiten, die Moiren oder Parzen, deren Gebot sich auch die Olympischen Götter unterwerfen müssen. Wenn dann auf das Bild von Zeus im Gigantenkampf der ruhende Okeanos folgt, so machen sich hier wohl altiranische Einflüsse geltend, wonach die vier Elemente, Wasser, Luft, Feuer und Erde den Ursprung aller Dinge bildeten. Die antike Göttergenealogie wird dann vollendet durch Mithras. So ist dieses Bild auf dem Relief von Osterburken zugleich das Ende des Alten und der Beginn des Neuen.« (H. Schoppa)

Das Kultbild war auch in Nida flankiert von den Statuen des Cautes und Cautopates, Jünglingen mit erhobener und gesenkter Fackel. Cautes symbolisierte die aufgehende Sonne, Cautopates den Sonnenuntergang. Die Funde aus den 1826 ausgegrabenen beiden Mithraeen – das drehbare Kultbild und die Skulpturen und anderes – kamen in die Sammlung

Nassauischer Altertümer in Wiesbaden, ebenso wie alle bis 1880 in Heddernheim von Nida gemachten Funde, weil Heddernheim damals zu Nassau gehörte. Es ist erst seit 1910 Stadtteil von Frankfurt. Das Städtische Museum in Wiesbaden bewahrt diese römischen Zeugnisse auf und hat auch ein Mithraeum in Originalgröße rekonstruiert. Alle anderen römischen Hinterlassenschaften birgt das Museum für Vor- und Frühgeschichte im Holzhausenschlößchen in Frankfurt. Der Dieburger Mithrasaltar, von Silvestrius Silvinus gestiftet, ist zusammen mit anderen Denkmälern im Kreis- und Stadtmuseum Dieburg zu besichtigen.

Die östlichen Mysterienkulte sind Ausdruck des Wandels der römischen Gesellschaft. Der Mensch, in die Städte getrieben, herausgerissen und herausgelöst aus Familie, Stamm und vertrauter Umgebung, in irgendeine Ecke des Imperiums geworfen, als Soldat, Sklave oder Beamter, dieser »unbehauste« *homo anonymus* suchte eine neue Heimat, wollte, unabhängig von sozialer, ethnischer und regionaler Herkunft, wieder einwurzeln. Deshalb die rapide Ausbreitung der orientalischen Verheißungs- und Erlösungsreligionen. Die immer gegenwärtigen, abgenutzten Laren gaben den Seelen keine Hoffnung mehr. Den Menschen der Kaiserzeit faszinierte der persische Mythos, der Kampf des Lichts mit der Finsternis, der Sieg des Guten über das Böse. Auf dem Boden dieses neuen Dualismus wurde der Weg für das Christentum bereitet.

Nida – ein religiöser Mikrokosmos des alten Rom! Hundertfünfzig religiöse Denkmäler wurden hier gefunden: Für Mithras 28, Jupiter-Juno 20, Merkur 17, Fortuna 8, Minerva 8, Jupiter-Dolichenus 8, für die Genien 7, für Epona 4, Vulkan 4, Herkules 3, für Sol, Luna, Apollo, die Matronen, Venus und Bacchus, Kybele, Neptun, Mars und Victoria je ein Denkmal. Auffallend ist die Häufigkeit, mit der in Nida den Wochengöttern Saturn, Sol, Luna, Mars, Merkur, Jupiter und Venus, geopfert wurde, die orientalische Sklaven mit hierhin gebracht hatten. Träger griechischer, gallischer und römischer Namen sind unter den Weihenden. Der bisher in Germanien noch nicht nachgewiesenen Dea Candida weihte der Hauptmann der II. Raeterkohorte von der Saalburg, Lucius Augustius Justus, ein Denkmal: eine sehr gute Darstellung der sitzenden gallischen Göttin, immerhin fast zwei Meter hoch. Die Statue, leider ohne Kopf, wurde zusammen mit der Weihung eines Veteranen der Friedberger I. Damascenerkohorte an Jupiter in Heddernheim aus einem Brunnen geborgen.

Die Jupiter-Giganten-Säulen

Wie auf dem Gelände vieler Villae rusticae, so ragten auf jedem privaten Grundstück einst in Nida die Jupiter-Giganten-Säulen und prägten das Stadtbild. Man wollte öffentlich bekunden, daß man Jupiter dem Höchsten huldigte, aber hinter dieser Gestalt verbargen sich wohl auch alte keltische und germanische Götter. Die Jupiter-Giganten-Säulen knüpfen im Aufbau an die große Mainzer Jupiter-Säule an: ein Sockel, der sogenannte Viergötterstein, trägt die Weihinschrift an Jupiter Optimus Maximus und drei Götterdarstellungen, meist Merkur, Juno und Minerva. Ein Zwischensockel, entweder schmucklos oder mit Büsten der Wochengötter, trägt die geschuppte Säule mit einem korinthischen Kapitell, bekrönt von einer Gigantengruppe: ein Reiter in Soldatentracht – trotz des unrömischen Charakters der Darstellung, wegen der Weihinschrift zweifellos Jupiter – sprengt über ein auf dem Bauch liegendes Wesen hinweg. Ein Symbol des Sieges des Guten über das Böse. Die Analogie zum Heiligen Georg, dem Drachentöter, ist unverkennbar.

Um 200 n. Chr. hatte auch der Töpfereibesitzer Sollius Decuminius auf seinem Grundstück eine Jupiter-Giganten-Säule geweiht, die wohl kurz danach von Germanen zerstört wurde. Bei demselben Germanenüberfall ist vielleicht auch die mit fünfeinhalb Metern größte Säule in Nida umgestürzt und zertrümmert worden, die dann am Tage vor den Iden des März, 240 n. Chr. der Nidaer Ratsherr C. Sedatius Stephanus mit seiner Familie wieder aufstellen ließ. Auf dem Zwischensockel dieser Säule sind die Namen der Gattin des Ratsherrn, Crescentina und der Töchter Honorata, Festa und Maximina eingemeißelt. In Nida sind, wie an anderen Orten, die meisten dieser religiösen Zeugnisse von germanischen »Bilderstürmern« zerstört worden. Da sie die Fragmente in die Brunnen warfen, ist auf diese Weise wenigstens einiges erhalten geblieben. Versetzen wir uns in jene Zeit: ein alamannischer Krieger stößt zum erstenmal mit der römischen Kultur zusammen. Mit seinen Stammesgenossen überfällt er einen Vicus und mordet und plündert. Die Häuser brennen, Tote liegen auf den Straßen. Plötzlich steht der Alamanne vor einer Jupitersäule – einem Gott, den er nicht kennt, dazu einem feindlichen Gott, einem geheimnisvoll lebendigen Gott; denn figürliche Darstellungen sind den Germanen fremd. Gebannt starrt er mit den Stammesgenossen auf das Monument. Der Mutigste des Haufens hebt einen Stein und schleudert ihn nach der Statue. Der Gott wehrt sich nicht. Das Tabu ist gebrochen. Der nächste ermannt sich, schlägt mit einer Stange nach

Jupiter-Giganten-Säule aus Nida. 240 n. Chr. wurde sie durch die Rats-
herrenfamilie C. Sedatius Stephanus wieder aufgestellt. Vor der Säule
stand damals ein Weihealtar an Jupiter. (Links)
Fragmente von Jupiter-Giganten-Säulen aus Nida (Heddernheim). Diese
Denkmäler von beachtlicher künstlerischer Qualität wurden in Nidaer
Werkstätten geschaffen. (Rechts)
Zeichnungen: Wilh. Raab

dem Kopf des Gottes, zertrümmert unter dem Beifall seiner Genossen das
Gesicht. Und weil der Gott vollends entmachtet werden muß, gilt der
nächste Schlag den Genitalien. In wildem Triumph zerfetzt die Meute das
ganze Standbild. Damit man diesen Gott aber auch wirklich nie mehr
sieht und nie mehr in den Bannkreis seiner Blicke gerät, werden die
Trümmer in tiefe Brunnen und Gruben geworfen und mit allem verfüg-
baren Schutt zugedeckt, auf daß er auf ewig gebannt und gefangen bleibe.

Menschen, die sich in Werwölfe verwandelten – Lemuren und Geister, der Klabautermann – sie alle raubten den Römern den Seelenfrieden und verbreiteten Furcht und Angst. Vampire drangen heimlich ins Sterbehaus und verzehrten die Nase des Leichnams. Geister spukten in verhexten Gebäuden, rasselten und klirrten (schon damals) mit Ketten, verlorene Seelen der Toten irrten umher und flößten Entsetzen ein. Die Auguren lasen aus den Eingeweiden, was die Zukunft noch verborgen hielt, Amulette schützten gegen bösen Blick und Zauberei – man pinselte das Wort *arseverse* an die Tür, um sich gegen Feuersbrunst zu schirmen. Jede Erscheinung hatte ihre Bedeutung im Guten und Bösen. Wir erinnern uns an die unheimlichen Bienenschwärme und die Zeichen des Himmels bei der Varusschlacht und bei Drusus' Tod.

Das war nicht Aberglaube in unserem Sinne, es war Teil der römischen Religiosität. Wenn Götter und Genien die gesamte Natur beseelten, lag der Gedanke nicht fern, daß diese wissenden, übermächtigen Wesen dem Menschen Zeichen gaben, um ihn zu warnen, daß alles – der Vogelflug, der Traum, ein Tierschrei, ein Stolpern oder eine schlimme Begegnung – als Omen etwas orakelte. Selbst kultivierte, geistreiche Männer waren nicht frei von diesem Aberglauben. Und ganz fremd sind ja auch uns diese Dinge nicht.

Von solchen Vorstellungen bestimmt war auch ein damals überall geübter Brauch, der einen Blick in diesen dunklen Teil der Seele des antiken Menschen gewährt: Beschwörungs- und Fluchtäfelchen halfen den Menschen, die Probleme der Liebe und des Hasses leichter zu bewältigen. Weil Blei als besonders »gut leitendes« Material für solche Verfluchungen galt, schrieb der Betreffende, oder, noch wirkungsvoller, ein bestellter Magier, bestimmte Formeln der Verwünschung und magische Zeichen auf Täfelchen aus diesem Metall. ». . . Vernichtet sie und brecht ihr alle Knochen . . . zermalmt ihren Körper . . . durchbohre ihm die Zunge . . .« und ähnliche »herzliche Wünsche«, die Hoffnung eingeschlossen, Gut und Besitz des Verabscheuten möge zugrunde gehen, kritzelte man auf Blei. Dazu die geheimnisvollen Zauberformeln »Bescu, Berebescu, Arurara, Bazagra«.

Um dem Zauber besondere Wirkung zu verleihen, wurde auf dem Friedhof ein Toter ausgegraben, »erweckt« und angesprochen: »Wer du auch seiest, erfülle diesen Auftrag.« Als bevorzugtes Objekt dienten die Gräber bei den Amphitheatern, wo Opfer lagen, die eines gewaltsamen Todes gestorben waren und deren Geister noch ruhelos dort herumirrten. Unbescholtene Bürger wollte man mit solchem Ansinnen nicht behelligen und in ihrer Grabesruhe stören. Denn der Tote wurde damit erpreßt, daß man ihm versprach, man werde ihn wieder in Ruhe schlafen lassen, wenn er den Auftrag erfülle, andernfalls würde man sich an ihm rächen und vielleicht seine Gebeine zerstreuen.

Diese naive, abstruse Gläubigkeit wirkte, so seltsam es klingt, als psychisches Regulativ: diese Verfluchungen waren echte Blitzableiter. Kochte eine militärische Einheit vor Wut und Haß gegenüber der Willkür eines Vorgesetzten, wußte sich ein Sklave in seiner Verzweiflung keinen Rat mehr, ging ein Geschäftsmann die Wände hoch, weil ihm ein Konkurrent den Auftrag weggeschnappt hatte, raste ein unglücklich Verliebter vor Eifersucht, dann suchte der Betroffene gläubig Zuflucht bei diesem Zauber. Und er wußte, der andere fürchtete sich davor wie vor dem Leibhaftigen. Das bedeutete, daß jeder, wollte er nicht verflucht werden, ein Verhalten zeigen mußte, das keine Verwünschungen provozierte. Denn gegen diese Magie war auch der Mächtigste nicht gefeit, und niemand konnte sie verhindern. Manch haßgeschwängerte, ausweglose Situation

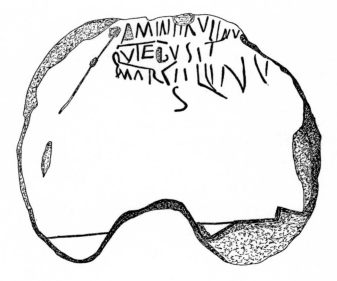

Schieferplatte mit Inschrift, wahrscheinlich einer Spott- oder Fluchschrift, Fundort Mainz, Schillerstraße

mag deshalb nicht in Mord und Totschlag ausgeartet sein, weil man dieses Ventil hatte und das magische Verfluchungsritual inszenieren konnte.

Auf einem pompejanischen Täfelchen werden zum Beispiel die Götter der Unterwelt gebeten, den Y schnell zu sich herunterzuholen, weil er einen wertvollen Gegenstand gestohlen habe. Damit er auch recht bestraft wäre, solle er mit auf dem Rücken zusammengebundenen Händen zum Hades fahren. In Bad Kreuznach wurden auf solche Weise siebzig verhaßte Mitbürger dieses Vicus den unterirdischen Göttern zur Verdammung empfohlen.

Auch aus Mainz und Nida existieren solche Zeugnisse. Aus Nida haben wir zwei bleierne Fluchtäfelchen von Gräbern einer Nekropole bei Praunheim. Die noch entzifferbaren Textstellen verraten, daß einige Nidenses erbittert gegeneinander prozessiert haben. Der Verfluchende, ein Mann namens Sextus, wünscht einem Fronto, daß dieser »verrückt« würde, er solle »stumm« werden, ihm sei die Zunge gelähmt, daß er nicht aussagen könne im Prozeß gegen Sextus. Die Wiederholung der Verwünschungen auf der Rückseite der Täfelchen sollte die Wirkung offensichtlich verstärken. Auf dem einen Täfelchen sind noch Namen von anderen in die Sache verwickelten Personen, vielleicht Zeugen, vermerkt. Es sind dies »Lot(t)us« – ein gallischer, von einem Töpferstempel bekannter Name – und »Ripanus«, dem Namen nach auch gallischer Herkunft, wahrscheinlich Nidaer Bürger.

Die Formulierungen der in Kursivschrift verfaßten Zeilen sind ziemlich vulgär. Der Schreiber Sextus stand, den groben Verstößen nach, anscheinend mit der lateinischen Syntax und Grammatik auf Kriegsfuß. Der Sextus der einen Tafel spricht von sich in der dritten Person.

Nicht nur aus Haß, auch aus Liebe wurde Zauber beschworen. Im Institut für Altertumskunde der Universität in Köln befinden sich einige magische Papyri sowie Bleitafeln und ein mit einem Zauber beschriebenes Tongefäß aus Oxyrhynchos in der Provinz Ägypten. Diese Texte hat Dierk Wortmann untersucht und übersetzt. Die beiden Bleitäfelchen und das Töpfchen, von gleicher Hand beschrieben, erzählen von der leidenschaftlichen Liebe eines Theodor, der durch Zauber eine »Matrona« an sich binden wollte. Manchmal hat der Liebende solche Zauberformeln in das Schlafgemach seiner Angebeteten geschmuggelt, ja sogar eingemauert wurden sie gefunden! Auch mancher obergermanische Romeo wird ähnliche leidenschaftliche Episteln verfaßt haben, nur daß alle Papyri in unserem Klima zugrunde gingen. Deshalb seien diese zweitausend Jahre alten, ewig jungen Worte nicht verschwiegen – allerdings um viele Wieder-

holungsformeln und die immer wiederkehrenden Götternamen gekürzt.
»Matrona, die Tochter der Tagene, von der du die Usia hast, soll Theodor, den Sohn der Techosis, lieben die ganze Zeit ihres Lebens, jetzt, jetzt, schnell, schnell. Ich lege euch unterirdischen Göttern diese Beschwörung nieder . . . damit ich alle Dämonen an diesem Ort beschwöre, diesem Toten beizustehen . . . Erwache für mich aus der dich umfangenden Ruhe. Und mach dich auf an jeden Ort und in jedes Häuserviertel und in jedes Haus und in jede Kneipe. Und führe, binde Matrona, die Tochter der Tagene, von der du diese Usia hast – die Haare ihres Kopfes – damit man nicht mit ihr von vorne oder von hinten hure noch sie aus Lust mit einem anderen Liebesspiel betreibe noch mit einem anderen Mann zusammen schlafe, nur mit Theodor, dem Sohn der Techosis. Auf daß Matrona ohne Theodor nicht stark und gesund sein und des Nachts keinen Schlaf finden kann. Nicht bleibe Matrona, die Tochter der Tagene, von der die Haare ihres Kopfes sind, ohne Theodor, den Sohn der Techosis. . . .
Ich beschwöre dich, überhöre nicht diese Namen, sondern erwache und mach dich auf zu jedem Ort, wo Matrona ist, die Tochter der Tagene, von der du die Usia hast, und geh hin zu ihr und entziehe ihr den Schlaf, den Trank, die Speise und laß Matrona, die Tochter der Tagene, von der du die Usia hast, keines anderen Mannes Liebe und Umarmung haben, nur die des Theodor, des Sohnes der Techosis. Zerr Matrona an den Haaren, an den Eingeweiden, der Seele, dem Herzen, bis sie zu Theodor kommt, und mach sie unzertrennbar bis zum Tod bei Tag und Nacht auf alle Zeit in Ewigkeit. Jetzt, jetzt, schnell, schnell . . .
Führe und binde und wecke Matrona . . ., die Theodor im Sinne hat, der Sohn der Techosis, sie soll ihn Tag und Nacht lieben, jede Stunde ihres Lebens. Nicht sei sie fern von Theodor. Jetzt, jetzt, schnell, schnell, gleich, gleich.«

Ein Römer – zwei Vereine

Wo das Bürgerrecht noch spärlich verbreitet ist, gründet er seine Landsmannschaften mit Vorstand und Ausschußmitgliedern. Die Syrer, Griechen, Germanen schließen sich zusammen. Jede größere Stadt hat ihre Frauen- und Jugendvereine. Die Collegia juvenum, zum Teil mit vormilitärischer Ausbildung, dienen auch der Vorbereitung für den höheren Staatsdienst. Ebenso werden Mädchengruppen organisiert.
Auch Unfreie bilden Gemeinschaften; Plinius der Jüngere läßt auf seine

Kosten das Vereinslokal seiner Sklaven ausstatten. »Nachbarschaften«, die Bewohner von *insulae,* feiern ihre Feste. Es gibt sogar Geburtstagsklubs, deren Mitglieder so die Gewähr haben, daß sich an diesem Tag der Gabentisch biegt und ein sinniger Toast für das weitere Wohlergehen ausgesprochen wird. Bürger, Freigelassene und Sklaven gründen gemeinsame Sterbekassen, die gegen einen bestimmten Beitrag für ein würdevolles Begräbnis, einen entsprechenden Grabstein und Leichenschmaus sorgen. Vom Hadrianswall und Limes bis zur Cyrenaika: Vereinssitzungen, Vorstandswahlen, stundenlange, erregte Diskussionen über Nichtigkeiten, Seligkeit des Klein- und Großbürgers, Selbstbestätigung, Eitelkeit – Statuten, Intrigen und offener Streit.

Daß Nida auch darin vorbildlich war, wer will das bezweifeln! Und da sage einer, die Römer hätten keine Kultur gehabt!

Ein Tag in der Römerstadt

Es ist die Zeit um 240 n. Chr. Die Frau des Weinhändlers aus der »Villa von Praunheim« ist heute, wie gewohnt, bei Sonnenaufgang aufgestanden, hat sich ein wenig erfrischt und ihrem Mann einen guten Morgen gewünscht. Schnell war das hellgraue langärmelige Untergewand aus Leinen, die Tunika, übergestreift, in der Taille mit einem Gürtel gehalten und etwas hochgerafft. So blieben die Knöchel frei, und man konnte sich besser bewegen. Die Sklavinnen und Sklaven kommen aus ihren Kammern im seitlichen Flügel des Hauses, begrüßen die Domina und nehmen ihre Anordnungen entgegen. Der Gärtner weiß, was er den Rosen, den Lieblingspfleglingen seiner Herrin, schuldig ist. Er hat auch schon Verblühtes bei den letzten Stiefmütterchen und beim Mohn sauber abgeschnitten und die Lilienstengel hochgebunden, damit sie unter der Schwere der sich öffnenden Blütenkelche nicht knickten. Er fragte aber immer, welche Blumen in die Vasen kämen und ob für einen Besuch der Tisch besonders geschmückt werden sollte. Heute wünscht sich die Herrin Mohn und Lilien für das dreibeinige Tischchen im Speisezimmer neben der Anrichte und einige Rosenknospen für die Tafel, denn am Abend werden noch Freunde zum Essen (der *cena*) erwartet. Deshalb sollen die beiden jungen Sklaven das Haus gut in Ordnung bringen und nicht versäumen, vor dem Auskehren Sägemehl auf dem Mosaikboden auszustreuen. So würden Farben und Muster der gläsernen Steinchen besser leuchten und zur Geltung kommen. Die Herrin ermahnt die Burschen, die Säulenkapitelle in der Vorhalle mit dem Staubwedel zu säubern, die Säulen mit feuchten Tüchern abzuwischen und die Fenster blankzureiben. Vor allem muß sie sich an diesem Morgen um die Küche kümmern und mit ihrer Wirtschafterin, einer älteren Frau, einer Freigelassenen, den Speisezettel besprechen. An ihren Griffen hängen die goldglänzenden bronzenen Kasserollen über dem Herd. Im flachen Sandtrog in der Ecke stecken einige Amphoren mit Öl und Wein, verschiedene Krüge mit Honig und anderen Vorräten gefüllt. Daneben hat der Gärtner einen Korb mit Zwiebeln, Lauch und frischen Möhren, einem Strauß Petersilie und Thymian abgestellt. Heute muß er noch Liebstöckel und Koriander vom Kräuterbeet holen.

Aufmerksam hört die Wirtschafterin, was für die *cena* mit den Gästen angerichtet werden soll: als Vorspeise gibt es Zucchetti mit Huhn: »Koche ein Huhn und nimm für die Sauce zu den Zucchetti Pfirsich, Trüffel, Pfeffer, Kümmel, Silphium (ein kostbares, aus Afrika importiertes Gewürz). Dazu frische Kräuter: Minze, Sellerie, Koriander, Flohkraut, sowie Honig, Wein, Salz, Öl und Essig. Und bereite alles rechtzeitig, damit es gut auskühlen kann, weil wir die Vorspeise kalt servieren wollen. Dazu reichen wir zum Einstimmen des Magens Mulsum aus einem sehr herben Weißwein, den du pro Liter mit zwei Eßlöffeln flüssigem Honig vermischst und mit dem Schneebesen durchrühren läßt. Für den Hauptgang hat Marcus schon ein Zicklein geschlachtet. Laß das Fleisch in Öl und Garum kochen, mache dann ringsum Einschnitte und übergieße es mit einer Mischung aus Pfeffer, Laser, Garum und etwas Öl, brate es am Rost und bestreiche es mit derselben Sauce. Vergiß auch nicht, es vor dem Anrichten mit Pfeffer zu bestreuen, und sorge dafür, daß alles mundgerecht vorgeschnitten wird.« (Das mundgerechte Vorschneiden war deshalb notwendig, weil man in der Antike nur mit einem Löffel aß, dessen dünner Stiel in eine Spitze auslief, mit der man die Stückchen aufspießte.) »Als Gemüse koche Möhren und schneide sie in Scheiben. Dann dünste sie noch in Kümmelsauce mit etwas Öl. Für die Eiercrème zum Nachtisch nimm eine genügende Menge Milch, entsprechend dem Topf, den du verwendest. Vermische die Milch mit Honig wie für den Milchbrei. Füge fünf Eier auf einen halben Liter oder drei Eier auf einen viertel Liter Milch hinzu. Rühre die Eier mit der Milch glatt, passiere die Mischung durch ein Sieb in einen irdenen Topf und lasse sie auf kleinem Feuer kochen. Wenn die Eiercrème steif ist, bestreue sie mit Pfeffer und stelle auch eine große Schale mit Früchten dazu.«

Die Domina weiß, sie kann sich auf ihre Wirtschafterin verlassen. Seit die

Domina als junge Frau in dieses Haus kam, schaltete und waltete die Sklavin im Haushalt. Sie war so sehr mit der Familie verbunden, daß sie auch nach ihrer Freilassung bei ihr blieb.

Am darauffolgenden Tag soll es Erbsenauflauf mit Schweinebauch, gehacktem Fleisch und Lauch geben. Wenn vom Huhn heute etwas übrig bliebe, könnte man es mitverwenden, ebenso Reste vom Zicklein. Die Domina hofft, daß das bestellte Garum schon beim Händler eingetroffen ist. Er hatte es noch nicht geschickt. Deshalb muß sie nochmal nachfragen. Es wäre ihr peinlich, das Mahl nur mit Salz abschmecken zu müssen.

Die eben genannten Gerichte sind original römische Rezepte nach Apicius. So wie hier die Frau des Weinhändlers ihrer Wirtschafterin die Rezepte aufträgt, sind sie überliefert. Ein Kochbuch zum Nachschlagen gab es in der Antike kaum. Alle Küchenratschläge wurden mündlich weitergegeben, bis sie Apicius notiert hat. Mengenangaben fehlen fast immer; man kochte wohl mehr nach Erfahrung und Gefühl und vertraute beim Würzen dem eigenen Gaumen. Die reichlich verwendeten Kräuter verdrängten für unsere Zunge vielleicht zu sehr den Eigengeschmack der Speisen. Wahrscheinlich könnten wir uns auch nicht mit der römischen Gewohnheit anfreunden, fast jedem Gericht Garum, die bekannte Fischsauce, die sich am ehesten mit unserer Worcestersauce vergleichen läßt, beizufügen. Sie steht als Würze auch immer dann, wenn kein Salz verwendet wird. Auch damals wurden die Saucen mit Stärkemehl gebunden.

Nach einem kurzen Frühstück aus Milch, Brot und Käse ruft die Domina ihre Lieblingssklavin, die inzwischen beschäftigt war, Stola und Umhang herauszulegen, zum Frisieren herbei. Für die Besorgungen, die sie in Nida zu machen hat, möchte sie gut aussehen. Das Mädchen rückt ihr den schmalen Korbstuhl nahe ans Fenster, damit das Licht günstig auf den silbernen Handspiegel fällt, den der Gatte ihr zu den letzten Matronalien am 31. März – dem römischen Muttertag – geschenkt hatte. Die Dienerin bürstet das Haar sorgfältig und legt es mit geschickten Händen in weiche Wellen, die das Gesicht der Herrin schmeichelnd umrahmen. Dann bindet sie es im Nacken zusammen und steckt es mit einem Kamm und Haarnadeln am Oberkopf zu einem Diadem auf. Die Domina ist zufrieden – die Frisur wirkt schlicht und vornehm.

Beim Anlegen der Stola haben sie einige Mühe, die Falten zu verteilen. Sie stecken sie an der Schulter mit einer Bronzenadel fest. Die Brosche klemmt heute mal wieder, und sie müssen eine andere heraussuchen.

Dabei wählt die Domina gleich einen Ring mit einer Gemme und legt ein goldenes Armband an, schiebt die Ärmelbündchen ihrer Tunika zurück, daß das Gold am Handgelenk sichtbar glänzt. Nun wird das Ende der Stola sanft über die Frisur gelegt, die Sklavin hilft ihrer Herrin in den Umhang, darauf achtend, daß das satte Gelb unter dem dunkleren Mantel noch hervorleuchtet und verschließt ihn mit einer großen Fibel.

Fast hätten die Frauen vergessen, nachzusehen, ob der dreizehnjährige Sohn schon bereit ist, seine Mutter auf dem Weg zur Stadt zu begleiten. Er muß ohnehin um diese Zeit zur »Schule«, um Lesen, Schreiben und Rechnen zu lernen. Auch in Nida hatten sich mehrere Familien einen Lehrer (*magister*) gesucht, der nun täglich ihren Söhnen Latein beibrachte und der sich nicht scheute, ihnen mit dem Stock auch mal eins überzuziehen. Meist waren das griechische Freigelassene, die sich irgendwo an einer ruhigen Straßenecke unter einem Porticus niederließen, vielleicht mit einem Vorhang von den Vorübergehenden etwas abgeschirmt, oder sich einen einfachen Raum mieteten und dort gegen Entgelt unterrichteten.

Der *filius* muß nur noch die Sandalen (*soleae*) mit den schwarzen Straßenschuhen (*calcei,* die kein Sklave tragen durfte) vertauschen. Heute nimmt er den ärmellosen Schülermantel – den einheimischen kurzen Kapuzenmantel (*cuculus*) trug er nur im Winter – ergreift sein Schreibzeug, die Wachstäfelchen und einen Schreibgriffel aus Metall oder Elfenbein. Diese Griffel hatten ein zugespitztes Ende zum Einritzen und ein abgeflachtes, mit dem man das Geschriebene tilgen konnte. Im Geiste rekapitulierte er seine Vokabeln und dachte angestrengt über die richtige Verwendung des Ablativs nach, den er immer noch nicht recht kapierte.

Jetzt kommt der Hausherr (*pater familias*) aus seinem Schlafgemach mit dem breiten Bett in der Nische. Auf dem Bettgestell mit den bronzenen Löwenfüßen liegt über gekreuzten Gurten eine Matratze mit Wollfüllung, über die zwei Decken gebreitet sind. Hier steht noch ein Schrank mit vergitterten Türen, der wichtige Papiere enthält. Die große eisenbeschlagene Geldtruhe, in der auch wertvolle Schmuckstücke und silberne Tafelgeräte und andere kostbare Schätze aufbewahrt liegen, steht in der Ecke. Der Sklave hat seinem Herrn das Alltagsgewand aus der Schrankkammer von nebenan gebracht, den grau-grünen wollenen Hemdrock mit langen Ärmeln und einer dunklen Borte am Saum und den dunkelgrauen keltischen Mantel. Die Kapuze wird heute ordentlich am Nacken eingerollt, weil die Sonne scheint.

Draußen fährt der Kutscher vor. Er hat zwei Pferde vor den leichten

Wagen gespannt. Das Ehepaar nimmt auf den Rücksitzen Platz. Der Sohn darf mit auf dem Kutschbock sitzen und braucht heute nicht zu Fuß in die Schule zu gehen. An Markttagen darf er immer mitfahren, wenn der Vater in der Stadt zu tun hat. Der Weinhändler trifft am Forum von Nida einige Gutsbesitzer aus der Umgegend oder ihre Verwalter, die bei ihm gleich ein paar Fässer Wein bestellen.

Als der Wagen von der Hauptstraße, der *platea praetoria,* in die Thermenstraße einbiegt, rekapituliert der *filius* kein Latein mehr; er denkt nur noch an die Spiele in der Palästra. Beim Vater bettelt er so lange, daß er gleich nach dem Unterricht dorthin darf, bis dieser nachgibt und ihm das Eintrittsgeld in die Hand drückt. Die Mutter ermahnt ihn, seinen Schülermantel nicht so achtlos in der Wandelhalle der Palästra hinzuwerfen, sondern ordentlich im Fach abzulegen. An der Ecke der *platea novi vici* muß das Fahrzeug halten. Hier herrscht heute reger Verkehr. Der Reisewagen eines reichen Gutsherrn rollt vorüber, das prächtig verzierte Pferdegeschirr blitzt in der Sonne. Auch den gedeckten Wagen eines gallischen Großhändlers, den sie schon öfter getroffen haben, müssen sie noch vorbeilassen. Mit freundlicher Geste bedeutet ihnen dieser, ihm doch die Vorfahrt zu lassen, damit er nicht anhalten muß und die empfindliche, in Stroh verpackte Terra Sigillata, die er mit sich führt, nicht angeschlagen würde. Dann fahren sie weiter und überholen den Karren eines kleinen Bauern, der Gemüse zur Stadt bringt und noch einen Korb mit Geflügel aufgeladen hat. Alles strebt dem Forum zu. Überall grüßende Bekannte, geschäftige gestikulierende Sklaven, die ihrer Herrschaft Taschen und Sachen tragen.

Vor der eindrucksvollen, mit Pfeilern geschmückten Fassade mit dem Doppeltor des Bronzefabrikanten halten sie an, und der Kutscher beeilt sich, der Domina beim Aussteigen zu helfen. Sie will hier nicht nur neue Kochtöpfe und Pfannen einkaufen, sondern sich nach einer Bronzestatuette umsehen – einem Mercurius meint ihr Mann, der seinen Reichtum symbolisiert, die Verehrung für den Gott ausdrückt und zugleich eine weitere Steigerung seines Einkommens verbürgt. Die Statuette sollte ein kleines Kunstwerk und besonderer Schmuck der Wandnische im Vestibül sein, den Gästen zum Gruß, wenn sie das Haus betraten.

Ein Blick in den Hof der Bronze- und Eisengießerei zeigt, daß alle schon eifrig am Werk sind. Das Feuer des Schmelzofens raucht, und aus der Werkstätte dringen die Geräusche der Hämmer und Raspeln. Hinten im Hof des Anwesens trottet ein Esel im Kreis und dreht die Mühle. Der Besitzer ist ein geschäftstüchtiger Mann. Mit Handmühlen käme sein

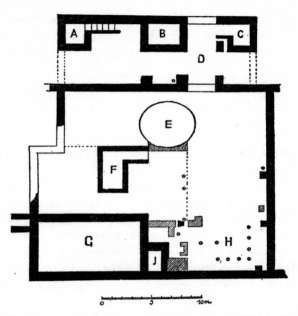

Grundriß des Anwesens des Bronzefabrikanten mit Mühle im Hof und drei Läden in der Straßenfront

großer Haushalt nicht aus; er verköstigt neben dem Gesinde noch die Metallgießer. Trotzdem wäre für den Eigenbedarf die Mühle nicht ausgelastet und die Anschaffung der schweren Basaltsteine zu teuer, weshalb er Getreide im Auftrag gegen Bezahlung mahlt. Eine weitere Einnahme verschaffen ihm die zwei Läden, die er neben dem eigenen Verkaufsraum für seine Fabrikate und importierten Waren in der Straßenfront seines Hauses eingerichtet und vermietet hat. Zu jedem Laden gehört noch ein Lagerkeller; das bringt schon Geld! Die Leute kommen außerdem gern hierher, weil sie gleich in drei verschiedenen Geschäften einkaufen können.

Im Hause des Ratsherrn

In einer Seitenstraße in der Nähe des Forums, günstig, aber doch ruhig – hierhin dringt nichts vom Betrieb des großen Gästehauses mit seinen vielen auswärtigen Besuchern – liegt das Peristylhaus der vornehmen Ratsherrnfamilie Stephanus. Ein Sklave öffnet gerade die Tür, den Arm voller Papyrusrollen, und der Ratsherr Caius Sedatius Stephanus und sein Sohn Maximus Stephanus, der kürzlich ins Ratsherrnkollegium gewählt wurde, treten heraus. Beide tragen als Honoratioren bei offiziellen Anlässen, und ein solcher war heute, die Toga. Der Stoff dieses Gewandes drückt schwer, und das Anlegen dauerte Stunden, aber hier in der Provinz nimmt man eher die Mühe auf sich, auch gibt es nicht soviele Anlässe wie in der Hauptstadt. In Rom ist man nachlässiger, und die Kaiser müssen immer wieder durch Erlasse erreichen, daß die traditionelle Etikette gewahrt bleibt und die Ratsherren wenigstens bei Ratsversammlungen in Toga erscheinen. Tage zuvor hatten die Mägde den teuren, schweren Wollstoff (einen 2,70 Meter großen Stoffteller) sorgfältig gewaschen, damit er blütenweiß strahle, und heute seit den frühen Morgenstunden hatten sich Sklaven und die Gattin gemüht, die Fülle des Stoffes über der Tunika in klassischem Faltenwurf zu drapieren.

Markttag ist auch Gerichtstag in Nida. Die beiden Ratsherren sollen an einer Verhandlung teilnehmen und schreiten würdig den Amtsgebäuden zu, ehrerbietig von allen Seiten gegrüßt. Sie sind gespannt auf den neuen Rechtsbeistand, und wie er seine Plädoyers vorbringen wird. Ja, wenn ein Mann wie Gaius Paterninus Postuminus noch hier wäre!, dieser honorige alte Herr, ein erfahrener Rechtskundiger, der auch als Ratsherr dem Gemeinwesen der Nidenses gedient und dem man als Oberpriester sehr viel Vertrauen entgegengebracht hat. Aber er war mit Rücksicht auf sein Alter mit seiner Tochter Paternia Honorata nach Mogontiacum gezogen. Man nahm es ihm auch nicht übel, denn die Zeiten waren unsicher und zu aufregend für ihn geworden. Sogar *duumvir* (Bürgermeister) Publius Licinius Tugnatius hat sich schon in Mogontiacum nach einem Grundstück umgesehen und sprach von Übersiedeln. (Daß er das tat, zeigt ein Altar, den er 242 n. Chr. auf seinem Grund und Boden in Mainz setzen ließ.)

Da die Oberhäupter der Familie aus dem Hause sind, kann sich endlich Caturigia Crescentina, Frau Stephanus, um ihre eigene Toilette und die Töchter kümmern. Schon die ganze Zeit über hörte sie Festa, Maximina und Honorata kichern und flüstern. Secundina, die Sklavin, eilt durch die Räume, alles zu bringen, was ihre Herrinnen wünschen. Da fehlen die langen »falschen« Locken und dort die Zöpfe, die am Hinterkopf festgesteckt werden, wonach die kämmende Dienerin ruft, während Festa kokette Löckchen auf der Stirn zurechtzupft. Nun die Sandalen, und auch ein Gewand muß noch gerichtet werden! Eifrige Geschäftigkeit in den Zimmern der jungen Damen.

Maximina hantiert mit ihren Fettschminkestäbchen, malt sich die Lippen kußecht und verteilt Rouge vorsichtig auf den Wangen. (In ähnlicher Form und Zusammensetzung werden sie noch heute verwendet, doch ohne die jetzt verbotenen giftigen Schwermetallzusätze.) Mit einem Hasenpfötchen, weil sie nicht, wie ihre Schwester, eine Puderquaste aus Schwanenflaum besitzt, trägt Maximina Puder auf. Sie zieht mit dem schwarzen Stäbchen – mit Kupferschwärze gefärbt – ihre Augenbrauen nach und schwärzt dabei gleich ein wenig die Wimpern. Als ihr der kritische Blick in den bleigefaßten Handspiegel bestätigt, daß ihr »Kunstwerk« gelungen ist, legt sie die Toilettensachen in die kleinen Gefache ihres feingravierten bronzenen Schminkkästchens zurück, deren Deckel zierliche Henkelchen haben. Die Salbenreibplatte aus poliertem blauen Schiefer, die Spatel- und Hohlsonden, Pinzette und Schere verwahrt Maximina in einem Leinenbeutel. Mit solchen Spateln oder scharfen Löffelchen hat man die schon im Altertum als unschön empfundenen Achsel- und auch Schamhaare, entfernt, indem man sie vorher mit einem Gemisch aus Ätzkalk und Auripigment, durch Wasser zu einem Teig gerührt, aufweichte. Dieses Rezept gilt übrigens im Orient noch in unserer Zeit.

Eben kommt die Mutter herein und leiht sich aus dem Glasfläschchen ihrer Tochter ein wenig von dem stark duftenden syrischen Öl. Danach begeben sich Hausfrau, Töchter und die Dienerinnen, wie es sich schickte, an ihre Webrahmen, die Sklavinnen nehmen die Spindel zur Hand.

Auf der anderen Seite der Frauengemächer dringen griechische Laute aus einem kleinen Raum. Hier werden die jungen Enkelsöhne von den beiden griechischen Hauslehrern Seleucus und Diogenes unterrichtet. Die Familie war sehr froh gewesen, als sie auf dem Sklavenmarkt die *magistri* erstehen konnte. Die beiden Lehrer waren gebürtige Griechen und man brauchte ihnen nicht erst, wie es als »chic« galt, griechische Namen zu geben. Im Hause des Sedatius Stephanus weiß man, was man sich schuldig ist! Der älteste Sohn dieser Ratsherrn-Sippe hatte sogar eine Zeitlang in Trier griechische Grammatiker und Rhetoren gehört. Die Begegnung mit dieser Stadt – nach Rom und Capua der drittgrößten des lateinischen Europa – hatte ihm ein solches Wissen und einen Weitblick vermittelt, daß er schon als junger Mann Ratsherr wurde.

Gerade in diesem Stadium, als Nida, Lopodunum und die anderen aufstrebenden rechtsrheinischen Orte durch und durch römische Städte und wirklich groß werden, kündigen drohende Vorzeichen das Ende an. Doch noch umschließt der Limes das Land und schützt seinen Frieden.

Der Limes

»DAS WORT *limes* bedeutet ursprünglich soviel wie Weg, Schneise, Feld-
flur, Besitzgrenze und stammt in dieser Bedeutung aus der Fachsprache
der römischen Feldmesser. Militärisch bedeutet »*limes*« zunächst einen
gebahnten Weg, eine breite, offene Bahn, die eine Bewegung von Truppen
gestattete. So wurde diese Bezeichnung für die von den Operationsbasen
vorgetriebenen Straßen verwendet, wie sie zu der Zeit des Kaisers Augustus von Vetera (Xanten) lippeaufwärts zur Weser oder von Mogontiacum (Mainz) mainaufwärts ins Hessische führten. Beide Straßen stütz-
ten sich auf je ein großes Legionslager am Rhein, der bekanntlich seit
Caesar die Grenze gegen die Germanen bildete. An diesen *limites* waren
größere und kleinere Militärlager aufgereiht, die zur Sicherung des
eroberten Landes und zur Versorgung der Truppen dienten. An der Lippe
hat man bisher drei sehr große Truppenlager gefunden, die für eine oder
zwei Legionen ausreichten; zwei von ihnen wurden von kleineren Lagern
begleitet. Im Vorfeld von Mogontiacum ist neuerdings ein gleichzeitiges
Versorgungslager mit sehr großen Getreidespeichern ausgegraben worden. In dieser Bedeutung nennt Velleius Paterculus, der als Offizier den
späteren Kaiser Tiberius auf seinen Feldzügen in Germanien begleitet hat,
die Marsch- und Nachschubwege des Heeres *limites*. Erstmalig bei Tacitus erscheint das Wort *limes* in der Bedeutung von »Reichsgrenze« (um
100 n. Chr.). In der späteren Kaiserzeit umschließt es auch deren rückwärtige Organisation, Truppenlager, Verbindungswege, Ackerfluren zum
Unterhalt der Grenztruppen, also die gesamte Grenzmark.« (D. Baatz)
Wir erinnern uns, daß Kaiser Domitian, um den Partisanenkrieg der
Chatten niederzuwerfen, Schneisen in die Taunuswälder schlagen ließ.
Damit bekam er auch die Wetterau, die er durch Straßen und Kastelle
sicherte, fest in seine Hand. Die wichtigsten Kastelle, mit denen Domitian
die Vormarschstraße schützte, lagen in Frankfurt, Heddernheim, Okar-
ben, Friedberg, Bad Nauheim. Die Gebirgsflanke wurde durch das Kastell
Wiesbaden und Limes auf dem Taunuskamm, Schanzen zum Beispiel

Obergermanischer Limes mit Palisaden und Graben Anfang 3. Jahrhundert n. Chr.

auf der Saalburg und Butzbach im Westen – die Ostflanke wahrscheinlich mit den Anlagen in Kesselstadt und Altenstadt – gedeckt. Die Schneisen behielt man bei, und der äußerste Postenweg, mit hölzernen Wachttürmen und kleinen Kastellen bewehrt, wurde nördliche Grenze des Imperiums, wurde der »Limes«.

Den Grenzdienst versahen nicht Legionäre der beiden obergermanischen Legionen, die in Mainz und Straßburg Garnison bezogen hatten und im Kriegsfall als Offensivtruppen dienten, sondern die Hilfstruppen: Auxiliareinheiten. Der Auxiliarsoldat unterschied sich schon äußerlich vom römischen Legionär, der ja römischer Bürger war. Er trug eine hemdartige Tunika, darüber ein Kettenpanzerhemd, dazu dreiviertellange enge Lederhosen, einen mantelartigen Überwurf, ein buntes Halstuch mit der Farbe seiner Einheit und geschnürte, genagelte Soldatenschuhe, Helm, Schild, Schwert und Lanze. Doch im Laufe der Zeit glichen sich Uniform und Bewaffnung mehr und mehr der des Legionärs an. Diese Hilfstruppen, Reiterformationen (Alen) oder Fußsoldaten (Kohorten) waren in Einheiten von fünfhundert oder tausend Mann gegliedert.

Seit Beginn des zweiten Jahrhunderts wurden zur Grenzsicherung weitere kleinere Einheiten aufgestellt, die sogenannten *numeri*. Sie versahen ihren Dienst in Kleinkastellen und auf Wachttürmen und ritten als Kundschafter das Vorfeld des Limes ab. Sie unterstanden meist anderen Truppenteilen, die dann ihre Vorgesetzten stellten. Manchmal waren es auch selbständig geführte Abteilungen; das beweisen die in einigen ihrer kleinen Kastelle gefundenen Verwaltungsgebäude, Miniaturausführungen einer Principia, aber mit der gleichen Funktion wie die der großen Kastelle. Diese neu aufgestellten kleinen Einheiten hatten zunächst sicher nicht das Niveau der Auxiliare. Ihre soziale Stellung war gering, sie erhielten den niedrigsten Sold und hatten es nicht leicht, das römische Bürgerrecht zu erwerben. Und doch wäre ohne sie eine wirksame Grenzsicherung am Limes nicht möglich gewesen.

Der Limes sollte zunächst nur die Grenze abstecken und kleinere räuberische Überfälle verhindern, denn einsickernde germanische Banden machten gerne Beutezüge in das besiedelte Hinterland und plünderten einsame Villae rusticae. Zur Verteidigung gegen eine größere Truppenmacht wären seine Wehrbauten zu schwach gewesen. Die wenigen Übergangsstellen erleichterten auch eine Kontrolle des Waren- und Personenverkehrs vom und ins Germanenland. Die Abstände der Limeskastelle in Obergermanien betrugen zwischen fünf und siebzehn Kilometer, je nach taktischer Notwendigkeit. Die Wachttürme der ersten Anlage standen etwa dreihundert bis tausend Meter auseinander, und zwar dem Gelände angepaßt, so daß es vollständig eingesehen werden konnte. Die Besatzungen, vielleicht vier bis fünf Mann, verständigten sich von Turm zu Turm durch Signale und Feuerzeichen. Die Nachricht eines Überfalls erreichte im Nu die Nachbarkastelle, eilte im Notfall wie ein »Lauffeuer« nach Mainz zum Legionslager. Obwohl auf den Türmen nur wenige Leute auf Posten standen, zollten die Germanen der befestigten Grenze zunächst soviel Respekt, daß sich in ihrem Schutz das friedliche und blühende Leben der römischen Kulturlandschaft Obergermaniens entwickeln konnte.

Nun darf man nicht glauben, Römer und Germanen hätten sich am Limes zähnefletschend gegenübergestanden. Die Römer haben sehr darauf geachtet, daß der obergermanische-raetische Limes nicht durch germanische Stammlande lief, sondern eine Art Niemandsland vor der Postenkette lag, mit Ausnahme kleinerer Siedlungsgebiete in der Gegend von Osterburken und Gießen. Diese Germanen saßen sicherlich nur mit römischer Erlaubnis so nahe am Limes und waren durch Verträge mit ihnen verbündet. Wie heute noch die Saalburg, waren die meisten Kastelle damals von Wäldern eingeschlossen. Im Kreis Usingen zum Beispiel, der nördlich des Limes liegt, ist man bis jetzt auf keinen einzigen Fund germanischer Herkunft gestoßen. Ein Beweis, daß das Vorland des Limes an dieser Stelle praktisch menschenleer war.

Das nächste benachbarte Germanenvolk, die Chatten, siedelten in der Gegend von Kassel bei Fritzlar, von wo sie auch ihre Angriffe gegen die

Römer vortrugen. Die Elbgermanen, aus denen später die Alamannen hervorgingen, die schließlich den Limes überrannten, lebten zu der Zeit noch als eine Gruppe von mehreren Stämmen – hauptsächlich waren es die Sueben – an der mittleren Elbe. Zu ihnen führte von Mainz aus eine Fernhandelsstraße an Frankfurt und Gießen vorbei durch das Kasseler Becken. Die römerfreundlichen Hermunduren, deren Land sich über den Thüringer Wald bis ins heutige Sachsen erstreckte, kamen mit ihrem Randgebiet in der Gegend von Würzburg dem Limes am nächsten.

Trotz des Pfahlgrabens oder »Pfahls« – so nannten die Germanen den Limes – herrschte reger Handelsaustausch, wie die »Bernsteinstraße« beweist, die von der Adria kommend bei Carnuntum, einer befestigten Station östlich von Wien, die Grenze überquerte und bis hinauf zur Ostseeküste führte. Um den Frieden aber wirklich zu sichern, war eine dauerhafte Grenzorganisation geplant, die der Nachfolger Domitians, Kaiser Trajan, methodisch ausgebaut und im wesentlichen vollendet hat. Die Alen und Kohorten der Kastelle in der Mainebene wurden an den Limes vorverlegt und ihre Kastelle im Hinterland aufgelassen, unter anderem Heddernheim, Frankfurt, Hofheim, Wiesbaden, Okarben.

Die *numeri,* die Kaiser Hadrian (105 bis 138) einsetzte, übernahmen jetzt an den bergigen und waldigen Limesstrecken den Wacht- und Postendienst zwischen den Kastellen, und der Limes wurde auf Hadrians Befehl hin zwischen den Kastellen und Wachttürmen mit einer Palisade verstärkt. Darüber heißt es in der Vita Hadriani: »An vielen Stellen, an denen die Barbaren nicht durch Flüsse, sondern durch Limites vom Reich abgegrenzt waren, ließ Hadrian große Baumstämme wie eine Mauer tief in die Erde eingraben und trennte so die Barbaren von uns«.

Eine letzte Erweiterung erfuhr das Limesgebiet unter dem Nachfolger Hadrians, Antoninus Pius, der den Odenwaldlimes und die Neckarlinie aufgab und östlich davon eine neue Verteidigungslinie – und zwar ohne Rücksicht auf das Gelände – in einer Länge von achtzig Kilometern zwischen Walldürn und Welzheim absteckte. Die neue Grenze verlief über Welzheim, Murhardt, Mainhardt, Oehringen, Westernbach, Jagsthausen, Osterburken, Walldürn und von dort mit einem leichten Knick nach Miltenberg und weiter nach Obernburg. Spätestens Anfang des dritten Jahrhunderts, als auch die Hauptorte der Civitates sich mit Mauern bewehrten, ließ Caracalla die Limesstrecke weiter verstärken und fügte der Holzpalisade den noch heute an vielen Stellen sichtbaren Wall mit vorgelagertem Graben hinzu. 213 führte er einen Präventivkrieg, warf neue Truppen an diese Grenze, »säuberte« das feindliche Vorfeld und konnte für zwei Jahrzehnte Ruhe schaffen.

Das Jahr 233 brachte die erste große Katastrophe. Die Alamannen – hier zum ersten Mal in der Geschichte genannt – nützten die Situation, als ein großer Teil des römischen Heeres für den Krieg gegen die Parther abgezogen war, und verwüsteten weite Teile des obergermanischen und raetischen Grenzgebietes.

Die jahrhundertelange ständige Berührung zwischen Römern und Germanen war nicht ohne Folgen für die »Barbaren« geblieben, das Zivilisationsniveau der Germanen erheblich gestiegen. Sie lernten römische

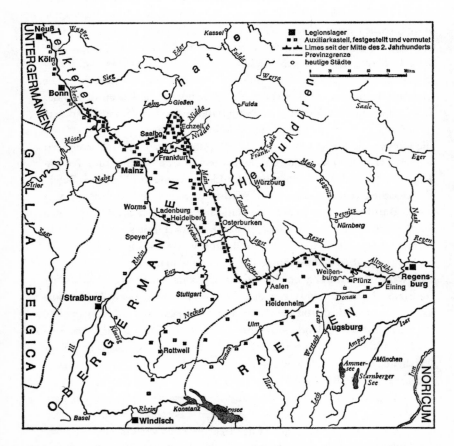

Karte des obergermanischen und raetischen Limes mit eingezeichneten Kastellen und Legionslagern

Waffentechnik und Strategie, erkannten die Überlegenheit straff diszipli-
nierter Heere und übernahmen verwaltungstechnisches und juristisches
Denken, soweit es ihnen brauchbar erschien und sich germanischen Verhältnissen anpassen ließ. All dies führte eine Änderung der gesellschaftlichen Formen ihrer Völker herbei.

Zu Beginn des dritten Jahrhunderts entstand plötzlich an der mittleren
Elbe ein mächtiger, äußerst vitaler Stammesverband – die Alamannen.
Sie lösten auf der geschichtlichen Bühne die Chatten ab, die bis in die
sechziger Jahre des zweiten Jahrhunderts mit den Römern die Waffen
gekreuzt hatten. Seit dem Regierungsantritt Caracallas 211 haben die
Alamannen das Grenzland gefährdet, bis sie schließlich fünfzig Jahre
später das gesamte rechtsrheinische Gebiet erobern konnten. Vielleicht
wurden nach dem Alamanneneinfall 233 einige der zerstörten Kastelle
nicht wieder aufgebaut, die meisten aber hielten bis zum Schluß stand,
bis unter dem permanenten Druck schließlich mit dem nördlichsten obergermanischen Kastell Niederbieber 259/260 der Limes ganz aufgegeben
wurde. Das Heer zog sich an den Rhein zurück.

Die Kastellkette

Einige Einzelheiten der wichtigsten oder bekanntesten Limeskastelle
mögen die Vielfalt des Lebens an dieser Grenze schildern.

Beim Kastell Zugmantel, das zuerst einem Numerus als Unterkunft diente
und später mit einer Kohorte belegt und vergrößert worden war, entdeckte man neben der Befestigungsanlage Reste eines kleinen Amphitheaters, ein Erdwerk mit zwei Eingängen und dazu eine kleinere Rund-

Schleifstein mit der Ritzzeichnung einer Kampfszene.
(Fund vom Zugmantelkastell)

schanze, vielleicht ein Zwinger für wilde Tiere. Die römischen Truppen brauchten also nicht einmal an der »Front« auf ihren Hauptspaß, Gladiatorenkampf und Tierhatz, zu verzichten. Das beweisen noch zwei aufgefundene Amphitheater bei Auxiliarkastellen am Limes. Diese Anlagen dienten wahrscheinlich nicht nur dem Gaudium der Soldaten, sondern waren ideal für die Ausbildung der Truppe. Was lag näher, als den Exerzierplatz zuweilen in die Arena zu verlegen, wo Abteilungen der Kohorte auf den Rängen beobachten konnten, ob die exerzierenden Formationen dort unten ihre Bewegungen gut oder schlecht ausführten. Fachmännisch lernten sie auch den geringsten Fehler zu erkennen und zu beurteilen. Dann wechselte man die Abteilungen aus, die Agierenden wurden Zuschauer und umgekehrt. Bei dieser Art Wettstreit setzte jeder alles daran, seinen Zug nicht zu blamieren, sondern alles zu tun, daß er besonders gut abschnitt. In dieser Arena ließen sich Scheinkämpfe arrangieren, bei denen »feindliche« Rotten mit Übungsschwertern aufeinander eindroschen. Daß die Soldaten hier auch ihre sportlichen Wettkämpfe austrugen, versteht sich von selbst.

Das Lagerdorf am Kastell Zugmantel, eine stattliche Siedlung, konnte besonders gut ausgegraben werden. Den Funden nach haben hier vor allem Germanen gewohnt. Auf dem kleinen Feldberg lag eine Kundschafterabteilung von etwa 150 Mann, die in ihrem Fahnenheiligtum der Kaiserin-Mutter Julia Mamaea zu Ehren während der Regierung ihres Sohnes Severus Alexander einen Inschriftenstein mit der Statue der Julia setzten. Dieser Stein steht heute im Saalburgmuseum. Die noch sichtbaren Fundamente der Befestigungsanlagen sind auf dem Wanderweg vom »Roten Kreuz« und der »Heidenkirche« aus leicht zu erreichen. Am »Alten Jagdhaus« in der Nähe vom Sandplacken hatte eine dorthin abkommandierte Wachtruppe in einem Kleinkastell Posten bezogen und sicherte den Saalburgpaß. Östlich der Saalburg führte eine gepflasterte Straße zum Limesdurchgang, den ein Wachhaus schützte. Die Besatzung des Taunus-Kastells Kapersburg bestand aus dem Numerus Nidensium, also wehrfähigen Männern aus Nida, denen ein Reiterzug (*veridarii*) als Patrouille zugeteilt war. Die Nidenses verteidigten das Kastell bis zum endgültigen Fall des Limes.

Das Kastell Echzell, mit 5,2 Hektar Fläche eine der größten Befestigungen am Wetteraulimes, beherbergte wahrscheinlich zwei verschiedene Hilfstruppeneinheiten, eine Kohorte mit fünfhundert Soldaten und eine Ala mit fünfhundert Reitern. Sie lebten in den vierzehn ausgegrabenen Mannschaftsbaracken. Nachweislich war hier die Ala I Flavia Gemina stationiert.

Schildbuckel mit eingepunzter Inschrift:
»Imp(eratore) com(modo) aug(usto) – al(a) moe(sica) t(iti) placid(i) firmi«
aus dem Kastell Butzbach

Vielleicht auch zeitweilig die Ala Indiana, benannt nach dem Treverer Indus, der sie aus einer treverischen Reitergruppe gründete, als dieser Stamm unter Augustus Truppen stellen mußte. Nach jüngsten Funden könnte die Ala Moesica Felix Torquata (Leute aus dem östlichen Balkan) und eine unbekannte Infanteriekohorte einmal dort gelegen haben.

Der Schutt barg eine Kostbarkeit!

Bei den Ausgrabungen stieß D. Baatz 1967 in der Schuttmasse einer Brandkatastrophe, die sich zwischen 175 und 186 n. Chr. ereignet haben muß, auf einen zunächst undefinierbaren Klumpen. Zuerst erkannte er die Konturen eines Ohres, und nach einer Röntgenaufnahme der Forschungsabteilung des Römisch-Germanischen Zentralmuseums in Mainz war es klar: hinter der Brand-Patina verbarg sich ein Gesichtshelm. Ein Restaurator entfernte mit dem Sandstrahlgebläse sorgfältig die starken Rostwucherungen. Bei der Freilegung konnte man an spärlichen Resten feststellen, daß die Maske zum Teil mit Silberblech überzogen war. Von diesem Silberbelag, durch das Feuer in der Mannschaftsbaracke des Echzeller Kastells abgeschmolzen, muß jemand den Rest von der Eisenmaske abgezogen und diese dann in die Abfallgrube geworfen haben.
Auch die Kavalleristen des Kastells Echzell trugen bei ihren Reiterspielen die aus zwei Hälften bestehenden Gesichtshelme. Die vordere Gesichtsmaske, durch ein Scharnier mit einem Hinterkopfteil verbunden, wurde

235

nach dem Aufsetzen an der einen Seite mit Lederriemen geschlossen. Wir müssen uns die Gesichtsmaske zweifarbig vorstellen, nämlich das Gesicht silberglänzend, Haar und Bart im graubraunen Farbton des Eisens. »Der Eindruck des Gesichts wird bestimmt durch eine kräftige, steile Nase mit etwas vorspringender Spitze und kleinen rundlichen Nasenflügeln. Die Nasenlöcher sind durchbohrt, um dem Träger des Helms das Atmen zu ermöglichen. Die ebenfalls durchbrochen gearbeiteten Augen stehen waagerecht mit verdoppelten Lidern. Sie werden von kräftigen, lockig modellierten Brauen überspannt, die an der Nasenwurzel nach oben umbiegen. Die Stirn ist niedrig, sie zeigt am Haaransatz einen deutlichen, durch eine gebogene Vertiefung unterstrichenen Wulst. Diesen kraftvollen Formen des Obergesichts steht eine eher zarte Bildung von Mund und Kinn gegenüber. Der Mund mit durchbrochen gearbeiteter Öffnung ist klein und geschwungen, das Kinn tritt rundlich vor. Die Ohren sitzen, wie stets bei Gesichtshelmen, ziemlich hoch, sie sind groß mit fleischigen Ohrläppchen, im übrigen nur in allgemeinen Formen modelliert.« (H. Klumbach) Das Augenfälligste bei diesen Masken war die Frisur. Hier gleicht sie der des Kaisers Hadrian. Der Grund für diese bewußte Ähnlichkeit ist vielleicht darin zu suchen, daß der Kaiser Reiterspiele besonders schätzte, weil sie großes reiterliches Geschick verlangten. Er ordnete an, diese Reiterübungen auf jede Weise zu fördern.

Die Reiterspiele – eine Augenweide

Zu einer guten Heeresleitung gehörte bei den Römern nicht nur, daß sie sich um eine gründliche Ausbildung bemühte, sondern die Schlagkraft des Heeres durch ständige Übungen garantierte. Das galt vor allem für die Einheiten an der Limesgrenze. Kennzeichnend für das pädagogische Geschick und die Psychologie der römischen Truppenführung ist, daß sie es gerade in ruhigen Zeiten verstand, den Drill mit sportlichem Training zu verbinden und die Soldaten durch Wettkämpfe anzuspornen. Allein schon der farbenprächtige, prallbunte Anblick, die geschmeidigen Bewegungen von Mann und Pferd bei den Parade-Reiterspielen ließen jedes Herz höher schlagen, erfüllten jeden Reiter mit Stolz, Freude und tiefempfundener Solidarität zu seiner Mannschaft.

Hier soll nun ein Mann zu Wort kommen, der es genau wissen muß, weil er als Statthalter Kappadokiens (im heutigen Persien) für Kaiser Hadrian in seiner »Taktik« auch die Reiterspiele beschrieb, Arrian: »Ich will nunmehr Reiterübungen beschreiben, welche zum Training der römischen Kavallerie gehören . . . gerade von den Kelten haben die Römer solche Übungen übernommen, da bei ihnen die keltische Reiterei in den Schlachten besonderes Ansehen genießt. . . . Als Platz für ihre Vorführungen wählen sie nicht nur ein ebenes Gelände, sondern sie richten es auch noch in folgender Weise besonders her. In der Mitte des ganzen Gefildes vor der Tribüne trennen sie eine quadratische Fläche ab, auf welcher sie dann den Boden in gleichmäßiger Tiefe aufgraben und die Erdschollen zerstampfen, bis diese zerkleinert und weich sind.

Die Reiter selbst treten, soweit sie durch ihren Rang hervorragen oder sich durch besondere Reitkunst auszeichnen, mit vergoldeten Helmen aus Eisen oder Bronze an, um schon dadurch die Blicke der Zuschauer auf sich zu lenken. Diese Helme schützen im Gegensatz zu den für den Ernstfall bestimmten nicht nur den Kopf und die Wangen, sondern sind allseitig genau an das Gesicht des Reiters angepaßt, mit einer Öffnung für die Augen, die den Blick nicht hindert und diese doch schützt. Von den Helmen hängen Helmbüsche aus hellen Haaren herab, die keinen praktischen Zweck haben, sondern nur zur Zierde dienen. Sie flattern beim Trab der Pferde, auch wenn nur ein schwacher Luftzug weht, und bieten einen schönen Anblick.

Die Schilde, die sie tragen, sind nicht die kriegsmäßigen, sondern buntverzierte und von geringerem Gewicht, da es ja bei diesen Übungen vor allem auf Schnelligkeit und Eleganz ankommt. Statt mit Panzern sind sie mit diesen völlig entsprechenden kimmerischen Gewändern bekleidet, scharlachroten oder purpurnen und auch ganz bunten, und um die Schenkel mit Hosen, und zwar nicht mit weiten wie die Parther und Armenier, sondern mit hauteng anliegenden. Die Pferde sind mit Stirnpanzern sorgfältig geschützt. Seitenpanzerung benötigen sie dagegen nicht, denn die bei jenen Übungen benutzten Lanzen haben keine eisernen Spitzen. Sie könnten daher zwar die Augen der Pferde verletzen, ihre Flanken dagegen kaum, zumal diese größtenteils durch den Sattel geschützt werden. Zuerst erfolgt ein Galopp in das vorbezeichnete Feld, so tadellos wie möglich einexerziert, um einen schönen und glänzenden Eindruck hervorzurufen. Woher auch immer, meist von einem verdeckten Platz aus, man ihn zu beginnen beschließt, er soll nicht gradlinig, sondern mit möglichst vielen Variationen durchgeführt werden. Die Reiter sprengen heran durch Standarten in Abteilungen gegliedert, und zwar nicht nur durch römische, sondern auch durch skythische, damit der Anritt farbenprächtig und zugleich furchterregend wirkt. Letztere haben die Form von Drachen, die in entsprechender Größe an Stangen befestigt herabhängen. Sie sind aus gefärbten Lappen zusammengenäht. Der Kopf und der ganze Körper bis zum Schwanz ist so schreckenerregend wie möglich der Gestalt von Drachen nachgebildet. Das Ganze zielt auf folgenden Trick ab: wenn die Pferde ruhig stehen, dürfte man nicht mehr als bunte Lappen herabhängen sehen. Beim Reiten aber blähen sie sich durch den Wind auf, sind dann den betreffenden Tieren außerordentlich ähnlich und zischen auch ein wenig, wenn bei der schnellen Bewegung der Luftzug mit Gewalt hindurchfährt.

Diese Feldzeichen bereiten nicht nur einen vergnüglichen oder erschreckenden Anblick, sondern dienen auch zur Aufgliederung des Aufmarsches und verhindern, daß die Abteilungen ineinander geraten. Die Standartenträger nämlich, die in Richtungswechseln und Schwenkungen erfahrensten Krieger, unternehmen immer neue Kreisbewegungen und gerade Ausfälle.

Wenn der Aufmarsch beendet ist, machen sogleich zur Linken der Tribüne Reiter dicht gedrängt Halt, wobei sie die Köpfe der Pferde nach hinten zurückwenden und so die großen Schilde vor ihre eigenen Rücken und vor jene der Pferde halten. Diese dem Synaspismos der Fußtruppen entsprechende Aufstellung wird »Schildkröte« genannt. Zwei Reiter jedoch nehmen an einem solchen Abstand von dieser Linie, wie nötig ist, damit die Leute ihrer Gruppe heransprengen können, vor dem rechten Flügel der »Schildkröte« Aufstellung, um die Speerwürfe ihrer geradlinig anstürmenden Kameraden aufzufangen.

In solcher Weise steht die eine Hälfte der Reiter Schild an Schild in Angriffsstellung bereit. Sobald dann das Trompetensignal ertönt, reitet die andere Hälfte los, wobei sie möglichst viele Speere möglichst rasch hintereinander schleudert: zuerst sprengt der Erste an Tapferkeit an, nach diesem der Zweite und so fort der Reihe nach. Einen schönen Anblick bietet der Vorgang immer dann, wenn ein Krieger möglichst rasch hintereinander möglichst viele Speere abschießt, mit seinem Pferde gerade heranstürmend, und so gut er kann auf die Schilde der beiden vor den Flügel der »Schildkröte« Vorgetretenen zielend. Nach geradlinigem Ansturm wenden sie sich nach der Seite, wie wenn sie eine Kreisbewegung einschlagen würden. Dieses Abschwenken erfolgt nach rechts. Dabei steht nämlich dem Speerwurf nichts im Wege, und die Speerwerfer bleiben dem Angriff durch ihre großen Schilde gedeckt. Sie sollen dabei soviele Speere mit sich führen, wie sie während des ganzen Angriffs beim Anreiten schleudern können.

Die unablässige Beschießung und der unaufhörliche Lärm rufen einen außerordentlich schrecklichen Eindruck hervor. Zwischen dem rechten Flügel dieser Abteilung und den in Auffangstellung befindlichen zwei Reitern brechen aus einem Versteck andere Reiter hervor, reiten vor ihre eigene Ordnung und schießen auf die Herankommenden Speere. Da sie nach links schwenken müssen, reiten sie ziemlich ungeschützt vorbei. Hierzu muß der Reiter natürlich besonders geschickt sein, um gleichzeitig sowohl gegen die Heranreitenden Speere abschleudern, wie auch seine rechte Seite durch Vorhalten des Schildes decken zu können. Dieser Speerwurf muß nun zwar im Vorbeireiten mit Drehung des Körpers nach rechts ausgeführt werden, der schwierigste ist jedoch selbstverständlich der bei völliger Kehrtwendung, der mit einem keltischen Wort petrinus genannt wird. Der Reiter muß sich hierbei nämlich umwenden, dann mit der Kraft, die er in seiner gelenkigen Taille noch besitzt, über den Schweif des Pferdes hinweg den Speer so gerade wie möglich nach hinten schleudern und hierauf nach erneuter scharfer Drehung des Körpers den Schild vor seinen Rücken halten, weil er ja, wenn er sich ungedeckt umwenden würde, seine entblößte Körperseite den Feinden darböte.

Sobald die Attacke zu Ende ist, treten jene, die vorher die Angriffe ausgeführt hatten, rechts von der Tribüne in entsprechender Weise geordnet an, wie die übrigen links davon. Jene zwei Reiter, die vor den Flügel der Kampflinie vorgetreten waren, nehmen wieder die gleiche Stellung ein, und auch die zwischen diese beiden und die ganze Abteilung Vorbrechenden schleudern in gleicher Weise wiederum Speere auf ihre anreitenden Kameraden. Für diesen Fernbeschuß werden selbstverständlich die tüchtigsten Männer unter den Reitern ausgewählt. Jene, die von der rechten Seite der Tribüne herkommen, bieten nichts anderes als fortwährenden Beschuß und ununterbrochenen Lärm. . . . wird der Vorgang des Beschusses deutlich sichtbar: wie sie sich durch ihre Schilde decken, wie sie die Speere ganz schnell aus der linken Hand in die rechte herübergeben, wie die Rechte sie ergreift, wie wenn sich ein Rad drehen würde, über den Kopf schwingt, dann den einen Speer abschleudert und fast zugleich den andern ergreift, um auch diesen nach einem Wirbel abzuschießen. Der Reiter selbst sitzt hierbei tadellos auf dem Pferd und bewahrt die aufrechte Haltung auch beim Speerwurf, vor allem mit Rücksicht darauf, daß man hierbei den Glanz seiner Waffen sieht, die Schnelligkeit des Pferdes und dessen Wendigkeit bei den Schwenkungen, und nicht zuletzt das Gleichmaß der Abstände, in welchen die Attacken erfolgen.«

Die Reiterspiele, von Arrian so lebendig beschrieben, gehörten auch bei den Lagern der germanischen Provinzen zum Leben der Soldaten. Sie wurden bei allen Reiterkastellen am Limes genauso durchgeführt und standen auch im Mittelpunkt der festlichen Veranstaltungen am Drusus-mal in Mogontiacum. Silberne Gesichtshelme und silberne Reiterschwer-ter aus Mainz, Echzell und anderen Orten des obergermanischen und raetischen Limes sind Beleg genug.

Es fand sich aber auch eine Drachenfahne! Sie muß bei einem der letzten für die Römer verheerenden Kämpfe 259/60 n. Chr. am Limes im Kastell Niederbieber mit einem Feldzeichen zusammen in den Erdboden geraten sein. Diese Standarte aus Obergermanien ist die einzige, die bisher aus der ganzen antiken Zeit geborgen werden konnte, und sie entspricht genau der Beschreibung Arrians: auf der Stangenspitze sitzt ein bronzener Drachenkopf, durch dessen weitaufgerissenes Maul die Luft einströmte, so daß sich die schlauchartig genähten Drachenfahnen aufblähten.

Wandmalerei im Grenzkastell

Nicht jedoch die Reitermaske ist die Sensation der Ausgrabungen der letzten Jahre in Echzell. Der großartigste Fund sind die Wandmalereien mit figürlichen Darstellungen, die hier – an der äußersten Peripherie des Imperiums – zutage kamen, und die sich in dieser Fülle und Qualität nur in Pompeji, Herculaneum oder Rom erhalten haben. Bisher mußten meist kleinere Bruchstücke farbigen Wandverputzes genügen, um den Reichtum antiker Wandmalerei in Obergermanien zu erschließen. Nun vermitteln hier die vier Wände eines vollständig ausgemalten Zimmers eine An-schauung davon, mit welchem Geschmack und Kunstverständnis das Militär sogar seine Bauten für Auxiliarsoldaten ausgestattet hat. Es ist ein offenkundiger Beweis für die starke Integration der Provinzialen in die römische Kulturwelt und den hohen Grad ihrer Romanisierung. Wenn schon die Innenarchitektur der Limeskastelle ein solch hohes Niveau erreichte, um wieviel künstlerisch wert- und prunkvoller müssen bildliche Darstellungen in den Landvillen und erst recht in städtischen Patrizier-häusern der beiden Germanien gewesen sein.

Diesen außerordentlichen Glücksfall verdanken wir der Tatsache, daß in den Jahren 135 bis 155 n. Chr. eine baufällige Unterkunft des Echzeller Kastells abgerissen und durch eine neue ersetzt wurde. Die abgeschlage-nen Verputzreste landeten dabei in dem als Abfallgrube benutzten alten Keller, den die Soldaten schließlich mit der Lehmfüllung des alten Fach-

werkgemäuers zuschütteten, so daß die Wandbemalung luft- und frost-
dicht abgeschlossen bis in unsere Tage geschützt blieb. Es war keine
leichte Arbeit, aus unzähligen Verputzstückchen die Wandbilder wieder
zusammenzufügen. Es bedarf großer Geduld und Mühe und einer besonderen Liebe zum Metier, ein solches Werk wiedererstehen zu lassen. Für
die Restaurierung hat Frau M. Schleiermacher bereits mehrere Jahre verwendet; die Arbeit aller Beteiligten aber wird belohnt sein, wenn einmal
diese gemalte »Tapete«, die einst die Wohnung eines Offiziers schmückte,
ausgestellt werden kann.

»Die Wand befand sich einstmals in einem kleinen Zimmer, dessen eine
Schmalseite sie bildete. Sie ist wenig mehr als drei Meter lang. Säulen
toskanischer Ordnung bilden eine architektonische Rahmenmalerei und
teilen die Malerei in drei Felder. Durch Schattenwurf scheinen die Säulen
ein wenig vor die Wand zu treten. Diese besteht aus Marmorinkrustationen mit starken Farbkontrasten. Darin sind drei Tafelbilder eingelassen. Doch genauso wie die Säulen nur gemalte Scheinsäulen sind,
so sind auch die Marmorinkrustationen nur gemalt. – Ein Saum aus gelb-
orange Streifen, der eine Art Gebälk über den Säulen bildet, schließt die
Wand zur Decke hin ab. Mit ähnlich lebhaft gelb-orange getönten Streifen
wird die Wand rechts und links gegen die Zimmerecken begrenzt. Die
gemalte Säulenarchitektur geht auf Älteres zurück, wohl auf den zweiten
pompejanischen Stil . . . Das Mittelfeld hebt sich durch eine größere
Zweifigurenszene heraus. Fortuna und Hercules stehen ruhig einander
zugewandt. Die Göttin, mit ihren Zeichen Rad und Füllhorn, hält in der
Linken ein langes Szepter. Sie ist mit einem faltenreichen, violetten
Gewand bekleidet, das bis auf die Füße hinabreicht; ein gelbgrün
abschattierter Mantel fällt über die linke Schulter und ist um die Hüften
geschlungen. Hercules, in heroischer Nacktheit dargestellt, trägt Keule
und Bogen, über dem linken Arm hängt das Fell des nemeischen Löwen.
Beide Götter sind mit grünem Laub bekränzt. Der oben im Bild leuch-
tend blaue Hintergrund geht nach unten in Grautöne über. Das Bild kann
wohl auf besonderen Wunsch des Auftraggebers, eines Soldaten, entstanden sein. Von anderer Art sind die Bildszenen in den beiden Seiten-
feldern. Beide zeigen Bewegung; sie sind auch inhaltlich Pendants und
thematisch mit dem Bild in der Mitte nicht verbunden. Beide Bilder stehen
im Zusammenhang des kretischen Sagenkreises. Theseus erschlägt den
Minotaurus in dem Labyrinth, das bekanntlich Daedalus erbaut hat.
Daedalus richtet mit dem Hammer den rechten Flügel des Icarus zu dessen
verhängnisvollem Flug. Eine Eigentümlichkeit der Echzeller Darstellung

ist das Pedum in der Hand des Theseus, mit dem er auf den Minotaurus einschlägt. Das Schwert trägt er auch hier am Wehrgehänge bei sich; der Tragriemen des Wehrgehänges läuft schräg über seine Brust. Daedalus tritt als der kunstreiche Holzbearbeiter auf. An den Fels, auf dem er sitzt, ist eine Spannsäge gelehnt. Mit ihr hat er den Holzteil des Flügels gefertigt, den er mit dem Hammer noch zurichtet. Der Holzteil ist mit vier Riemen an den Arm des Icarus gebunden. Die langen Federn waren, wie die Sage berichtet, mit Wachs befestigt. . . . Die Wandmalerei sollte auch im Zusammenhang mit der Gesamtwirkung des Raumes gesehen werden. Es sei daran erinnert, daß die hier besprochene Wand die Schmalseite des kleinen Raums war. Ihr entsprach gegenüber eine ähnliche, ebenso figürlich dekorierte Wand. Die Längswände enthielten zwar das gleiche System der Architekturmalerei, doch ohne figürliche Darstellungen, nur mit einer andersartigen Inkrustationsmalerei versehen. Fenster und Türen befanden sich an den Längswänden. Anscheinend trug die Decke des Raums eine Malerei, der vermutlich mehrere kräftig blau grundierte Bruchstücke zuzuweisen sind. Als Fußboden ist ein terrazzoartiger, rot eingefärbter Estrich zu denken. Dieser Fußboden kann mit Matten (Reste einer Matte sind in Zugmantel gefunden worden), vielleicht sogar mit einfachen Teppichen bedeckt gewesen sein. Die in der Antike übliche und insbesondere beim Militär vorauszusetzende sparsame Möblierung rundet das Bild des kleinen Raums ab, der vielleicht als Cubiculum (Schlafzimmer) gedient hat«. Soweit die Beschreibung von Baatz.

Bei dem Stil der Malerei handelt es sich keineswegs um eine isolierte provinzielle Kunst, sondern er steht in der Tradition der aus Pompeji, Herculaneum und Ostia überlieferten italischen Wandmalerei. Selbst im Palast Hadrians in Tivoli bei Rom finden sich ähnliche Stilelemente wie in Echzell. Das handwerkliche und künstlerische Geschick und die sichere Beherrschung der Maltechnik – einer Technik, die schnelle Arbeit erfordert und Verbesserungen und Übermalungen fast gänzlich ausschließt – verraten die Hand geübter Maler und nicht etwa die von dilettierenden Soldaten. Vielleicht hatten wandernde Kunsthandwerker die Arbeit übernommen, wahrscheinlicher ist, daß eine Malerwerkstatt, wie es sie sicher in Mainz, wenn nicht sogar in Orten wie Nida, Dieburg oder Ladenburg gegeben hat, damit beauftragt war.

Das »Paradekastell« des Limes: die Saalburg

Über dem Haupttor der Saalburg müssen wir uns anstelle der Inschrift, die Kaiser Wilhelm II., der Förderer des Wiederaufbaus, hierher setzen ließ, die antike Bauinschrift aus dem Jahr 213 n. Chr. vorstellen: »Dem Herrscher und Kaiser Marcus Aurelius Antoninus, dem Frommen, Glücklichen, dem größten Sieger über die Parther, Britannier und Germanen, dem Oberpriester, im 16. Jahre seiner tribunicischen Amtsgewalt, als er zum 3. Male Imperator und zum 4. Male Konsul war, dem Vater des Vaterlandes, dem unüberwindlichen Prokonsul«.

Die Statue des Kaisers Antoninus Pius vor dem Eingang, nach dem Vorbild einer antiken Panzerstatue geschaffen, gehörte zur Kaiserzeit ins Fahnenheiligtum des Stabsgebäudes (*principia*). Dort steht heute noch ein Inschriftensockel für eine solche Kaiserstatue aus dem Jahre 212 n. Chr., von der »seiner Majestät ergebenen II. Raeterkohorte römischer Bürger« gestiftet.

Seit 1870 waren die Forschungen am Saalburgkastell systematisch und mit staatlichen Mitteln durch A. v. Cohausen und Louis Jacobi durchgeführt worden. Nach dem Tode v. Cohausens 1894 leitete Jacobi die Ausgrabungen sowie das 1873 im Bad Homburger Kurhaus gegründete Saalburgmuseum. »Das Kastell ist damals vollständig ausgegraben worden, ebenso seine unmittelbare Umgebung. Die Ergebnisse stellen eine bedeutende wissenschaftliche Leistung dar. Doch konnte die Untersuchung selbstverständlich nur nach den seinerzeit bekannten archäologischen Methoden erfolgen; manche Fragen hätten sich beim Einsatz der heutigen weiter entwickelten Kenntnisse besser klären lassen. Insbesondere begann man um die Jahrhundertwende gerade zu lernen, wie die Spuren von Holzbauten auszugraben sind. Von ihnen, die innerhalb der Saalburg häufig gewesen sein müssen, wissen wir daher zu wenig; sie sind infolgedessen auch nicht rekonstruiert worden.« (D. Baatz)

Die Verwirklichung des Plans, nach den freigelegten Resten den Lagerbau wiedererstehen zu lassen, ist L. Jacobi, seiner unermüdlichen Initiative und Forschung, seiner Liebe für das Altertum zu danken. Außer dem letzten deutschen Kaiser, der sich der Sache mit Begeisterung annahm, hat Jacobi noch andere maßgebende Gönner für den Wiederaufbau der Saalburg gewinnen können. Der preußische Staat, zahlreiche Privatleute und amerikanische Mäzene gaben das Geld. Man begann 1898, am 11. Oktober 1900 wurde in einem römisch verbrämten Festakt der Grundstein gelegt, 1907 war der Wiederaufbau vollendet.

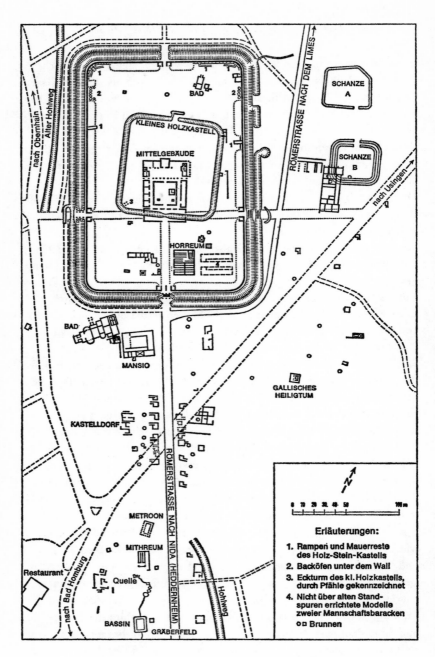

Karte des Kastells und Lagerdorfs Saalburg

Jacobi hat sich die Arbeit nicht leicht gemacht. Sein Sohn und Mitarbeiter, Heinrich Jacobi, reiste bis nach Nordafrika, um dort heute noch gut erhaltene römische Wehrbauten zu studieren. »Man hat damals die Rekonstruktion mit aller wissenschaftlichen Sorgfalt ausgeführt; die Nachrichten antiker Autoren wurden ebenso verwertet wie die Ausgrabungsergebnisse an anderen Kastellen . . . Inzwischen ist die Wissenschaft weiter fortgeschritten. Manches würde man heute anders bauen, ohne übrigens die letzte Gewißheit zu haben, daß dann alles dem antiken Zustand entspricht. Von den oberirdischen Teilen römischer militärischer Holzbauten ist beispielsweise so gut wie nichts erhalten geblieben, so daß man in dieser Hinsicht weitgehend auf Vermutungen angewiesen bleibt. Die wichtigsten Änderungen, die man nach den heutigen Kenntnissen an den Saalburgbauten vorschlagen müßte, sind folgende: Sämtliche Bauten waren verputzt. Der Verputz war entweder weiß und glatt, oder er trug in manchen Fällen, besonders bei den Wehrmauern, eine rot aufgemalte Scheinquaderung. Auf der Wehrmauer befinden sich heute zu viele Zinnen, jede zweite könnte fortfallen. Der zweite offene Hof im Mittelgebäude vor dem Fahnenheiligtum war in Wirklichkeit eine gedeckte Halle. Andere Abweichungen von der antiken Bauweise sind von der Notwendigkeit bestimmt, die heutigen Bauten als Museum zu benutzen. Die Saalburg gibt dennoch, so wie sie jetzt steht, einen zutreffenden, allgemeinen Eindruck von der Form und Größe der Wehranlagen und der wiedererrichteten Innenbauten« schreibt Saalburg-Museumsdirektor Baatz.

Was Baatz von den Zinnen sagt, mag zunächst erstaunen, läßt sich jedoch aus der Kampfweise der Römer erklären. Der Zinnenabstand richtete sich danach, ob sie sich mit Geschützen, Pfeil und Bogen, Speer- oder Steinwürfen verteidigten. Der Auxiliarsoldat auf der Saalburg schleuderte seine Wurfspeere und vor allem Steine. Eine zu enge Anordnung der Zinnen hätte ihn dabei nur behindert.

Die Raeterkohorte auf der Saalburg

Gehen wir nun zurück in der Geschichte. Wir schreiben das Jahr 135 n. Chr. *Die cohors II raetorum civium romanorum,* die vorher in Butzbach lag, marschiert zum kleinen Holzkastell der Saalburg, das die Paßstraße sperrte. Da dieses nur für 120 bis 150 Mann vorgesehen war, mußte es für die 500 Soldaten der teilweise berittenen Kohorte erweitert werden.

Die Raeter heben sofort einen entsprechenden Wall für die neue größere Umwehrung aus und schlagen innerhalb zum provisorischen Kampieren ihre Zelte auf. Dann gehen sie daran, Stück für Stück neu zu bauen, brennen Altes nieder, ebnen den Boden wieder ein und setzen neue Fundamente für die acht Mannschaftsbaracken, die mit je sechzig Infanteristen der Centurien und den hundertzwanzig Reitern der Kavalleriezüge belegt werden.

Sie stellen selber vor den Kastelltoren Ziegel her, so viel ihre Leute schaffen können; zusätzliches Material liefert die VIII. Legion und schickt ihre schwer-beladenen Karren über die schnurgerade Straße von der Ebene zum Saalburgpaß hinauf. Wahrscheinlich beziehen die Raeter auch das Glas für die Fenster von der Legion. Es ist aber auch möglich, da man öfter in Kastellen Werkzeuge der *speculariarii* (Fenstermacher) gefunden hat, daß das zerbrechliche Gut nicht transportiert wurde, sondern daß Spezialisten aus der Legion die Fenster an Ort und Stelle fertigten. Die Fenstermacher ziehen mit Zangen die flüssige Schmelze auf mit Sand bestreuten Holz- oder Marmorplatten in die vorgesehene Größe. Diese kleinen, oft quadratischen Scheiben, setzen sie in Holzrahmen, bei kleinen Fenstern manchmal auch direkt in die Mauern ein. Selbst die Limeswachtürme hatten gelegentlich verglaste Fenster.

Anscheinend sind Fensterscheiben eine stadtrömische Erfindung. Sie wurden seit der Mitte des ersten Jahrhunderts n. Chr. überall hergestellt und vor allem in den Bädern genutzt. Der Norden übernahm diese Erfindung natürlich sofort und verwendete sie für Wohnungen viel häufiger als der Süden.

Mit dem Wasser haben die Soldaten ihre liebe Not hier oben. Immer wieder müssen sie neue Brunnen bohren, denn die alten versiegen anscheinend schnell. Das erklärt die große Zahl der 99 aufgefundenen Zisternen. Schließlich führt die Besatzung das Wasser der etwas entfernt liegenden Kirdorfer Quelle mit einem hölzernen Aquädukt zum Kastell.

Die langen Ställe baut man nahe am hinteren Tor an der Straße, die innen um die Wehrmauer läuft. Als eines der ersten Gebäude errichten die Raeter an der Via Praetoria das – teils heizbare – Wohnhaus mit den Diensträumen ihres Praefekten, das Praetorium. Jetzt sind die Arbeitsräume und die Bibliothek des Museumsdirektors und seiner Mitarbeiter darin untergebracht. Hier wohnten also die beiden inschriftlich bekannten Praefekten der Saalburg, die römischen Ritter C. Mogillonius Priscianus und zu anderer Zeit L. Sextius Victor.

Der gegenüberliegende große Getreidespeicher (*horreum*), Magazin damals wie heute, birgt als Museum die Originalfunde des römischen Kastells und Lagerdorfs, manchmal durch anderwärts ausgegrabene Gegenstände ergänzt. Die Sammlung ist eine ausgezeichnete Zusammenstellung all dessen, was die antiken Menschen in ihrem Limesalltag gebrauchten, und die Fülle der zur Schau gestellten Dinge ist faszinierend. Rund eineinhalb Millionen Fundobjekte liegen in Ausstellungsräumen und Magazinen. Die verblüffende Ähnlichkeit vieler Geräte mit den heute verwendeten und die technische Perfektion der Schlösser, um nur ein Beispiel zu nennen, überrascht immer wieder.

In der Vorhalle der Kommandantur, dem großen Verwaltungsbau in der Mitte des Lagers, stehen heute die Nachbildungen antiker Geschütze und Wachttürme. Vor zweitausend Jahren sind hier die Soldaten zum Ausmarsch angetreten, denn die Vorhalle, die über der querlaufenden Lagerhauptstraße, der *via principalis*, erbaut ist, hat Verbindung zu den seitlichen Toren. Die Kammern, die sich um den Innenhof der Principia gruppieren, einst Waffenkammern – sind heute Ausstellungsräume. Daran schließt sich die Halle vor dem Fahnenheiligtum, das damals von kleinen Schreibstuben und Amtsräumen flankiert war. Hier vor dem Fahnenheiligtum standen also einst die Wachtposten, spielte sich täglich die Befehlsausgabe ab, wurden Kaiserehrungen zelebriert.

Hier wurden, wie der Festkalender es für das ganze Heer vorschrieb, am 5. August die Feiern für die Gottheit Salus begangen und eine Kuh geopfert. Und jährlich am 7. Januar fand sich in dieser Halle die Kohorte zur Verabschiedung der Veteranen ein. Die »Alten Kameraden« dankten der Gottheit Salus dafür, daß sie den Tag ihrer »ehrenvollen Entlassung« erleben durften, und vergalten ihr oft den gewährten Schutz durch eine Weihung. Hier wurde auch Gericht gehalten; und bei schlechtem Wetter exerzierten die Auxiliare unter dem Laubengang.

Der Dienst in den Auxiliarkastellen ist unter anderem recht gut bekannt durch die Akten, die in Dura-Europos in Mesopotamien in der ehemaligen Principia einer Auxiliarkohorte gefunden worden sind. Polybios schrieb die Dienstordnungen der republikanischen Marschlager auf und Vegetius hinterließ in seinem Werk Auszüge aus Heeresdienstvorschriften der Garnisonen der Kaiserzeit.

Bei Sonnenaufgang trat die Kohorte zum Morgenappell an. Die Centurionen erstatteten in der Kommandantur Meldung. Der Kommandeur verlas Tagesbefehl und Losungswort, teilte die verschiedenen Kommandos für den Außendienst und die Arbeiten in den Werkstätten sowie die Wachen ein. Vor dem Fahnenheiligtum zog eine Ehrenwache auf. Schrei-

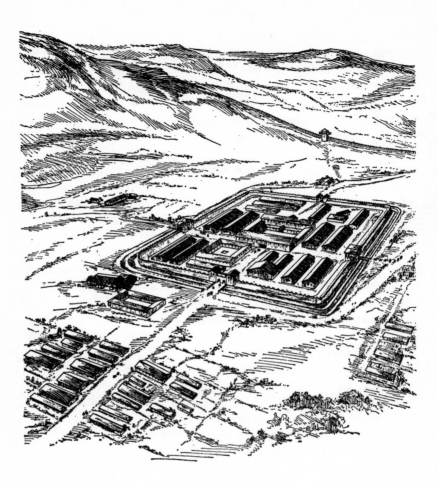

*So etwa dürfte das Saalburg-Kastell im Altertum ausgesehen haben
(um 200 n. Chr.)*

ber protokollierten mit der Präzision des römischen Amtsschimmels jede Einzelheit genau. Für den Rekruten – die Grundausbildung war hart – füllten Exerzieren und Waffenübungen den Vormittag aus. Da gab es Wurf- und Schießübungen, einzeln und in Gruppen. Beim Fechten mußte der Soldat einen Übungsschild von doppeltem Gewicht tragen und statt des Schwertes einen schweren Stock führen, mit dem er in den verschiedensten Stellungen und Wendungen gegen einen »Pappkameraden«, einen mannshohen Pfahl, Fechthiebe austeilte. Auf einem Exerzierplatz vor dem Lager wurde in Formationen geübt, wobei besonders auf die Geschlossenheit der Gruppen größter Wert gelegt wurde, denn darin bestand vor allem die Überlegenheit des römischen Heeres.

Alle zehn Tage fand eine Gesamtübung – *ambulatio* (Spaziergang) statt. Mit feldmarschmäßiger Ausrüstung marschierte die Truppe etwa fünfzehn Kilometer weit, machte Gefechtsübungen und schlug auch ein Marschlager auf. In regelmäßigen Zeitabständen gab es regelrechte Manöver mehrerer Kastellbesatzungen.

Nach Dienstschluß, den ein Signal ankündigte, eilten die Soldaten zu ihren Baracken, bereiteten ihr Mittagessen, säuberten Waffen und Kleidung. Und dann gings ins Bad.

Außerhalb der Wehrmauer, nicht weit vom Haupttor entfernt, lag eine *mansio*, ein Gästehaus für reisende und inspizierende Offiziere und Beamte. In den ausgegrabenen Ruinen ist die am besten erhaltene Hypokaustenheizung der Saalburg zu sehen, denn auch in der *mansio* gab es natürlich heizbare Zimmer. Gleich daneben stand das 41 Meter lange Kastellbad, das sogar einen kleinen, im Winter zu erwärmenden Umkleideraum besaß. Weiter an der aus dem Haupttor führenden Straße entlang erkennt man an den Fundamenten der Langhäuser die ehemals recht ausgedehnten *canabae*. Von den am Rande der Zivilsiedlung gelegenen Kultstätten ist ein Mithraeum wieder nachgebaut worden.

Die Saalburg, als einziges wiederaufgebautes Auxiliarkastell der Welt eine Attraktion, zieht mit ihrem reichen Museum römischer Funde jährlich Hunderttausende von Besuchern, darunter auch viele Ausländer, an.

Völkergemisch am Limes

Eines der wichtigsten obergermanischen Limeskastelle lag bei Butzbach, am äußersten Zipfel der Wetterau, dem Punkt, wo die Heer- und Fernstraße von Friedberg kommend über den Limes führte. Es mußte seiner

Bedeutung entsprechend mehr noch als die anderen dauernd den Grenz-
verhältnissen angepaßt und umgebaut werden. Nach dem Aufstand des
Antonius Saturninus 88/89 n. Chr., bei dem es zerstört worden war,
baute man ein größeres Holzkastell, in das als Besatzung die *cohors II*
Raetorum civium Romanorum einzog. Die Ehrenbezeichnung *civium*
Romanorum, an die Einheiten für besondere Tapferkeit vergeben, schloß
gleichzeitig die Verleihung des römischen Bürgerrechts an die Auxiliare
ein. Seither nannten sie sich stolz: »Raeterkohorte römischer Bürger«.
Um 135 n. Chr. löste die auf die Saalburg umquartierten Raeter die
Cohors II Augusta Cyrenaica ab und errichtete Steinbauten. Diese
Kohorte, die »Cyrenische«, könnte ihrer Bezeichnung nach in Cyrene, das
heißt in Nordafrika ausgehoben worden sein. Das würde bedeuten, daß
hier am Limes Farbige aus Libyen, gebürtige Afrikaner, standen. Es ist
aber auch möglich, daß sich die Einheit ihren Namen als Auszeichnung
auf Grund eines siegreichen Feldzugs in Nordafrika verdient hat.
In der zweiten Hälfte des zweiten Jahrhunderts mußte Kastell Butzbach
wieder erweitert werden, um noch eine durch die unsicheren Grenzver-
hältnisse nötige Verstärkung unterzubringen. Beim Alamanneneinfall 233
wurde es völlig zerstört. In den Kämpfen der nachfolgenden Jahrzehnte
ist die Wehranlage jedoch wieder instandgesetzt und mit Truppen belegt
worden und hat bis zum endgültigen Fall des Limes die Grenze geschützt.
Die Zivilverwaltung der Wetterau war 249 noch so intakt, daß an den
Straßen Meilensteine gesetzt wurden. Ein Zeichen dafür, daß man sich
sicher wähnte und nicht an Untergang dachte.
In diesem obersten Wetteraubogen stand auf dem »Gaulskopf« ein mächtiger Steinturm. Der dortige Posten überblickte das ganze Gebiet der
Wetterau mit Bad Nauheim und gab Signale zum Kastell Friedberg hinüber. In Friedberg liegt die Burg genau über der ehemaligen römischen
Befestigung. Die aus dem Burgtor laufende Straße, die einstige Römerstraße, ist, wie in den antiken Canabae, heute noch gesäumt von schmalen
Streifenhäusern mit kleinen Lädchen und Kneipen und ähnelt – wie kaum
irgendwo – den damaligen Verhältnissen. So fällt es nicht schwer, sich
vorzustellen, was für ein buntwimmelndes Leben im Lager und den
Canabae einzog, als 90 n. Chr. eine Doppelkohorte Damascener hierhin
geworfen wird.
Welch ein Bild: in dieses Friedberg am Rand der Wetterau marschieren
eintausend Mann aus Damaskus, also Araber, ein. Die Formation bleibt
dort über hundert Jahre lang in Garnison; verwegene Wüstensöhne mit
fremdartigen Sitten und Gebräuchen, mit einer den Kelten und Germanen

unbegreiflichen Vorstellungs- und Götterwelt. Diesen Männern fällt die Anpassung an das Klima und die hiesigen Lebensbedingungen ungemein schwer. Man sollte meinen, bei diesen Gegensätzen müßte es zwischen ihnen und den Ortsansässigen zu stärksten Spannungen kommen, doch anscheinend verläuft alles erstaunlich glatt. Überdies braucht diese Truppe bald Ersatz, und die Neuerhebungen rekrutieren sich aus Einheimischen. Das arabische Element tritt mehr und mehr zurück, und die Einheit verliert ihren ursprünglichen Charakter. Freundschaft, Liebe und Ehe fördern eine starke Bindung an die neue Heimat. Die Vermischung macht aus diesen Soldaten schließlich Männer, die ihre eigene Familie, ihren eigenen Grund und Boden verteidigen.

Vom Standpunkt der römischen Generalität hat diese Entwicklung sicher ihr Gutes. Aber auch die Kehrseite wird deutlich: als im dritten Jahrhundert Kaiser Severus Alexander mit seinem rheinischen Heer einen für das Reich notwendigen Feldzug gegen die Parther führen muß und die marschierenden Truppen hören, daß Germanen in die entblößte Grenzprovinz eingefallen seien, zwingen sie den Kaiser zum Abbruch des Feldzugs und zum sofortigen Rückmarsch. Der Schutz der Heimat ist ihnen wichtiger, als der Kampf für das Imperium an einer ihnen gleichgültigen Grenze.

Nicht ganz so schwer dürfte den übrigen Besatzern der Limesgrenze die Akklimatisierung gefallen sein. Viele stammten aus der heutigen Ostschweiz, Vorarlberg, Tirol und Bayern. Römische Genialität schlug hier zwei Fliegen mit einer Klappe. Sie zwang nach der Unterwerfung dieser Stämme deren Söhne unter die römischen Feldzeichen und verlegte sie weit weg an die Grenze. Damit war die Gefahr von Aufständen in den neu eroberten Gebieten gebannt. Die jungen Soldaten verteidigten obendrein das Imperium an seiner kritischsten Stelle. Aber nicht nur aus den eben erwähnten Ländern wurden Auxiliare hierhin verpflanzt; auch Hilfstruppen aus dem Gebiet des heutigen Frankreich, Spanien, Jugoslawien, Ungarn, Bulgarien, Griechenland und der heutigen europäischen Türkei standen am Limes. Dieses Völkergemisch vermehrten Britannier und Araber und – wie gesagt – vielleicht sogar waschechte Afrikaner.

Das Museum in Friedberg zeigt viele Funde aus jener Zeit. Zuletzt – im Sommer 1971 – kamen bei Friedberg die Reste eines gallo-römischen Umgangstempels aus dem Boden, der zu einem außerhalb liegenden Heiligen Bezirk gehörte und den auch die Bewohner der in der Nähe liegenden Villae rusticae besuchten. Es handelt sich bei dem Tempel um den kleinsten Typ eines Oktogons von zehn Meter Durchmesser.

Der Odenwaldlimes

Nicht nur in der Wetterau, auch im südlichen Obergermanien zwischen
Main und oberem Neckar schob Domitian die Grenzen weiter vor. Durch
einen Feldzug in den Schwarzwald hatte in den Jahren 73 und 74 n. Chr.
der Legat des obergermanischen Heeres, Gnaeus Pinarius Cornelius
Clemens, die Straßenverbindung vom Rhein zur Donau verkürzt und das
Gebiet des oberen Neckars in römischen Besitz gebracht. Hier waren
Kastelle in Waldmößingen, Rottweil, Sulz und anscheinend auch bei

Wachturm im Odenwald-Limes

Geißlingen entstanden. Nach dem Chattenkrieg wurde auch der mittlere Neckar besetzt.

Der Odenwaldlimes, etwa zwischen 95 bis spätestens 105 n. Chr. errichtet, verband den mittleren Neckar mit der Mainlinie, und seine Kastellkette verlief nord-südlich, ausgehend vom Arnheiter Hof über Seckmauern, Lützelbach, Vielbrunn, Eulbach, Würzberg, Hesselbach, Schlossau bis Oberscheidenthal. Bis vor kurzem hat man angenommen, die Brittonen, im nördlichen Britannien ansässig, seien auf Grund einer Rebellion oder eines Krieges mit ihren Angehörigen zwangsevakuiert und in den Odenwald strafversetzt worden. Doch dafür gibt es bis heute keinen schlüssigen Beweis. Wahrscheinlich hat es sich um eine routinemäßige Truppenverlegung gehandelt, wie sie gang und gäbe waren – (die Vangionen aus der Mainzer Umgebung lagen ja auch am Hadrianswall) – und die Brittonen rekrutierten sich aus der gesamten Provinz Britannien.

Schon vor dem Bau des Odenwaldlimes hatten die Römer das seit Urzeiten besiedelte Neckartal um Heidelberg eingenommen und als rechtsrheinischen Brückenkopf ausgebaut. Unter Claudius (41 bis 54) wurde Kastell Rheingönheim gegründet, unter Vespasian (69 bis 79) die Flußfurt über den Neckar bei Neuenheim gesichert, wenig später eine Holzbrücke geschlagen und weitere Kastelle angelegt. Von hier aus konnte Domitian die Eroberung des Odenwaldlimes vorantreiben.

In einer dieser römischen Befestigungen bei Neuenheim war die *cohors XXIII voluntariorum civium Romanorum* stationiert, freiwillige römische Bürger also. Manchmal war das ein wilder Haufe aus ehemaligen Sklaven, wenn es irgendwo »brannte« und Truppen aus dem Boden gestampft werden mußten.

Später wurde eine andere interessante Einheit nach Neuenheim verlegt, die Cohors II Augusta Cyrenaica, die Afrikaner aus Butzbach.

Durch die günstige Lage Heidelbergs bedingt, wuchs auf beiden Neckarufern eine stattliche bürgerliche Siedlung heran. Eine 270 Meter lange Brücke, die auf sieben Steinpfeilern ruhte, verband die beiden Ortsteile. Hier erfahren wir ausnahmsweise einmal, wer für die Leitung des Brückenbaus die Verantwortung trug: »arc[hitectus] Valerius Paternus hat mit Aelius Macer« eine Statue des Gottes Neptun mit einer Inschrift geweiht und am mittleren Brückenpfeiler angebracht. Dieser Brücke verdankte das antike Heidelberg seinen Aufschwung, denn hier liefen wichtige Straßen zusammen: so die von Straßburg über Karlsruhe nach Hockenheim, ferner eine den Ostrand der Oberrheinebene säumende Gebirgsrandstraße mit einer Abzweigung ins Donaugebiet, dann die

Straße von Neckarburken nach Mosbach und die nördliche Fernstraße von Ladenburg über Worms nach Mainz sowie die »Bergstraße«, die von Weinheim nach Darmstadt führte, und ein Talweg am Neckarufer entlang. Acht Meilensteine aus der Zeit 200 bis 253/54 n. Chr. mit Loyalitätsbekundungen an die Kaiser dieser Jahre unterstreichen die Wichtigkeit dieses Straßenknotenpunktes. Hier durfte natürlich eine Station der Beneficiarier nicht fehlen. Es waren Straßburger, Angehörige der VIII. Legion.

Neben den Straßenverbindungen machten reiche Tonvorkommen das römische Heidelberg zu einem industriellen Zentrum. Über fünfzig Töpferöfen und Reste der großen Ziegelei des Publius Rufinus in Neuenheim sind Zeugnis des gewerblichen Fleißes der antiken Bürger von Heidelberg. Darüber hinaus war der Ort Umschlagplatz für in der Nähe gelegene Buntsandstein- und Kalkbrüche und die in Massen verwandten Mühlsteine aus Eifeler Basalt. Auch die Gründung der Civitas Ulpia Sueborum Nicretum mit dem nahen Ladenburg als Hauptort förderte Heidelbergs Handel und Wohlstand.

Auf dem Heiligenberg lagen in prähistorischer Zeit keltische Ringwälle – anscheinend das älteste Oppidum in der hier besprochenen Gegend überhaupt. Auch die Römer wählten diesen Berg als Heiligen Bezirk. Viel spricht dafür, daß er religiöser Mittelpunkt eines größeren Gebiets – möglicherweise der beiden links- und rechtsrheinischen Suebengaue mit ihren zahlreichen Vici und Landvillen war. C. Candidius Calpurnianus, einflußreicher Ratsherr von Ladenburg, mit Sitz und Stimme im römischen Gemeinderat von Speyer, ließ dort einen Tempel und eine Säule errichten.

Der Main als Grenze

Der Mainlimes bestand seit dem Chattenkrieg (83 bis 85 n. Chr.), nachdem das Gebiet des Untermains bis in die Gegend von Hanau dem Römerreich eingegliedert und die Grenze bis an den Mittellauf des Mains vorgeschoben worden war. In den Niederungen des Maintales, wo uralte Völker- und Handelswege vom Rhein in mitteldeutsches Gebiet – der eine durch das Kinzigtal und ein anderer durch die hessische Senke – führten, errichteten die Römer ihre Kastelle nahe am linken Mainufer und verbanden sie durch eine Uferstraße. Mit dem Fluß als natürlicher Grenze und Hindernis zugleich konnte man sich die Palisaden sparen.

So war der Main zunächst von Wörth bis Kesselstadt und später von Miltenberg bis Großkrotzenburg Reichsgrenze, und seine Kastellreihe am Ufer entlang bildete die Verlängerung des östlichen Wetteraulimes. Die älteste Anlage in Stockstadt zum Beispiel, zunächst eine kleine Erdschanze von 65 mal 57 Meter, erreichte nach mehrfacher Erweiterung bald nach 100 n. Chr. die Größe eines Kohortenkastells für fünfhundert Mann.

Die strategisch wichtige Mündung der Kinzig in den Main und auch die alte Fernstraße, die hier kreuzte, bedurften einer besonderen Sicherung. Vielleicht wurde deshalb in Kesselstadt bei Hanau ein so großes Lager angelegt, denn mit einer Fläche von vierzehn Hektar war es eines der größten Limeskastelle und hätte einer ganzen Legion als Sommerlager Raum geboten. Wahrscheinlich lagen hier jedoch mehrere Auxiliarkohorten. Möglicherweise ist die große Kesselstädter Anlage im Zusammenhang mit einem Plan Domitians zu sehen, der weiter in Richtung Fulda vormarschieren wollte, um den Limes hinter Kassel anzulegen. Dann wäre Kesselstadt ein zweites Mainz geworden. Domitian hat diese Absicht aus irgendwelchen Gründen nicht verwirklicht.

Leider sind in Kesselstadt keine Innenbauten gefunden worden, weil die Spuren wohl beim Bau des Schlosses Philippsruhe getilgt wurden. Wie die domitianischen Mainkastelle Höchst und Frankfurt placierten die Römer auch Kesselstadt an einer Furt. Die Unebenheiten des Übergangs verstanden sie durch Steinaufschüttungen mit Letten verstampft so zu begradigen, daß die Furt leicht gangbar war. Man gebrauchte sie aber nicht lange, sondern ersetzte sie an der sogenannten Mainspitze gegenüber der Kinzigmündung bei Hanau durch eine hölzerne Brücke. Kastell Großkrotzenburg, mit der Cohors IV Vindelicorum, die Nahtstelle zwischen Wetterau und Main-Limes, lag an sehr exponierter Stelle rechts des Mains. Da der Fluß im Falle eines Rückzugs die Truppe abgeschnitten hätte, baute man bald eine Brücke mit soliden Steinpfeilern aus Basalt und Rotsandstein. Das nur vier Kilometer entfernte Kohortenkastell in Seligenstadt wurde sicher zur Verstärkung angelegt, und zeitweise befehligte der Kommandant von Seligenstadt die Kohorte von Großkrotzenburg.

Das Kastell Seligenstadt lag im Kern des mittelalterlichen Städtchens und nahm die Fläche des Marktplatzes ein. Reste des Lagerdorfs wurden im Bereich des Kreuzgangs der Abtei gefunden. Auch hier wurde das römische Kastell später Steinbruch. Das Langhaus der Einhards-Basilika besteht großteils aus Steinen der Kastellmauer, wie eine Inschrift der

Cohors I civium Romanorum an den Quadern im Mittelschiff zeigt. Heute sind im Kreuzgang römische Inschriftensteine ausgestellt und in der Prälatur römische Kleinfunde aufbewahrt. Aus Seligenstadt stammt übrigens der einzige schriftliche Nachweis, daß in den Kastelldörfern regelmäßig Märkte abgehalten wurden. Ein Marktmeister führte dabei die Aufsicht, sorgte für Ordnung und kontrollierte Maße und Gewichte. Von einem solchen ist auf dem Grafitto eines Tellers die Rede, und die Einwohner werden Nundinenses genannt. Demnach könnte das antike Seligenstadt »Nundinae« geheißen haben.

In Stockstadt lag nicht nur eine Kastellbesatzung, sondern auch eine Station der Militärpolizei, die den Transitverkehr über die Furt ins Germanische kontrollierte. Der Schlick des Mainufers konservierte 21 Weihesteine dieser Beneficiarier. Aus dem dazugehörigen Lagerdorf sind mehrere Mithrastempel, der Kult der Magna Mater und ein Dolichenusheiligtum bekannt. Die meisten dieser Funde wanderten ins Saalburg-Museum oder nach Aschaffenburg. Das Museum in Aschaffenburg besitzt ein in Deutschland einzigartiges Fundstück: eine bronzene Brunnenmaske von hervorragender künstlerischer Qualität in Form eines Silenskopfes aus Niedernberg, ferner eine eiserne Gesichtshelmmaske und einen großen Münzschatz.

Die Kastelle in Wörth, Trennfurt, Obernburg, Miltenberg sicherten wahrscheinlich ebenfalls natürliche Mainübergänge. Auch Obernburg hatte seine Gendarmerie. Entlang der Straße lagen die Basen von 7 Beneficiariersteinen, deren Altäre nicht weit davon entfernt gefunden wurden. Beneficiarier der VIII. und XXII. Legion hatten sie errichtet. Die im Text erwähnten Daten des 13. Januar und 15. Juli waren die Antrittstage der Beneficiarier. Sie gelobten den Göttern einen Altar, wenn sie hier an diesem neuen Posten begünstigt würden und ihre Beförderung nicht lange auf sich warten ließe. Vor allen Dingen wollten sie heil und gesund wieder nach Hause kommen. Erst nachdem sich ihre Wünsche erfüllt hatten und sie die Beförderungsurkunde in Händen hielten, stürzten sie sich in Unkosten und weihten Jupiter dem Höchsten, der Himmelskönigin Juno und den Genien des Ortes den versprochenen Altar. Das Museum im »Römerhaus« in Obernburg verwahrt neben diesen Weihesteinen noch andere Inschriften und Grabmäler, auch von Militärs, die mit Vexillationen ihrer Truppenteile, etwa der XXII. Legion von Mainz, zum Holzfällen oder Steintransport in den Odenwald abkommandiert waren.

Kastell Miltenberg, die südlichste Garnison der Mainlinie und schon sehr früh ein wichtiger Außenposten, neben dem es wahrscheinlich noch weitere kleinere Vorposten gab, beherbergte Ende des zweiten Jahrhunderts/ Anfang drittes Jahrhundert die *cohors I Sequanorum et Rauricorum*, eine teilweise berittene Kohorte von 6 Centurien mit je sechzig Fußsoldaten und vier Turmen mit je dreißig Reitern. Von einem dieser Kavalleristen stammt der im Nationalmuseum in Kopenhagen ausgestellte Parade- schildbuckel mit der Minervabüste. Außer der Kastellbesatzung lagen in Miltenberg noch zwei Kommandos Exploratores als Kundschafter oder andere Spezialeinheiten – eine Abteilung mit im Kastell, die andere in einem kleinen Wehrbau in der Nähe.

Auch in Obernburg und Oehringen waren zeitweise Vexillationen (Sonder- und Arbeitskommandos) einquartiert, die für ihre Legionen Bau- holz und Sandsteinblöcke für Militärbauten holen mußten. Die mächtigen Odenwaldbäume konnten hier verhältnismäßig leicht auf dem Main mit Flößen zum Bestimmungsort transportiert werden. Vom Umschlagplatz Miltenberg wurde das Material der zahlreichen Steinbrüche verschifft.

Von einem römischen Werkplatz des »Blockmeers« bei Miltenberg stammt der »Toutonenstein«, der jetzt im Hof des Miltenberger Schlosses steht; eine Kopie davon befindet sich auf der Saalburg. Diese fünf Meter hohe, sehr grob behauene nadelförmige Säule aus Rotsandstein scheint ein von einer zivilen römischen Behörde in Auftrag gegebener Grenzstein zu sein, der aber nicht fertiggestellt wurde. Jedenfalls ist die Inschrift nur teilweise ausgeführt und gibt uns Rätsel auf, denn von jeder Zeile steht nur ein Anfangsbuchstabe. Der Anfang »inter Toutonos« läßt nur er- kennen, daß der Stein ein bestimmtes Territorium der Toutonen mar- kieren sollte, das wohl mit mehreren anderen Stammesgebieten anein- andergrenzte, und daß in der Umgebung von Miltenberg damals Tou- tonen saßen – wahrscheinlich keltischer Abstammung – von denen wir sonst nichts wissen.

Die Mainübergänge

Dort wo der Main nicht Grenze, sondern eine Hauptverkehrsader in römischem Gebiet war, überquerten Brücken den Fluß: bei Großkrotzen- burg, Hanau, Kostheim – vielleicht auch bei Bürgel, Frankfurt, Schwan- heim und Nied (Höchst). In Nied – einer Gründung aus augusteischer Zeit – ziegelte ein Teil der von Mainz aus operierenden Legionen: die XIIII., XI. und die I. Nach 92 stand die Zentral-Militärziegelei unter der Regie der XXII. Legion und belieferte die Limeskastelle und Civitates.

Hier, an der Mündung der bis Friedberg hinauf schiffbaren Nidda, ließ sich der gesamte Transportverkehr des Kastells und der Ziegelei kaum ohne Brücke bewältigen.

Der Mainübergang in Frankfurt mit elf natürlichen Furten war besonders günstig. Der Muschelkalkrücken des Bornheimer Bergs reicht bis an den Main, läuft breit über den Fluß und steigt am Sachsenhäuser Mühlberg wieder an. Es ist wahrscheinlich, daß man in römischer Zeit hier mit den natürlichen Übergängen und Fährbetrieb auskam. Wenn die Römer in Frankfurt eine Brücke gebaut haben, dann zwischen der Alten Brücke und der Obermainbrücke oder am Übergang beim Metzgertor südlich vom Dom, wo sie genau auf die römische Straße getroffen wäre.

Die Größe der von den Römern erbrachten Leistungen läßt sich nur ermessen, wenn wir uns vor Augen führen, daß nach der Zerstörung der antiken Mainbrücken tausend Jahre lang kein einziger Übergang mehr geschaffen wurde, sondern man sich wie in prähistorischer Zeit mit Furten und Fähren begnügte. Erst nach einem Jahrtausend erbauten die Frankfurter ihre Alte Brücke, die für Jahrhunderte die einzige blieb.

Römische Vergangenheit auf dem Frankfurter Domhügel

Der Frankfurter Domhügel zeigt eine erstaunliche Siedlungskontinuität von der jüngeren Steinzeit bis heute, wie es sie selten gibt. Die Bedeutung Frankfurts in der Römerzeit hielt man zunächst für so gering, daß die Lokalforschung lange Zeit die auf dem Domhügel gemachten römischen Funde ignorierte. Deshalb war es doch eine kleine Sensation, als im Oktober 1889 südwestlich des Domturms Arbeiter eine römische Grube und wenig später auf dem Weckmarkt einen Abflußkanal entdeckten, dessen Ziegelplatten Stempel der XIIII. Legion trugen. 1895 stieß Architekt Thomas bei Grabungen auf dem Hühnermarkt auf römische Mauerzüge mit Hypokausten. Bei der Anlage von Löschbecken im Zweiten Weltkrieg kamen weitere Funde zutage. Erst in den Jahren zwischen 1950 und 1970 wurden von H. J. Hundt, U. Fischer und O. Stamm systematische Grabungen durchgeführt. Die Forschungen ergaben, daß die Römer ihre Gebäude auf den Fundamenten einer prähistorischen keltischen Siedlung errichtet und dabei Steinmaterial daraus verwendet haben. Römische Kulturreste fanden sich über den ganzen Domhügel verteilt. Ein keramischer Massenfund, süd- und ostgallische Sigillata aus dem Ende des ersten, Anfang des zweiten Jahrhunderts, Ziegel, Fensterglas, Stücke farbigen

Wandputzes mit linearen Mustern, bunte Steinplättchen und auch ein großer Anteil handgefertigter westgermanischer Ware, ergeben ein ungefähres Bild dessen, wie es vor 2000 Jahren auf dem Römerberg ausgesehen haben mag.

Bisher fand sich keine Spur des vermuteten Kastells. Doch nach der Lage des Kastellbades aus domitianischer Zeit in der Höllgasse müßte die Befestigung auf dem östlichen Teil des Domhügels gestanden haben. Von diesen Thermen konnten Reste eines runden Schwitzbades und zweier Baderäume mit Apsiden für Kalt- und Warmbad mit Hypokaustenheizung und ein Abflußkanal freigelegt werden.

Gleichzeitig mit dem Kastell in Nida Anfang des zweiten Jahrhunderts, noch unter Trajan, wurde auch das Lager auf der Frankfurter Dominsel aufgegeben. Wie bei allen militärischen Anlagen müssen wir uns dazu ein Lagerdorf, hier an der Straße nach Nida, vorstellen. Nach dem Abzug des Militärs hat sich das wohl geändert, und mancher dieser Handwerker und Händler wird in das nahe Nida verzogen sein.

Nun entstand auf dem Domhügel eine große Villa rustica mit Herrenhaus und mehreren Wirtschaftsgebäuden. Diese Anlage hat einige Umbauten erfahren und wurde von einer großen Umfassungsmauer eingeschlossen. Das Mainufer verlief damals in der Höhe der Saalgasse. Ein Mauerfundament dort ist wahrscheinlich der Rest einer ehemaligen Ufermauer.

Mit dem Fall des Limes um 260 n. Chr. ging auch hier alles Römische zugrunde.

Düstere Vorzeichen des Endes

IN DAS GRENZGEBIET des raetischen und obergermanischen Limes fallen die Alamannen völlig unerwartet ein, als Alexander Severus (222 bis 235 n. Chr.) in Persien kämpft. Die Wachen eines Torturms des Kastells Pfünz am raetischen Limes haben nicht einmal mehr Zeit, ihre Schilde zu ergreifen und werden an Ort und Stelle niedergemetzelt. Überall Brandschutt und Erschlagene, überall rasch verscharrte Münzschätze. Alamannische Scharen dringen bis an den Alpenrand vor und schneiden im heutigen Baden-Württemberg die Wege nach Süden ab. Auch Teile des obergermanischen Limes werden gebrandschatzt und mehrere Kastelle zerstört. Ein in Mainz vergrabener Münzfund aus dieser Zeit macht deutlich, daß man auch links des Rheins daran ging, sein Geld zu verstecken.

Alexander Severus wird 235 von meuternden Soldaten ermordet. Sie rufen Maximinus Thrax in Mainz zu ihrem Kaiser aus. Dieser Vorfall leitet eine neue Epoche römischer Geschichte ein. Das Militär reißt die Macht an sich. Es ist die Zeit der Soldatenkaiser, in der das Heer bestimmt, wer den Thron besteigt. Ein halbes Jahrhundert Bürgerkrieg beginnt das Imperium zu erschüttern.

Von Mainz aus stößt Maximinus Thrax wahrscheinlich über Nordbayern bis Unterpannonien vor und kann den Gegner schlagen. Sein Sieg trägt ihm den Ehrentitel »Germanicus Maximus« ein. Doch immer gewaltiger schlagen die Wellen der germanischen Invasoren über die Grenzen. Die Lage des Imperiums ist verzweifelt.

254 müssen die Römer den Markomannen eine eigene Stammesverfassung auf römischem Gebiet rechts der Donau zugestehen. Quaden und Jazygen bedrängen die Länder der mittleren Donau, die Goten Dakien und den Balkan. In Kleinasien sinken Städte in Schutt und Asche. Selbst in Afrika treten Berberstämme gegen die Römer an. Ein neuer germanischer Stammesverband, die Franken, treten auf den Plan. Sie verbünden sich mit den Alamannen und führen ihre Raubzüge bis nach Gallien. Unter der Regierung des Kaisers Gallienus (253 bis 268) bricht 260 das

gesamte Limessystem an Rhein und Donau zusammen. Mainz wird wieder Frontstadt!

Gallienus gelingt es nur mit äußerster Anstrengung, die Rheingrenze zu halten. Eine weitere Schwierigkeit tritt hinzu. Das Heer wird immer barbarischer. Mehr und mehr undisziplinierte, analphabetische Germanen treten in römischen Sold; teilweise ist es nicht einmal mehr möglich, schriftliche Befehle auszugeben. Die Verhältnisse haben sich völlig umgekehrt: Früher bewunderte man den Soldaten – jetzt sieht sich eine hochzivilisierte städtische Bürgerschicht zügellosem, stadtfeindlichem Soldatenpöbel ausgesetzt. Die Legio XXI Rapax, »die Räuberische«, hat ihrem Namen sicher wieder alle Ehre gemacht. Die ständigen Übergriffe, die sich die Legion zuschulden kommen ließ, hatten ihr diesen Beinamen eingebracht. Einmal wäre fast ein Aufstand ausgebrochen, weil ihre Legionäre den Geldtransport einer verbündeten helvetischen Civitas überfallen hatten. Gallienus greift hart durch und bringt wieder Ordnung ins Heer. Doch das Verhältnis zwischen der Bevölkerung und den Truppen bleibt gespannt.

260 bis 261 liegen die Alamannen vor Mailand, werden aber nach heftigen Kämpfen vernichtet und der Rest verjagt. 267 empört sich ein Feldherr des Gallienus, Aureolus. Die Alamannen nützen die Lage sofort für einen neuen Einfall. Gallienus schlägt den Aufstand bei Mailand nieder. Kurz darauf wird er selbst ermordet.

Die Erfolge der Germanen sind nicht in ihrer militärischen Überlegenheit begründet. Das Imperium ist krank. Die Bürgerkriege haben es geschwächt, die Wirtschaft bricht zusammen, die Goldwährung wird unsicher – die Inflation beginnt unerbittlich zu herrschen. Daß es nicht die Germanenstürme allein sind, die das Land zerrütten, zeigt die Entwicklung im vom Krieg unversehrten Spanien. Auch dort geht die Stadtbevölkerung auffallend zurück. Dabei ist erstaunlich, daß in dieser Zeit des allgemeinen Niedergangs anscheinend Mainz, Köln und Trier die einzigen Colonien und Munizipien sind, deren Umfang erhalten bleibt, ja vergrößert wird. Köln produziert weiterhin die herrlichsten Gläser, und in Trier wird besonders lebhaft gebaut, während das Hinterland verwüstet liegt.

Führen wir uns den Kölner Legatenpalast vor Augen. Seine letzte Bauperiode beginnt Ende des dritten, Anfang des vierten Jahrhunderts. Es scheint, als wolle das Reich in seiner Sterbestunde noch einmal seine ganze Pracht und Herrlichkeit entfalten. Dieser Palast lag mit einer repräsentativen Front von 93 Metern zum Rhein. Seine großartige Aussichtsgalerie erinnert an den Kaiserpalast Diokletians in Split (Spalato), zu dem jährlich Tausende von Besuchern »wallfahren«. Nicht nur die Maße des Kölner Legatenpalastes, auch der Grundriß der unzähligen Gemächer und Empfangsräume gleichen denen des Flügels an der Meeresküste in Split. Das majestätische Oktogon im Innern des Palastes und die Ecktürme (Risalite) standen sowohl am Rhein wie am Mittelmeer.

Doch der Untergang ist unaufhaltsam!

Der Geldwert schwindet überall rapide, der Silbergehalt der Münzen geht von 25 auf 4 vom Hundert zurück; die Provinzen werden vom jeweiligen Soldatenkaiser und seinem Gefolge ausgepreßt. Das Heer requiriert Lebensmittel, die Kaiser zahlen zum Teil in Sachwerten. Das Transportwesen und damit der internationale Handel brechen zusammen. In dieser chaotischen Zeit blüht die Falschmünzerei schon in der ersten Hälfte des dritten Jahrhunderts, erst recht nach 270. In Mainz, wie wir wissen, aber auch in Augst, Regensburg und Eining, überall sind Fälscherwerkstätten nachgewiesen. Die Tätigkeit der Fälscher ist so auffallend und verbreitet, daß der Schluß naheliegt, die Behörden hätten beide Augen zugedrückt oder selbst Notgeld in Umlauf gebracht. Sogar Kupfermünzen wurden mit der Hälfte ihres Metallwertes geprägt.

Immer verheerender werden die Germaneneinfälle. »Neben den ungarischen Vandalen kamen jetzt die Masse dieses Volkes in Schlesien und dazu die Burgunder in Brandenburg und Posen in Bewegung. Sie brachen ins Maintal ein, Juthungen und Alamannen mitreißend, zugleich stürzten sich Sachsen und Franken zu Lande und zu Wasser auf das Reich. Es begann der Generalsturm auf die Rheingrenze, Trier und die Mittelstädte der Rheinlande, die Villen an der Mosel, in der Eifel, im Hunsrück gingen in Flammen auf, die Agrarlandschaft Lothringens verödete, Sens und Paris wurden zerstört, bis an die Pyrenäen erstreckten sich die verheerenden Züge. Über 60 städtische Zentren sind in Feindeshand gefallen. Vom Rhein bis zum Ozean brach die gewerbliche Produktion ab, die Notabeln wurden zu Bettlern, die Bauern zu Räubern. Und in Britannien sahen die Dinge zeitweilig nicht viel besser aus.« (Kahrstedt)

278 kann Probus die Gefahr überwinden – die Rheingrenze wieder herstellen und rechts des Stromes nach einem Sieg am Neckar einen Brückenkopf gewinnen. Die zerstörten gallischen Städte werden wieder aufgebaut. Diokletian (284 bis 305) gelingt es, der Lage einigermaßen wieder Herr zu werden und das Römische Reich für die nächsten hundert Jahre zu retten. Seinen Maßnahmen gegen die Inflation jedoch ist ein totaler Mißerfolg beschieden. Ein Edikt, in dem er die Preise für Waren, Löhne und

Dienstleistungen festsetzt, scheitert. Die Preise klettern, und die Waren verschwinden vom Markt. »Die Privatwirtschaft stirbt weiter, immer mehr staatliche Waffenfabrikation und Webereien treten auf, bald auch staatliche Transportflotten auf den Strömen, der Schritt vom freien Gewerbetreibenden zum uniformierten Militärhandwerker wird vollzogen. Der Mittelstand ist zerrieben: die Waren der Zeit zerfallen in Luxusgegenstände von hohem Wert und zweifelhaftem Geschmack und ganz billige Schundware. Alles, was dem Bedarf eines gesunden Bürgertums entspricht, fehlt völlig.« (U. Kahrstedt)

Die letzten Tage von Mogontiacum

Zu Anfang des vierten Jahrhunderts bekommt die de-facto-Stadt Mogontiacum das Stadtrecht; bei Ammianus Marcellinus wird sie 355 zum ersten Mal als Municipium erwähnt. Um die Mitte des vierten Jahrhunderts umgeben die Bürger von Mogontiacum ihre bis dahin offene Stadt in panischer Hektik mit einer mächtigen, fast vier Kilometer langen Stadtmauer. Jeder greifbare Stein wird verbaut, selbst die Quadern der Monumentalgebäude und wahrscheinlich sogar die Außenschale des Drusussteins. Daß auch die Staatsbauten geopfert werden, läßt die ungeheure Bedrohung erkennen! Zum Teil mit abgebrochen wird das Lager auf dem Kästrich, der Rest von der Stadtmauer eingeschlossen. Die Heeresbauten sind überflüssig geworden, nachdem sich die römische Taktik geändert hat.

Ein Dux Mogontiacensis wird Befehlshaber der mittelrheinischen Grenztruppen. Seinem Kommando unterstehen bewegliche Einheiten, die schnell an die verschiedenen Brennpunkte geworfen werden können. Von Mainz aus gehen immer wieder Abschreckungs- und Vergeltungsangriffe in die feindlichen Gebiete. Die Germanen revanchieren sich, fallen öfter plündernd und brandschatzend ein. So geht die Stadt unter Constantin II. an die Germanen verloren. Julian erobert sie 357 wieder zurück und läßt eine neue Brücke schlagen.

Auch Kaiser Valentinian I. (364 bis 375) hält sich in diesen schweren Tagen mehrfach in Mainz auf. Er unternimmt nochmals eine ungeheure Anstrengung, die Germanenflut aufzuhalten. Als »Wacht am Rhein« entsteht eine enge Kette spätrömischer Befestigungen, die Burgi – burgenartige Uferfestungen mit steinernen Wachttürmen, Wall und Graben. Auf der Linie bei Kaiseraugst am Oberrhein konzentrieren sich zum Beispiel

42 dieser Burgi. Gigantische Bauleistungen der Römer. Nachweislich wurde ein Burgus von einem Bautrupp einmal in der Rekordzeit von 48 Tagen aus dem Boden gestampft.

Der Burgus Eisenberg untersteht dem Dux Mogontiacensis, dem Kommandeur des in Mainz stationierten Grenzheeres. Die letzte wichtige Entdeckung dieser spätantiken Rheinfestungen ist der 1971 ausgegrabene Burgus und der dazugehörige römische Hafen »Zullestein« gegenüber Rheindürkheim.

368 erfolgt ein verheerender Überfall des Alamannenfürsten Rando auf Mainz. Er wartet dafür den Sonntag ab, als die Bevölkerung sich in der Kirche zur Heiligen Messe versammelt und richtet ein entsetzliches Blutbad an; viele Mainzer, auch Frauen und Kinder, führt er in Gefangenschaft. 388 weilt Kaiser Gratian mehrere Male in der heimgesuchten Stadt, leitet auch von hier aus einen Feldzug nach Osten. 406, als Stilicho die Truppen von der Rheingrenze abgezogen hat, weil er gegen die Goten kämpfen muß, wird Mainz endgültig eingenommen und zerstört. Das Heer der Vandalen und Alanen zieht über die Rheinbrücke und weiter nach Gallien.

»Mainz, die einst hochberühmte Stadt, ist erobert und zerstört und in der Kirche sind viele Tausende von Menschen niedergemetzelt«, schreibt Kirchenvater Hieronymus 409 zu diesem tragischen Ende. Zwar wird in den Trümmern von Mogontiacum im Jahre 411 Jovianus zum Kaiser ausgerufen – doch dies ist ohne Bedeutung – die Römerzeit für Mainz ist zu Ende.

»Schauspielvorführungen gibt es keine mehr, auch da nicht, wo sie vorher üblich waren. Man spielt nicht mehr in der Stadt Mainz – sie ist verwüstet und zerstört; man spielt nicht in Köln – es ist voll von Feinden. Man spielt nicht in der wunderschönen Stadt Trier – sie liegt viermal zerstört am Boden. Man spielt nicht mehr in den meisten Städten Spaniens und Galliens. Man kann nicht mehr vor lauter Armseligkeit und Elend dieser Zeit« klagt Salvian.

Die Römerzeit an Rhein und Main war keine Episode. Diese Jahrhunderte nach Christi Geburt haben die nachfolgende Epoche entscheidend geprägt. Römische Staatskunst, der Geist des Hellenismus und das Ethos des Christentums legten den Grundstein für die Kultur des Mittelalters. Unter dem Eindruck der Gewalt und Größe Roms sind die beiden Völker der Kelten und Germanen herangereift, wurden die Kräfte frei, die, das Alte verwandelnd, Neues schufen.

Im Wettlauf mit dem Bagger

Der hektische Bauboom der letzten Jahre läßt den Archäologen kaum noch Zeit zu schürfen und hat vieles für immer zerstört. Selbst sichtbar stehende antike Denkmäler, wie Wiesbadens Heidenmauer, sind nicht mehr sicher – Teile von ihr fallen vielleicht dem modernen Straßenbau zum Opfer. Aus dem ganzen Rheinland kommen Hiobsbotschaften über skrupellose Raubgräber. Bei ihrer unsachgemäßen Buddelei vernichten sie das Wichtigste: die archäologischen Befunde. In Wiesbaden-Kastel zum Beispiel haben sie einen altrömischen Friedhof aus dem 1. Jahrhundert n. Chr. völlig durchwühlt und ausgeraubt. Zurück blieb für den Wissenschaftler eine kaum noch zu erkundende Kraterlandschaft. Von diesem tragischen Wettlauf mit der Zeit berichtet das letzte ergänzende Kapitel.

Aus Nida konnten auch in jüngster Zeit wieder, vor allem beim Durchbruch der Nordweststraße, eine Fülle antiker Gegenstände vor dem Bagger gerettet werden: eine bronzene, mit Medusenhaupt verzierte Phalera, Auszeichnung für einen Soldaten, lag mit einem Barbotine-Fußbecher im Boden. Ein Erdkeller barg unter vielen Scherben eine sehr gute Silberschmiedearbeit, vielleicht Teil eines Scheidenbeschlags. Auf einer vergoldeten Silberplatte ist im profilierten Rahmen eines Medaillons, – flankiert von Lorbeerkranz und Palmzweig – die Büste einer Victoria abgebildet. Sie trägt ein ärmelloses, mit zwei Ringen auf der Schulter befestigtes Gewand und neigt den mit einer Haarbinde umwundenen Kopf leicht nach der Seite.

Aus dem Gebiet des nördlichen Tores des Steinkastells stammt eine Bronzemarke, die einem Centurio der 32. Voluntarierkohorte gehörte. Er zeichnet mit C.Q/VAL./.PRI. und nennt am Anfang dankbar die Initialen seines Kaisers Commodus. Ausrüstungsgegenstände, Gürtel, Schilde zum Beispiel, an denen die Soldaten solche Bronzemarken trugen, waren häufig Donative, Ehrengeschenke der Kaiser an das Heer. Eine andere Scheibe trägt die gekürzte eingepunzte Inschrift: VAL FLA/VINI/IVL SECVN/DI und lautet nach Lesung von H. U. Nuber: Besitztum des Julius Secundus aus der Centurie des Valerius Flavius. Interessant ist das reichverzierte Oberteil eines Siebgefäßes zur Bereitung von Würzwein mit dem umlaufenden Spruch: AVDI ME ... VD ../TAMEN/QVEM SEVDVS BIBES HIC VASI DEFER, den H. U. Nuber so interpretiert: Höre mich und feuchte beizeiten, den du im folgenden trinken wirst, biete aus dem Gefäße an.

Auch die anderen Funde bestätigen das Bild der Intensität des kulturellen Lebens in dieser römischen Stadt auf germanischem Boden: eine Tasse des Töpfers VICTORIN, eine Firmalampe des FORTIS, Goldglimmerbecher und -krug, zwei Sigillaten mit Graphitti des SECUNDUS und MANSUETUS, das große Fragment einer Bilderschüssel des Töpfers LIBERTUS, ein phallisches Amulett aus Bronze, Fragmente von Terrakotten: der Kopf einer Minerva, ein bärtiger Mann mit Umhang, der am Hinterkopf eine Silensmaske trägt, eine kleinere Sandsteinskulptur des Merkur – der Kopf abgeschlagen – auf einer Schildkröte sitzend, mit einem liegenden Tier und einer Schlange, und eine mächtige gestufte Säulenbasis aus dem Bereich der Ostthermen von Nida.

Von der bis um die Mitte des 3. Jahrhunderts n. Chr. florierenden Töpferkolonie vor dem Nordtor Nidas sind östlich der Römerstraße zur Saalburg inzwischen noch mindestens zwölf Öfen aufgefunden worden. Im Dezember 1972 führte Frau Dr. I. Zetsche (Leiterin der Römischen Abteilung des Museums für Vor- und Frühgeschichte, Frankfurt) eine Notgrabung durch. Dabei konnte sie zwei weitere Töpferöfen freilegen – ein dritter wurde leider vom Bagger zerstört. Ein Ofen ist besonders gut erhalten. Sein Brennraum mißt 2,30 x 2,30 Meter, und die sogenannten Pfeifen der 23 Zentimeter dicken Tenne haben einen Durchmesser von 4 cm. Unter dem Brennraum liegt der Feuerraum, der durch einen 2,10 Meter langen Schürkanal beheizt wurde. Der Ofen gehörte zu einer größeren Werkstatt mit drei, vielleicht vier Öfen, die man von einer Schürgrube in der Mitte aus zentral befeuerte. I. Zetsche wies nach, daß es sich um Schachtöfen handelt, die keine Kuppel trugen. Die Mauerkrone war mit Scherben abgeschlossen, damit die Schachtwände geschützt waren und Regen sie nicht wegschwemmte. Nach dem Einsetzen des Brennguts deckte der Töpfer den Ofen mit großen Scherben und Ziegeln ab. Durch ihre Ritzen und Lücken entwichen die Abgase. Leider sind aus dem ergrabenen Ofen weder Brenngut noch Fehlbrände zurückgeblieben, wonach man die Ware und den Fabrikanten bestimmen könnte. Hoffentlich ist es möglich, diese antike Handwerksstätte zu konservieren und der Öffentlichkeit zugänglich zu machen.

Der Keramiker Adam Winter versucht seit Jahrzehnten, die antike Brennweise nachzuvollziehen. Bei seinen Versuchen erprobte er, wie in der Antike Glanz-Engobe gewonnen wurde – nämlich mit Durchquellen und Ausregnen von Ton. Ebenso rekonstruierte er die römische Methode, mit Hilfe von Formschüsseln Geschirr auf der Töpferscheibe zu drehen, und kam auch dem Verfahren der Vervielfältigung ihrer Tonlampen auf die Spur. Danach werden vom Töpfer die beiden Hälften der Negativform mit gut durchgekneteten Ton ausgekleidet und zusammengepreßt, wobei sich Lampenspiegel und Unterteil verbinden. Da die Tonform die Feuchtigkeit aufsaugt, läßt sich die Lampe kurz darauf mühelos herauslösen, und die nächste kann ausgeformt werden. Gerade der Fund des Heddernheimer Töpferofens inspirierte A. Winter zur Lösung des Rätsels, wie es den Römern gelang, bei ihrer fast unübersehbaren Produktion von Sigillaten den stets gleichmäßig roten Glanzton zu erzielen. Mit dieser Erkenntnis will er nun experimentell an einem Schachtofen nachweisen, daß allein durch eine bestimmte Regie des Feuers die benötigte Hitze erzeugt und reguliert werden kann, die das in der Antike erreichte Ergebnis zeitigt.

Aus Schwanheim stammt der älteste Fund im Frankfurter Raum: eine Feuersteinspitze und ein Feuersteinschaber, die U. Fischer in die Zeit 40 bis 50 000 Jahre v. Chr. datiert. Die kontinuierliche Besiedlung dieses Platzes ist auch durch Steinbeile aus der Alt-, Mittel- und Jungsteinzeit belegt. Der »Bischofsweg« muß ein uralter Fern- und Handelsweg gewesen sein. 1972 hat der Arbeitskreis des Museums an der Schwanheimer Grenze bei Kelsterbach Spuren einer bronzezeitlichen Siedlung (um 1 600 v. Chr.) mit elf Feuerstellen entdeckt. Sie ist deshalb bemerkenswert, weil hier aus rohbehauenen Baumstämmen und lehmverschmiertem Flechtwerk errichtete Rundhütten standen, während man bisher nur viereckige kannte. Gefäßfragmente, zu Werkzeug verarbeitete Tierrippen, Spinnwirtel, Bruchstücke von zwei kleinen Tonskulpturen, die Tiere darstellen, und kleine Salbtöpfe waren die archäologische Ausbeute. Auch die Spät-Latènezeit ist vertreten. Aus einem Brandgrab der Kiesgrube am Kelsterbacher Weg stammt ein eiförmiger, mit Schmuckgegenständen aus Bronze, Eisen und Glas gefüllter Topf. Ferner eine bauchige Flasche, eine kleine Schale und ein großer Fleischhaken. Bei der Suche nach dem Altdorf Suenheim-Sweinheim ist die Ausgrabungsgruppe unter Norbert Müller und Theo Moos 1972 am Alten Friedhof von Schwanheim auf Gebäudereste einer Villa rustica gestoßen. Dabei kamen Teile eines mit Natursteinen gepflasterten Innenhofes und zahlreiche Gefäßstücke einfacherer Keramik, aber auch von Terra Sigillata aus der ersten Hälfte des 2. Jahrhunderts

n. Chr. an die Oberfläche. Den Schutt- und Brandschichten nach war das Gebäude ein Fachwerkbau, der wahrscheinlich bei einem alamannischen Überfall in Flammen aufgegangen ist. Scherben aus dem 14./15. Jahrhundert lassen vermuten, daß die Bauern des Altdorfes im Mittelalter diese römischen Ruinen als Abfallgrube benutzten. Dachziegelbrocken in der Schwanheimer Gemarkung Heftgewann wiesen Theo Moos die Spur zu einem zweiten größeren Gut. Von einem ziegelgedeckten Wirtschaftsgebäude von etwa 24 x 11 Meter konnten ein Drittel der Fundamentmauern, ein Mühlstein, eiserne Balkennägel, ein eiserner Wandkloben sowie ein Messerfragment (1. Hälfte des 2. Jahrhunderts) ausgegraben werden. Die Abdrücke von Hundepfoten auf großen Ziegelplatten bezeugen das bereits beschriebene Ritual. Der weiche Brand der einfachen Keramik und der Ziegel läßt auf hauseigene Produktion schließen. Die Analyse des Inhalts einer 10 Meter entfernten Abfallgrube ergab, daß diese Villa bereits fünfzig Jahre früher bewohnt gewesen sein muß. Demnach hätten wir es hier mit einem der ersten Höfe dieser Region zu tun. Sämtliche Stücke aus Schwanheims Vergangenheit werden ab Herbst 1973 im neuen Heimatmuseum ausgestellt.

In Höchst sind die neuesten Funde zugleich die ältesten. H. Kubon, einem begeisterten Amateurarchäologen, der eng mit H. Schoppa und U. Fischer zusammenarbeitet, verdanken wir die Wiederentdeckung einer Jupitergigantensäule. Beim Durchforschen des Museumsarchivs stieß Kubon auf alte Korrespondenz des Höchster Geschichtsvereins mit dem Direktor der Farbwerke, wonach aus der Bauabteilung der Farbwerke Bruchstücke einer Jupitergigantensäule abgeholt und im neu eingerichteten Museumsgarten aufgestellt werden sollten. Von diesem Fund aus dem Jahr 1909 existierte bis auf eine kurze Zeitungsnotiz sonst keine Niederschrift. Die Säule lag vergessen im Museumsgarten, der graue Sandstein ist über die Jahrzehnte hinweg bis zur Unkenntlichkeit verrottet und zerfressen. Zum Glück besitzt der Geschichtsverein ein Diapositiv von damals aufgenommenen Fotos, das die Schönheit des über einen halben Meter hohen korinthischen Figuralkapitells mit dem Relief einer weiblichen Büste auf dem fast einen Meter langen, geschuppten Säulenschaft vermittelt. Das Denkmal gehörte zu einer Villa rustica südlich des Zeilsheimer Wegs, 640 Meter vom Mainufer und 390 Meter westlich des Liederbachs gelegen.

Als Heimatforscher Rolf Hohmann im Sommer 1972 in Heldenbergen (Nidderau) seine Ausgrabungen begann, wußte er, daß er vor den Baumaschinen herlaufen mußte. Aber er glaubte sich des Erfolges sicher, dem

Boden Neues über das Kastell Heldenbergen zu entreißen. Da Scherben gleich säckeweise anfielen, hat Hohmann mit Energie und Organisationstalent eine große Kampagne gestartet, an der sich viele freiwillige Helfer, auch amerikanische Soldaten, beteiligten. Die Bundeswehr stellte Zelte zur Verfügung, Banken, Firmen und Privatleute halfen mit Geld- und Sachspenden. Aus den vielen Funden – Bronzebeschlägen, Schiebeschlüsseln, Schreibgriffeln, Haar- und Nähnadeln, Spielsteinen, einer Unmasse von Fibeln, Gürtelschnallen – stechen einige besonders hervor: so eine als gekrönte Seeschlange gearbeitete, eventuell aus Britannien importierte Fibel, die bis jetzt einzige dieser Art; ferner ein kunstvoll und fein geschmiedeter silberner Schmuckanhänger, der heute in der Glasvitrine jedes Juweliers liegen könnte, sowie ein fast unversehrt gebliebenes, außergewöhnliches Exemplar der Spitze eines Feldzeichens aus Bronze, deren stilisierte Elefantenrüssel vielleicht Aufschluß über die militärische Einheit geben, die sie mit sich führte. Als schönstes Stück gilt die Maske einer bärtigen Gottheit, eines Flußgottes oder Jupiters aus Terrakotta, ein ausdrucksvolles kleines Kunstwerk.

Heldenbergen, von dem jetzt eine 19 Meter lange, sehr gut vermörtelte Grundmauer aus Sandstein eines späteren Steinbaus im Lagerdorf und zeitlich noch einzuordnende Mauerreste zutage kamen, war von G. Wolff um 1900 als Holzkastell mit Lagerdorf aus domitianisch-hadrianischer Zeit bestimmt worden. Es lag auf einem früher anzusetzenden, bis jetzt nicht genau datierbaren größeren Erdlager mit polygonalem Grundriß. Dieses – ungefähr so groß wie die Kesselstädter Anlage – kann, nach Wolff, nicht lange belegt gewesen sein. Möglicherweise hat es nur während der Okkupation einer Legion oder einer Massierung von Hilfstruppen als Standlager gedient. Die künftigen Grabungen halten vielleicht noch überraschende Antworten bereit.

In Dieburg arbeitet seit 1970 die »Archäologische und volkskundliche Arbeitsgemeinschaft des Museums« unter Führung von Museumsleiter W. Boß vorbildlich auf dem Gebiet der Bodendenkmalpflege zur Unterstützung des Landesarchäologen. Die mit der Grabungstechnik vertraut gemachten Mitglieder aus dem ganzen Umkreis wirken tatkräftig mit, wenn es gilt, wertvolles Kulturgut zu bergen. Im Herbst 1972 hat diese Gruppe bei Grabungen am Steinbuckel das auf einer Siedlung der späten Hallstattzeit stehende Wohnhaus einer Villa rustica mit einer 30 bis 40 Meter langen Fassade mit Eckrisaliten festgestellt. Hypokaustfragmente, Reste zweier Estrichböden, Mauerwerk, hölzerne Schwellen eines Holzgebäudes, Terra Sigillata, Glas- und Kleinfunde, darunter eine vollständig erhaltene Bronze-Haarnadel mit kugeligem Kopf und ein Beschlag mit Kerbschnittverzierung, werden noch ausgewertet.

Die Anlage eines Kanalgrabens von 200 Meter Länge (Häfnerweg, Ring-/ Gabelsbergerstraße) brachte im gleichen Jahr bedeutende Erkenntnisse für die Topographie des römischen Dieburg. Die wichtigste Entdeckung war der südliche Verlauf der römischen Stadtmauer, die jetzt mit 67 Meter aufgemessen werden konnte. Sie begrenzte Ende des 2. bis Anfang des 3. Jahrhunderts n. Chr. den inneren Bereich des Vicus Auderia: ein Areal zwischen der heutigen Römerstraße im Norden, der Rodgau- und Henri Dunantstraße im Osten, »Hinter der Schießmauer« im Süden und der Steinstraße im Westen. Von den dabei gemachten Kleinfunden ist vor allem der Deckel einer Bronzekanne mit einem Phallus als Griff zu nennen. Ein »kopfloser« 85 Zentimeter großer nackter Fruchtbarkeitsgott mit einem Mäntelchen über der Schulter, einen Früchtekorb in den Händen, ist das Prunkstück dieser Bergungen. Die Statue wird von Frau Dr. Büttner analysiert und nach der Restaurierung im Dieburger Museum ausgestellt, wo sie sich würdig in die Zahl der rund dreißig vorhandenen antiken Skulpturen einreiht. Diese Werke entstammen meist Werkstätten der örtlichen Steinmetzzunft. Die südhessischen Grabmäler, wie der Traubenstein und der Stein mit dem Familienmahl aus Groß-Umstadt zum Beispiel, sind in ihrer Monumentalität und Gestaltung den bekannten linksrheinischen und gallischen ebenbürtig. Die Krönung dieser Schöpfungen ist der schon erwähnte religions- und kunstgeschichtlich einmalige Mithrasaltar mit hervorragenden Darstellungen aus der Mithraslegende und der griechischen Phaeton-Sage des Dieburger Bildhauers Silvestrius Silvinus, eines gallischen Biturigers. Den Hauptort der Civitas Auderiensium bewohnten also wohlhabende Beamte, Geschäftsleute und Handwerker, deren Reichtum sich in den aufwendigen Privathäusern manifestierte, die sich an den wohl rechtwinkeligen, gepflasterten Straßen dicht um das Forum drängten. (Es lag im Bereich des heutigen Finanzamtes, der Haftanstalt, der Evangelischen Kirche und der Wallfahrtskapelle.) Fundamente bis zu der kürzlich festgestellten beachtlichen Stärke von 175(!) cm und Säulentrümmer geben eine Vorstellung von der Größe der öffentlichen Gebäude mit Säulenhallen und von den Tempeln.

Auch die neuesten Forschungen erbrachten nicht den geringsten Hinweis für einen militärischen Standort. Obgleich Dieburg, das wohl Ende der achtziger Jahre n. Chr. entstand, als Versorgungs- und Umschlagplatz für die am Main und im Odenwald liegenden Kastelle diente, war es eine rein zivile römische Landstadt. An diesem wichtigen Straßenknotenpunkt

– bereits in der Hallstattzeit ein zentraler, bedeutender Handelsplatz – liefen sieben bisher gesicherte Straßen aus allen Richtungen zusammen (von Gernsheim, Mainz, Frankfurt, Stockstadt, Seligenstadt, Niedernberg, Groß-Umstadt) und kreuzten das Forum. Im neugestalteten Kreis- und Stadtmuseum im Schloß Fechenbach am Marktplatz zu Dieburg sind ab Sommer 1973 all diese Zeugnisse des Altertums zu sehen.

Jüngste Funde aus Obergermanien werden in einer Auswahl »Neue römische Ausgrabungen in Baden-Württemberg« im Badischen Landesmuseum, Karlsruhe, zum ersten Mal vorgestellt. Aus Sulz am Neckar stammt eine 1,60 Meter hohe Statue des Gottes Merkur, an den sich zärtlich seine zierliche keltische Gefährtin Rosmerta schmiegt, während er – jeder Zoll männliche Stärke – schützend den Arm um sie legt. Leider tragen vor allem ihre Gesichter die Narben, die ihnen zerstörungswütige Alamannen zugefügt haben, bevor sie die Bildnisse in Brunnen und Keller warfen. Das gleiche Schicksal erlitt das Weihedenkmal der Epona, als Sulz im 3. Jahrhundert in Schutt und Asche gelegt wurde. Zusammengefügt, reitet sie nun wieder im Damensitz wie ehedem.

Auch das bisher größte Exemplar einer auf deutschem Boden gefundenen Jupitergigantensäule, ein Monument aus Steinsfurt, ist in dieser Sammlung vertreten. Restaurator A. Rommel hat seine 1971 begonnene mühevolle Arbeit beendet und die zahlreichen fehlenden Stücke ergänzt, die – den frischen Bruchstellen nach – erst in unserer Zeit abgeschlagen wurden und verschollen sind.

In Heidelberg erbrachten die letzten Herbstwochen 1972 weitere Aufschlüsse über die 270 Meter lange Neckarbrücke und die daran angrenzenden Kaimauern der Hafenanlagen. Auf einem einzigen ausgedehnten Gräberfeld beiderseits der Römerstraße von Heidelberg nach Ladenburg wurden bis 1972 nicht weniger als 1500 Gräber erforscht. Neben reliefverzierten Turmgrabmälern enthielten sie kostbarste Totengaben, die den Wohlstand des römischen Heidelberg und seine wirtschaftliche Prosperität dokumentieren. Das kosmopolitische Völkergewimmel spiegelt sich in der Vielfalt der Art der Bestattungen.

Seit 1972 sind in Rottweil die konservierten Ruinen eines Thermengebäudes mit sämtlichen Baderäumen zur Besichtigung freigegeben. Diese Anlage mit einer Länge von 45 Meter und einer Breite von 42 Meter, ist die bisher größte dieser Art in Baden-Württemberg und ein Beispiel für den in der Kaiserzeit auch in Obergermanien verbreiteten Typus. Schon Ptolemaeus nennt das römische Rottweil, und auf einer spätantiken Straßenkarte, der »Tabula Peutingeriana« ist Arae Flaviae vermerkt. Nach einer Urkunde erhielt es als einziger Ort rechts des Rheins sehr früh das Privileg des römischen Stadtrechts, da es als Mittelpunkt des Kaiserkults (Arae Flaviae = Flavische Altäre) für die obergermanische Provinz ausersehen war.

Wo immer in Mainz gebaut wird, kommt Römisches ans Licht. Im Frühjahr 1972 wurde vom Brandplatz Wagen auf Wagen der sieben Meter hohen Schuttschicht abgefahren und landete auf einer Halde in Wiesbaden-Erbenheim. Sofort machten sich Raubgräber ans Werk. Nicht alle handelten verantwortungslos. Manche haben Fundberichte, Fotos und Zeichnungen angefertigt und Archäologen ausgehändigt. Gemmen, Fibeln, Terra Sigillata, Bronzegefäße, eine beschriftete Lanzenspitze, sogar ein Römerschwert vom Typ Pompeji aus der 2. Hälfte des 1. Jahrhunderts mit zwei eingepunzten Inschriften und Beschläge der dazugehörigen Schwertscheide, all das wurde aus dem Mainzer Schutt gebuddelt.

Die nunmehr im Diözesan-Archiv aufbewahrten Beneficiariersteine des Marcus Petronius Maximus, des Caius Julius Super und Titus Maximius Felix, waren 600 Meter vom Rhein entfernt (Haus Grebenstraße 10), parallel zur Uferstraße, gefunden worden. Nach A. Radnotis Meinung könnten sie – wegen ihrer Häufung an dieser Stelle – von einer Beneficiarier-Station stammen, die eine Schiffslände zu überwachen hatte. Dieses Kommando mußte anscheinend dafür sorgen, daß den Main heruntergeflößte Baumstämme oder mit Schiffen ankommende Steinladungen und andere Güter umgeschlagen und weiterverfrachtet wurden.

Auf der Kupferbergterrasse – direkt über dem Legionslager – stößt man bei jedem Spatenstich auf die Antike. Auch im Herbst 1972 brachte die Neugestaltung eines Empfangsgebäudes der Firma C. A. Kupferberg dort, wo einst das Nordtor stand, wieder eine Fülle von Scherben. Die Herkunftsorte der Keramik: Lavoy, Avocourt, Ostgallien, Blickweiler, Rheinzabern und Moselgebiet, signalisieren ihre Reisewege. Sie bereichern die Sammlung aus früheren Jahren mit Fragmenten aus Lezoux, Montans, La Graufesenques und Trier. Es ist nicht ohne Reiz, daß sich darunter viele Bruchstücke von Mischgefäßen für Wein, Krügen und Weinamphoren befinden, in denen vor zwei Jahrtausenden das Lebenselixier der Legionäre gekühlt wurde und der Kellermeister die edelsten Tropfen für den Statthalter und seine erlauchten Gäste kultivierte. Auch zwei vollständig erhaltene große Amphoren im Kupferberg-Museum kommen aus Kellern, in denen heute die Weine der Sektkellerei lagern.

Auf der Rückseite der Kupferbergterrasse, am Kästrich, ist heute noch ein Stück der römischen Stadtmauer sichtbar, für die nach der Auflassung des Legionslagers um 360/370 n. Chr. alle Steine der Militärbauten herhalten mußten. Letzte Auswertungen verschiedener Ausgrabungen und ergänzende Beobachtungen trugen zur Erhellung der komplizierten Geschichte der Mainzer Stadtmauer bei. Demnach ist die vierte Seite auf der Kästrichhöhe in der bedrohlichen Zeit nach der Mitte des 4. Jahrhunderts in Panik zu einem Gürtel geschlossen worden. Dabei mußte das Legionslager durchschnitten werden, um die zehn Meter Höhenunterschied von der ehemaligen Lagermauer bis auf die Höhe zu überbrücken. Die tieferliegende Lagermauer hätte der Stadt nicht genügend Schutz geboten, da ein von oben kommender Feind alles hätte übersehen und beschießen können.

Der fast 100 Hektar umfassende zivile Siedlungskern war bereits nach dem Fall des Limes im Zuge der Rheinsicherung auf drei Seiten mit einem Stadtmauerzug vom Lager herunter zum Rhein, den Rhein entlang und wieder hinauf zum Kästrich umgeben worden. Gleichzeitig hatte man die südwestlichen Legionscanabae ebenfalls mit einer Wehrmauer geschützt.

Ende 1972 hat ein Bagger im Kiesgelände bei Gimbsheim (Worms) zwei Eisenstücke aus dem Erdreich gerissen. Im Museum der Stadt Worms ließen sie sich zu einem Eisenanker von 160 cm Länge und 70 cm Spannweite zusammenschweißen. Dem Signum zufolge gehörte er einem im Dienste der 22. Legion in Mainz stehenden Schiff und ging vielleicht im 3. Jahrhundert verloren, als die beweglichen Einheiten des Dux Mogontiacensis auch in dieser Stadt ihre Stützpunkte bezogen. Worms, eine der letzten Bastionen am Rhein gegen die Germanenflut, gewann in der Endzeit an militärischer Bedeutung. Das Bildnis auf dem Grabstein des Panzerreiters Maxantius – Soldat des letzten Aufgebots – vom Ende des 4. Jahrhunderts ist geradezu symbolisch für den desolaten Zustand des römischen Heeres. Im Gegensatz zu den stolzen, siegesbewußten Reitern auf den Grabmälern des ersten Jahrhunderts schleppt sich dieser abgekämpfte Krieger mit hängender Lanze auf einem müden Klepper dahin. Um 406/07 berannten die Vandalen wie Mainz auch diese Stadt und äscherten sie teilweise ein. Kaiser Honorius machte 413 den verzweifelten Versuch, die Burgunder an dieser gefährdeten Grenze des Imperiums als Verbündete anzusiedeln. Zunächst römertreu, gründeten sie aber bald ein eigenes Reich. Doch die Völkerwanderung spülte es hinweg. Die Herrschaft Roms war zu Ende. Sein Erbe blieb.

FINIS

Literatur- und Quellenverzeichnis

Adcock, F. E., Römische Staatskunst. Göttingen 1961
Alföldi-Rosenbaum, E., Das Kochbuch der Römer / Rezepte aus Apicius. Zürich 1970
Apulejus, L., Der goldene Esel. München 1909
Arrian, F., Die Taktik. Übers. F. Kiechle in Ber. d. RGZM45, Berlin 1965
Baatz, D. u. H. Riediger, Römer und Germanen am Limes. Frankfurt 1967
– Neue Funde aus dem Oppidum über dem Heidetränk-Tal nördlich von Frankfurt a. M. In: Germania 36, Berlin 1958
– Das Numeruskastell Hesselbach (Odenwald). Sonderdruck Saalburg-Jahrbuch XXV, Berlin 1968
– Römische Wandmalereien aus dem Limeskastell Echzell, Kr. Büdingen (Hessen) Sonderdruck Germania 46, Berlin 1968
– Wandmalereien aus einem Limeskastell. Sonderdruck Zeitschrift »Gymnasium« Heft 3, Heidelberg 1968
– Lopodunum – Ladenburg a. N. In: Badische Fundberichte, Sonderheft 1, Karlsruhe 1962
– Limeskastell Saalburg. Bad Homburg v. d. H. 1970
– Zur Frage augusteischer canabae legionis. In: Germania 42, Berlin 1964
– Eine römische Parade-Gesichtsmaske a. d. Kastell Echzell. In: Saalburg-Jahrbuch XXVII, Berlin 1970
– Krankenhäuser bei den Römern. In: Arztzeitschrift, Konstanz 1970
– Die Ausgrabung im Legionslager Mogontiacum während der Jahre 1957 und 1958. In: Limesforschungen Bd. 4 Röm. Germ. Kom. 1962
– Eine römische Pinselinschrift aus Mainz. In: Mainzer Zeitschrift 1964
Becker, Keller, Körber. Die römischen Inschriften und Steinskulpturen von Mainz. Mainz 1875
Behn, F., Das Mosaik von Vilbel. In: Saalburg-Jahrbuch IX, Frankfurt 1939
Behrens, G., Schädeltrepanation im römischen Bingen. In: Saalburg-Jahrbuch IX, Frankfurt 1939
– Verschwundene Mainzer Römerbauten. In: Mainzer Zeitschrift 1954
– Eine römische Falschmünzerwerkstätte in Mainz-Kastel. In: Mainzer Zeitschrift 1919
– Zur Götterverehrung im römischen Mainz. In: Mainzer Zeitschrift 1945
– Römischer Zweisäulenbau in Alzey. In: Mainzer Zeitschrift 1945
– Römische Grabsteine aus Mainz. In: Mainzer Zeitschrift 1945
Brion, M., Pompeji und Herculaneum. Köln 1971
Caesar, G. J., Der Gallische Krieg. Übers. v. Curt Woyte/Stuttgart 1951
Capelle, W., Das alte Germanien. Die Nachrichten der griechischen und römischen Schriftsteller. Jena 1929
Carcopino, J., So lebten die Römer während der Kaiserzeit. Stuttgart 1959
Corpus inscriptionum latinarum Bd. XIII

Doppelfeld, O., Der Rhein und die Römer. Köln 1970
Drexel, F., Die Götterverehrung im römischen Germanien. In: Röm. Germ.
Kom. 14. Bericht, Frankfurt 1923
Durant, W., Der Principat/Das Weltreich – Kulturgeschichte der Menschheit.
Lausanne
Esser, K. H., Mainz. München 1961, 2. Auflage 1969
– und W. Selzer und K. V. Decker, Die Sammlung Fremersdorf. In: Main-
zer Zeitschrift 1969
Fabricius, E. und H. Mylius, Die römischen Heilthermen von Badenweiler.
In: Röm. Germ. Kom. Bd. 12
Fischer, U., Aus Frankfurts Vorgeschichte, Frankfurt 1971
– Ein neuer Viergötterstein aus Heddernheim und die Jupitersäulen im Rhein-
Main-Gebiet. In: Sonderdruck Nassauische Annalen, Frankfurt 1971
– Römische Religionsaltertümer aus Heddernheim. In: Frankfurter kirchliches
Jahrbuch 1965
– Das Weihedenkmal der Dea Candida aus Heddernheim. In: Städel-Jahrb.
Frankfurt 1967
– Zur römischen Besetzung des Frankfurter Domhügels. In: Germania 39,
Berlin 1961
– Zur Altstadtgrabung Frankfurt am Main. In: Frankfurter kirchl. Jahrb.
1956
– und W. Schleiermacher: Eine Dendrophoreninschrift aus Heddernheim
Fremersdorf, F., Römische Bildlampen. Bonn 1922
– Der römische Gutshof Köln-Müngersdorf. In: Röm. Germ. Kom. Bd. 6
– Erzeugnisse Kölner Manufakturen i. d. Funden v. d. Saalburg und von
Zugmantel. In: Saalburg-Jahrbuch IX, Frankfurt 1939
Friedlaender, L., Sittengeschichte Roms, 3 Bd., Leipzig 1881
Führer zu vor- und frühgeschichtlichen Denkmälern. Röm. Germ. Zentralmu-
seum, Mainz. Mainz /Bd. 11, Südliches Rheinhessen /Bd. 13, Miltenberg /Bd. 8,
Odenwald /Bd. 3, Nördliches Rheinhessen /Bd. 12
Germania Romana I. Römerstädte in Deutschland. Beihefte zu Gymnasium 1 –
D. Baatz, O. Doppelfeld
– II. Kunst und Kunstgewerbe im römischen Deutschland. Beihefte zu Gym-
nasium 5 – W. Schleiermacher, H. Schoppa, H. v. Petrikovits
– III. Römisches Leben auf germanischem Boden. Beihefte zu Gymnasium 7 –
D. Baatz, H. Cüppers, H. Hinz, M. Müller-Wille
Gündel, F., Nida – Heddernheim. Frankfurt a. M. 1913
– Die Mainübergänge. Frankfurt a. M. 1939
Hadas, M., Kaiserliches Rom. Nederland N. V. 1966
Haevernick, E. und P. Hahn-Weinheimer, Untersuchungen römischer Fenster-
gläser. In: Saalburg-Jahrbuch XIV, Berlin 1955
Hundt, H.–J. und U. Fischer, Die Grabungen in der Altstadt von Frankfurt
am Main 1953–1957. In: Neue Ausgrabungen in Deutschland. Berlin 1958
Instinsky, H. U., Historische Fragen des Mainzer Drusus-Denkmals. In: Jahr-
buch des RGZM. Bd. 7, Mainz 1960
– Kaiser Nero und die Mainzer Jupitersäule. In: Jahrbuch des RGZM. Bd. 6,
Mainz 1959
– Die alte Kirche und das Heil des Staates. München 1963
Jacobi, H., Saalburg-Jahrbuch VI, 1914–24, Frankfurt 1927
Jorns, W., Neue Boden-Urkunden aus Starkenburg, Kassel 1953
Kahrstedt, U., Geschichte des griechisch-römischen Altertums. München 1952
– Kulturgeschichte der römischen Kaiserzeit. Bern 1958
Kellner, H.–J., Die Römer in Bayern. München 1971

Koepf, H., Zauber der Archäologie. Stuttgart 1967
Kimmig, W., Die Heuneburg an der oberen Donau. Stuttgart 1968
Klumbach, H., Echzeller Helmmaske. In: Saalburg-Jahrb. XXVII, Berlin 1970
Kutsch, F., Römische Bäder in Wiesbaden. In: Kongreßtage in Wiesbaden. 1949
Marquardt, J., Das Privatleben der Römer. Leipzig 1886
Mommsen, Th., Römische Geschichte. Wien 1932
– Das Weltreich der Caesaren. Wien 1933
Much, R., Die Germania des Tacitus. Heidelberg 1967
Nesselhauf, H., Umriß einer Geschichte des obergermanischen Heeres. In: Jahrb. d. Röm. Germ. Zentr. Mus. Mainz 1960
Paoli, U. E., Das Leben im alten Rom. Bern 1961
Perowne, St., Römische Mythologie. Wiesbaden 1969
Petrikovits, H. v., Die römischen Streitkräfte am Niederrhein. Düsseldorf 1967
– Das römische Rheinland. In: Bonner Beihefte 8, 1960
– Mogontiacum – das römische Mainz. In: Mainzer Zeitschr. 1963
– Die Ausgrabungen in der Colonia Traiana b. Xanten. In: Bonner Jahrbücher 152/153
Pfeffer, W. v., Neue römische Steinfunde aus Mainz. In: Mainzer Zeitschrift 1964
– Neue römische Steine aus Mainz. In: Mainzer Zeitschrift 1959
Powell, I. G. E., Die Kelten. Köln 1960
Riese, A., Das rheinische Germanien in den antiken Inschriften. Leipzig 1914
Roller, O., Die römischen Terra Sigillata-Töpfereien von Rheinzabern, Stuttg. 1969
Römer am Rhein. Kölner Ausstellungskatalog 1967
Rom und seine große Zeit. Würzburg 1966
Schauer, P., Zwei römische Bronzekasserollen aus Heddernheim (Nida). In: Fundberichte aus Hessen 1965/66
Schell, G., Die römische Besiedlung von Rheingau und Wetterau. In: Nassauische Annalen 1964
Schleiermacher, W., Untersuchungen am obergermanischen und rätischen Limes. In: Neue Ausgrabungen in Deutschland. Berlin 1958
– Der römische Limes in Deutschland. (Limesführer) Berlin 1967
– Neue Denkmäler des Jupiterkultes aus Nida (Frankfurt-Heddernheim). In: Germania. Berlin 1965
– Die spätesten Spuren der antiken Besiedlung im Raum von Speyer, Worms, Mainz, Frankfurt und Ladenburg.
Schönberger, H., Neuere Grabungen am obergermanischen und rätischen Limes. Limesforschungen 2. Berlin 1962
– The Roman Frontier in Germany: An Archaeological Survey. In: The Journal of Roman Studies 59, 1969
Schoppa, H., Die Kunst der Römerzeit in Gallien, Britannien und Germanien. München
– Römische Götterdenkmäler in Köln. Köln 1959
– Orientalische und griechische Einflüsse in der provinzial-römischen Kultur. In: Nassauische Annalen 1953
– Die Bedeutung des Mittelrheingebietes in römischer Zeit.
– Die Besitzergreifung des Limesgebietes durch die Alamannen. In: Nassauische Annalen 1956
– Römische Bildkunst in Mainz. Wiesbaden 1963
– Die römische Kaiserzeit. Wiesbaden 1967
– Der römische Steinsaal. Wiesbaden 1965

– Das Mithraeum. Wiesbaden 1959
– Die Funde aus dem Vicus des Steinkastells Hofheim, Maintaunuskreis. Wiesbaden 1961
– Aus Wiesbadens römischer Vergangenheit. In: Arztzeitschr. Konstanz 1970
Simon, E., Das neugefundene Bildnis des Gaius Caesar in Mainz. In: Mainzer Zeitschrift 1963
Specht, W., Eine interessante Erdprobe aus einer Abortgrube im Römerkastell Künzing. In: Saalburg-Jahrbuch XXI. Berlin 1964
Stein-Ritterling, E., Die kaiserlichen Beamten und Truppenkörper im römischen Deutschland unter dem Principat. Wien 1932
Stümpel, B., Fundberichte Vor- und Frühgeschichte. In: Mainzer Zeitschrift 1963/64
– Fundberichte Vor- und Frühgeschichte. In: Mainer Zeitschrift 1966
Tacitus, C., Sämtliche Werke. Übers. v. W. Boetticher. Wien 1935
Thomas, Ch. L., Das römische Villengebäude bei der Günthersburg und die Bornburg. In: Festschrift Histor. Museum Frankfurt a. M. 1903
Ulbert, G., Römische Waffen des 1. Jahrhunders n. Chr. Stuttgart 1968
Vorträge des 6. internationalen Limeskongresses. Studien zu den Militärgrenzen Roms. Röm. Germ. Kom.
Wegweiser 18 des Zentralmuseums für deutsche Vor- und Frühgeschichte in Mainz. Germanische und gallische Götter in römischem Gewand. Mainz 1944
Wegweiser 19 des Römisch-Germanischen-Zentralmuseums in Mainz. Mainz vor der Römerzeit. Mainz 1947
Weidemann, K., Die Topographie von Mainz in der Römerzeit und dem frühen Mittelalter. In: Jahrbuch des Mainzer Zentralmuseums.
Woelcke, K., Ein seltener Becher aus Heddernheim. In: Alt-Frankfurt 1912
– Der neue römische Paradehelm aus Heddernheim. In: Germania. Berlin 1930
– Ein bronzenes Schminkkästchen aus einem römischen Skelettgrab von Frankfurt a. M.-Praunheim. In: Germania. Berlin 1931
– Römische Villa bei Vilbel. In: Quartalbl. d. Hist. Vereins Hessen. 1915
Wolff, G., Die Römerstadt Nida bei Heddernheim und ihre Vorgeschichte. Frankfurt a. M. 1908
Wortmann, D., Neue magische Texte. Bonner Jahrbuch 1968

Verzeichnis der Abbildungen auf Tafeln

14 Aus der Waffenschmiede des Militärdepots, wo er sich wohl zur Reparatur befand, stammt der reichverzierte Paradehelm (200 Jh. n. Chr.). Museum für Vor- und Frühgeschichte, Frankfurt. Foto: Otto Hoffritz, Schweinfurt.

15 Lebensgroßer Bronzekopf der Göttin Rosmerta aus dem Merkurheiligtum von Finthen (Rheinhessen). Mitte 2. Jh. n. Chr. Mittelrhein. Landesmuseum, Mainz.

16 Bronzeschminkkästchen mit Linienziselierung. Darin Reste von Fettschminkstäbchen. Aus einem Grab des 3. Jahrh. n. Chr. in Nida. Museum für Vor- und Frühgeschichte, Frankfurt. Foto: Otto Hoffritz.

17 Drehbares Kultbild des Mithrassaltars aus dem sogenannten ersten Mithraeum von Nida (Frankfurt-Heddernheim). Städtisches Museum, Wiesbaden / Sammlung Nassauischer Altertümer.

18 Römischer Silenskopf aus Bronze als Wasserspeier. Niedernberg. Museum Aschaffenburg.

19 Nachbildung des »Schwertes des Tiberius« aus Mainz. Röm.-Germ.-Zentralmuseum, Mainz.

20 Reste der Pfeiler des Aquaedukts im Zahlbachtal, Mainz. Foto: Mittelrh. Landesmuseum, Mainz.

21 Drusus- oder Eichelstein in der Zitadelle von Mainz, 22 m hoch erhalten. Foto: Mittelrhein. Landesmuseum, Mainz.

22 Rekonstruktion der großen Mainzer Jupitersäule, mit der Figur des Jupiters ergänzt, bei der Saalburg. Foto: Otto Hoffritz, Schweinfurt.

23 Vorhalle des Verwaltungsgebäudes, der Principia, des Saalburgkastells. Foto: Otto Hoffritz, Schweinfurt.

24 Wehrmauer der Saalburg. Foto: Staatl. Landesbildstelle, Frankfurt.

25 Mannschaftsunterkünfte an einer Lagerstraße, Saalburg. Foto: Otto Hoffritz, Schweinfurt

26 Gladiatorenkrug, Sigillata in Barbotinetechnik, aus Rheinzabern. 2. Hälfte 2. Jh. n. Chr. Histor. Museum der Pfalz, Speyer.

27 »Feldflasche«, Terra Sigillata. Mainz Mittelrhein. Landesmuseum, Mainz.

28 Kranich-Kelch des Ateius, Terra Sigillata, aus dem Mainzer Legionslager. Mittelrh. Landesmuseum, Mainz.

29 Gesamtansicht einer bemalten Wand im Kastell Echzell, teilweise rekonstruiert. Bildsockel ergänzt. Saalburgmuseum, Bad Homburg v. d. H.

30 Ausschnitt der Wandmalerei im Kastell Echzell. Fortuna und Hercules. Kopie nach dem Original.
Saalburgmuseum, Bad Homburg v. d. H.

31 Kreuznacher Gladiatoren-Mosaik. Um 250 n. Chr. Karl-Geib-Museum/Heimatmuseum, Bad Kreuznach (Nr. 1705).

32 Ausschnitt eines Mosaikbodens »Meeresreigen« aus den römischen Heilthermen in Bad Vilbel. 2. Hälfte 2. Jh. n. Chr. Landesmuseum, Darmstadt. Foto: Otto Hoffritz, Schweinfurt.

33 Altar an die Nymphen, vom Praefekten der II. Raeterkohorte L. Sextius Victor geweiht. Eineinhalb Kilometer von der Saalburg entfernt an der Quelle des Kirdorfer Baches gefunden. Original im Fahnenheiligtum der Saalburg, Nachbildung neben dem Mithraeum bei der Saalburg. Foto: Otto Hoffritz, Schweinfurt.

NACHWEIS DER ZEICHNUNGEN IM TEXTTEIL

S. 35 und S. 37 Saalburgmuseum Bad Homburg v. d. Höhe; S. 60 und S. 61 Mainzer Zeitschrift 1953/54, Verlag des Mainzer Altertumsvereins; S. 70 und S. 72 Schroeder-Verlag, Bonn; S. 77 Saalburgmuseum, Bad Homburg v. d. H.; S. 83 Mainzer Zeitschrift 1964, Verlag des Mainzer Altertumsvereins; S. 98 und S. 108 Germania Romana 1924, Buchners Verlag, Bamberg; S. 116 Jahrb. d. Röm.Germ.Zentr.Museums 1959, Mainz; S. 133 nach Limeswerk Band II 3; S. 147 Germania Romana 1930, Buchners Verlag, Bamberg; S. 170 und S. 171 Saalburg-Jahrb. 1939; S. 174 und S. 175 Saalburgmuseum, Bad Homburg v. d. H.; S. 179 Saalburgmuseum, Bad Homburg v. d. H.; S. 181 Bonner Jahrb. 1928; S. 183 Saalburgmuseum, Bad Homburg v. d. H.; S. 185 Rhein. Landesmuseum, Trier; S. 194 Staatl. Amt f. Vor- u. Frühgesch., Bad Kreuznach; S. 195 Staatl. Konservatoramt, Saarbrücken; S. 198 Saalburgmuseum, Bad Homburg v. d. H.; S. 217 Mainzer Zeitschrift 1968, Verlag des Mainzer Altertumsvereins; S. 229 und S. 232 Saalburgmuseum, Bad Homburg v. d. H.; S. 233 Germania Romana 1930; S. 235, S. 244, S. 248 und S. 252 Saalburgmuseum, Bad Homburg v. d. H. Karte auf dem Vorsatzblatt »Das römische Mainz« nach Behrens, Mainzer Zeitschrift 1953/54.

Personen-, Sach- und Ortsregister

Im gleichen Programm

Helmut Signon

Die Römer in Köln
Altertümer zwischen Eifel und Rhein

F299